MARINA TSVETAEVA
L'ÉTERNELLE INSURGÉE

HENRI TROYAT
de l'Académie française

MARINA TSVETAEVA
L'ÉTERNELLE INSURGÉE

BERNARD GRASSET
PARIS

IL A TIRÉ DE CET OUVRAGE
DIX EXEMPLAIRES
SUR VÉLIN PUR FIL DES PAPETERIES MALMENAYDE
DONT CINQ EXEMPLAIRES DE VENTE
NUMÉROTÉS DE 1 À 5
ET CINQ HORS COMMERCE
NUMÉROTÉS H.C.I À H.C.V,
CONSTITUANT L'ÉDITION ORIGINALE

I

L'ENFANCE BÉNIE ET ENDEUILLÉE

Au bout de combien de temps un veuf peut-il songer décemment à se remarier ? Cette question, le professeur Ivan Vladimirovitch Tsvetaev ne cesse de se la poser, avec scrupule et impatience, depuis la mort de sa femme, Varvara Dimitrievna. Elle était la fille de l'historien ultraconservateur Dimitri Ilovaïski, dont les manuels stéréotypés avaient enseigné l'amour du passé de la Russie à des générations d'élèves en culottes courtes. Ivan Tsvetaev a tendrement aimé son épouse et elle l'a comblé en lui donnant deux beaux enfants, Valérie en 1882 et André en 1890. Mais la tuberculose dont elle souffrait ne lui a pas permis de les voir grandir. Ses dernières couches l'ont épuisée. Quand elle s'est éteinte, en 1891, à trente-deux ans, Ivan Tsvetaev a été accablé à la fois par le chagrin de cette perte irréparable et par la crainte de ne pouvoir élever seul les deux orphelins (neuf ans et un an) qu'elle laissait derrière elle. Comment saurait-il affronter, lui, un savant, un homme de lectures, les multiples responsabilités d'un chef de famille ? Au vrai, il est trop absorbé par ses travaux, trop distrait par ses recherches pour s'occuper de la vie quotidienne. Sa progression dans les découvertes et les honneurs le rend impropre à goûter les humbles joies du foyer. Né en 1847, il est le fils d'un petit prêtre du village de Talitsy, dans le gouvernement de Vladimir. Ses trois frères et lui ont eu en commun l'ambition et le goût de s'instruire. Ayant fait de brillantes études au séminaire de Vladimir, il les a poursuivies, de degré en degré, avec brio et a même soutenu, en latin, une thèse d'histoire ancienne. Puis, bardé de diplômes, il a parcouru l'Europe, visité des musées, des bibliothèques, des sites archéologiques, et est revenu en Russie, riche d'un savoir qui lui a permis d'obtenir une chaire d'histoire de l'Art à l'université de Moscou et le poste de conservateur du musée Roumiantsev. Son idée fixe à présent est de se dévouer à la création d'un musée des Beaux-Arts, à Moscou. Cet établissement, unique en son genre, réunirait les reproductions des plus belles œuvres du génie antique. Pour mener à bien une telle entreprise, il lui faut dénicher des mécènes, quémander des subventions, choisir l'emplacement du palais qui abritera ces trésors, retourner en Europe afin de commander des copies et des moulages aux spécialistes. Avec la meilleure volonté, il lui est impossible, dans ces conditions, de veiller à l'éducation et à la santé des petits André et Valérie. Ils ont besoin d'une seconde mère pour les choyer et les élever ; et lui a besoin d'une seconde femme pour l'encourager dans sa noble et énorme tâche. Très vite, tout en pleurant la défunte Varvara, il se résigne à lui chercher une remplaçante. À quarante-quatre ans, il jette son dévolu sur une jeune fille de vingt-deux ans, Maria Alexandrovna Meyn. Elle est belle, sage, cultivée, parle couramment plusieurs langues étrangères, dont le français, l'allemand, l'italien, se passionne pour la littérature, a visité les hauts lieux d'Italie, mais est surtout attirée par la musique. Elle joue divinement du piano et a été l'élève du virtuose Nicolas Rubinstein. Impossible de rêver mieux pour un homme désireux de refaire sa vie. Dès sa première rencontre avec elle, Ivan Tsvetaev est sûr de son choix. Seule ombre au tableau : le cœur de Maria Alexandrovna est attiré par un autre. Et cet « autre » est un homme marié. Elle souffre de ne pouvoir appartenir totalement et légitimement à son bien-aimé. D'origine allemande par son père et polonaise par sa mère, elle a un tempérament trop entier pour cacher ses sentiments aux yeux du monde, alors qu'elle voudrait s'en glorifier. Incontestablement, il lui faut mettre fin à une idylle clandestine et déshonorante. Le professeur Ivan Tsvetaev a l'air si malheureux avec cette morte dans sa mémoire et ces deux enfants sur les bras qu'elle accepte, par raison et par compassion, de l'épouser.

Or, d'emblée, l'union se révèle moins pénible qu'elle ne l'a supposé. Le 26 septembre 1892, un an à peine après la bénédiction nuptiale, elle accouche d'une fille, Marina. Encore deux ans, et ce sera le tour d'une seconde fille, Anastasie. Avec une louable équité, Maria Meyn partage ses soins entre les deux bébés nés coup sur coup de sa chair et les deux enfants d'un autre lit dont elle a la charge et qui la regardent avec un mélange de curiosité et de rancune. En vérité, lors de la venue au monde de la petite Marina, elle a été déçue. Elle espérait un fils, qu'elle aurait appelé Alexandre. Dommage, elle se contentera de ce pis-aller ! Mieux, elle s'efforcera, pense-t-elle, d'enrichir cette petite cervelle féminine de toute l'intelligence, de tout le courage, de toute la volonté dont elle aurait voulu doter un rejeton mâle. Une désillusion plus grave encore assombrit son humeur : elle constate que ses obligations de mère de famille l'empêchent de poursuivre une carrière artistique qui a long-temps été sa raison d'être. Un berceau lui barre la route du piano. L'absurde balbutiement des mar-mots s'interpose entre elle et les œuvres de Chopin, de Schubert, de Beethoven. Pour se consoler, elle décide de s'occuper personnellement, au plus tôt, de la formation musicale de sa progéniture. Dès que ses filles sont en âge de comprendre ce qu'elle attend d'elles, elle laisse à des gouvernantes le soin de leur enseigner les rudiments de la langue russe, de l'arithmétique, de l'histoire, de la géographie et se réserve les leçons de solfège et de piano. Sa vie durant, Marina se rappellera avec horreur et grati-tude ces longues heures passées devant le clavier.

La fastidieuse répétition des gammes, les sempiternels conseils pour la position des doigts sur les touches, toute cette gymnastique de l'esprit et du corps la fatigue et l'agace. Bien que déchiffrant les partitions avec aisance, elle déteste la logique des notes qui, se souviendra-t-elle, « m'empêchent de regarder, ou plutôt m'obligent à regarder le clavier, me masquent la vérité, me détournent du mystère, comme si je me trompais de pied ». Elle reproche à sa mère de la submerger de musique, de l'ensevelir sous une avalanche de sonorités admirables. Le piano est, pour elle, un personnage noir et luisant, qui, tour à tour, l'attire et la déçoit, la torture et la charme. Elle n'est plus tout à fait elle-même quand elle se penche sur la théorie des petits leviers blancs et noirs. Évoquant ces corvées artistiques, elle écrira : « Chaleur torride. Ciel bleu. Musique des mouches et tourment musical. Le piano se trouve si près de la fenêtre qu'on dirait qu'il s'efforce de la franchir, avec sa pesante maladresse d'éléphant. Il s'y est déjà engagé à mi-corps, alors que, de l'autre côté, le jasmin s'engouffre à l'intérieur, tel un personnage vivant. La sueur m'inonde. Mes doigts sont rouges. Je joue avec tout mon corps, avec toute ma force, avec tout mon poids, avec tout mon élan, mais souvent avec tout mon dégoût pour cet exercice. » Constatant son exaspération, sa mère se désole : « Tu n'aimes pas la musique ! » gémit-elle. Au vrai, ce que Marina rejette, ce n'est pas la musique, c'est *sa* musique, la musique qui sort de ses mains imparfaites. En revanche, dès que sa mère se met au piano, l'enfant s'épanouit dans l'extase. D'ailleurs, Marina elle-même, tout en se critiquant, reconnaît qu'elle a de l'oreille et un bon toucher. Mais il lui arrive d'avoir peur en entendant le tic-tac implacable du métronome. « Et si le mécanisme ne s'arrêtait jamais, écrira-t-elle dans ses Souvenirs, si je ne pouvais plus me lever du tabouret, s'il m'était impossible d'échapper jamais au tic-tac ? C'était, à coup sûr, la mort veillant sur mon âme, sur cette âme vivante qui était destinée à disparaître. Le métronome, c'était le cercueil, et dans ce cercueil habitait la Mort. L'horreur de son bruit méticuleux me faisait presque oublier l'horreur de sa vue : une baguette d'acier, se dressant comme un doigt et oscillant avec une stupidité maniaque derrière le dos des vivants. Ce fut ma première rencontre avec la technique et elle m'a marquée pour toutes les autres [rencontres de ce genre]. » Malgré sa répugnance pour l'apprentissage d'un art à la fois divin et diabolique, Marina fait de tels progrès qu'à cinq ans elle est inscrite à l'école Zograf-Plaksine, pépinière de petits Mozart, et qu'à sept ans elle participe à un concert donné par les élèves.

Craignant sans doute qu'un succès précoce ne tourne la tête de l'enfant, sa mère lui serine que le fait d'avoir une oreille juste et des doigts agiles ne signifie rien pour l'avenir, puisque ces dons lui viennent de Dieu. « Toi, lui dit-elle, tu ne peux que t'appliquer, car il est facile d'ensevelir n'importe quel don de Dieu ! » De l'aveu même de Marina, ces paroles la poursuivront au long de sa vie et elle en conclura qu'il n'y a pas de génie, ni même d'inspiration, sans un travail acharné.

Tout en se félicitant d'avoir une fille qui se débrouille bien au piano, Maria Meyn ne tarde pas à douter de la vocation musicale de son aînée. Très vite, elle remarque le goût de Marina pour l'agencement des mots et des rimes. Il semble que l'enfant s'amuse davantage en combinant des calembours poétiques qu'en laissant courir ses doigts sur le clavier. À demi intriguée, à demi inquiète de ces dispositions qu'elle n'a pas encouragées, Maria Meyn note dans son Journal : « Peut-être sera-t-elle poète ? » Cette éventualité la désole car elle considère que son devoir d'émule de Nicolas Rubinstein est de transmettre la flamme de la musique à sa fille. Plus tard, se remémorant l'obstination de sa mère à la pousser dans une voie qu'elle n'est pas arrivée à suivre elle-même jusqu'au bout, Marina Tsvetaeva l'expliquera par le pressentiment, chez cette femme malheureuse et frustrée, de n'avoir plus longtemps à vivre parmi les siens. Comme talonnée par la nécessité de laisser « quelque chose d'elle » dans la tête et le cœur de ses enfants, elle force la dose. « Du début à la fin, écrira Marina Tsvetaeva, elle a *donné*, versant, enfonçant [en nous sa passion] jusqu'à nous étouffer sans prendre le temps de poser, de se reposer. [...] Heureusement que tout cela n'était pas de la science mais de la poésie. [...] Notre mère ne nous éduquait pas, elle nous mettait à l'épreuve, elle mesurait notre force d'opposition. La cage thoracique pouvait-elle céder ? Non, elle n'a pas cédé, mais elle s'est tellement développée qu'après, maintenant, rien ne peut la rassasier, la remplacer[1]. »

Certes, Marina et Anastasie auraient pu trouver une diversion à la fascinante et exigeante emprise de leur mère en fréquentant des amies de leur âge. Mais leurs parents les tenaient si étroitement sous leur coupe qu'elles ne voyaient personne en dehors du clan familial. Les jeux habituels de l'enfance étaient remplacés pour elles par les flots de paroles et d'harmonie que leur mère déversait du matin au soir sur leurs têtes. Gavées de préceptes et de musique, elles vivaient, avec un cerveau encore puéril, une existence d'adultes. Dès son plus jeune âge, Marina s'adonnait au plaisir de jongler avec les mots russes, français, allemands et ne concevait pas d'autres activités que celles de la lecture, de la récitation et de la rêverie. En vérité, alors que Marina croyait se détacher de la musique pour mieux s'ébattre dans la poésie, elle ne se rendait pas compte que la musique et la poésie échangeaient leurs sortilèges dans sa tête, que ce qu'elle aimait dans la poésie, c'était encore la musique, hors du secours des instruments, que les mots étaient des notes et les phrases des accords et qu'écrire des vers pouvait être aussi grisant qu'inventer une mélodie. Bien plus tard, le poète

---

1. Marina Tsvetaeva : *Ma mère et la musique.*

Constantin Balmont lui révélera cette évidence en lui reprochant ironiquement l'importance de l'élément phonétique dans ses dernières productions. « Tu demandes à la poésie ce que seule la musique peut rendre [1] », lui dira-t-il.

Entre-temps, Marina s'était prise de passion pour sa demi-sœur, Valérie Ilovaïski, qu'on appelait Liora, son aînée de dix ans. Celle-ci concurrençait même dans l'esprit de la fillette l'amour que lui inspirait sa mère. Sans doute est-ce à l'instigation de cette initiatrice juvénile qu'elle s'est enivrée des poèmes de Pouchkine. Elle les apprenait par cœur et les ânonnait, pour elle-même, comme des prières. Elle demandait à ses proches des détails sur la vie de ce magicien qui avait été tué en duel, par un Français, un matin de neige, à cause d'une femme, et dont le chant harmonieux continuait à ensorceler les foules. Si Maria Meyn, de son côté, a guidé sa fille vers la lecture de certains textes classiques, c'est Valérie qui lui a révélé l'existence d'ouvrages du rayon secret de la bibliothèque. Elle lui a notamment mis entre les mains un livre « interdit » par les parents, qui le jugeaient caricatural, subversif et craignaient son influence sur une sensibilité à son éveil : *Les Âmes mortes* de Gogol. Ce titre étrange a excité immédiatement l'imagination de Marina et lui a fait croire qu'elle allait se plonger dans des histoires de revenants et de cadavres. « Mais, écrira-t-elle, ces *morts* et ces *âmes*, je ne les

---

1. Cité par Claude Delay : *Marina Tsvetaeva, une ferveur tragique.*

atteignis jamais au cours de ma lecture, car, au dernier moment, quand ils étaient sur le point d'apparaître, comme par un fait exprès, j'entendais le pas de ma mère et, saisie d'une tout autre frayeur, vivante celle-là, je fourrais le gros livre sous mon lit[1]. »

La monotonie des journées studieuses et cloîtrées de Moscou faisait place à une joyeuse fantaisie dès que la famille se rendait pour les vacances d'été dans la maison de campagne, à Taroussa, dans la région de Kalouga. Là, les enfants retrouvaient, avec la griserie de la liberté, un univers de prairies, de champs, de forêts, traversé par la rivière Oka. Mais, si la nature leur souriait sous le soleil, Marina ne voyait toujours pas d'amies à l'horizon. Débordant de tendresse et de confidences rentrées, elle devait se contenter de la compagnie d'Anastasie, de leur demi-sœur Valérie et de leur demi-frère André. Il y avait également dans le voisinage quelques membres de la famille Ilovaïski, celle de la première femme du professeur Ivan Tsvetaev. Cependant, les rapports avec ces gens, si étrangers et si proches à la fois, étaient d'une courtoisie circonspecte et on ne savait jamais quelle attitude prendre en leur présence.

Après trois mois passés au grand air, Marina était contente de retrouver l'atmosphère casanière de la maison de Moscou, au numéro 8 de la rue

---

1. Marina Tsvetaeva : *Le Diable.*

des Trois-Étangs *(Trekhproudny)*[1]. Jusqu'à sa mort elle gardera le souvenir de cette vaste bâtisse, de style gréco-slave, à la façade couleur chocolat et à la cour ombragée par un peuplier et des acacias au feuillage poudreux. Elle l'évoquera avec émotion et reconnaissance dans un poème de sa maturité :

> *Toi, dont les sommeils sont encore lourds*
> *Et dont les mouvements sont paisibles,*
> *Va dans la rue des Trois-Étangs*
> *Si tu aimes ma poésie. [...]*
>
> *Bientôt, ce monde sera sacrifié.*
> *Va en secret le regarder*
> *Tant qu'on n'a pas abattu le peuplier,*
> *Tant que notre maison n'est pas vendue. [...]*
>
> *Ce monde merveilleux qui ne ressuscitera jamais,*
> *Tu le retrouveras encore debout, mais va vite,*
> *Va dans la rue des Trois-Étangs,*
> *Vers cette âme au fond de mon âme.*

Fidèle à ses souvenirs, Marina l'est aussi à l'enseignement inflexible de sa mère, qui professait, en toute circonstance, la dignité, le courage et la rigueur morale. On n'était guère religieux à la maison, on ne se rendait que rarement à l'église, on n'observait pas toujours le jeûne de Pâques et on ne se confessait pas pour le carême, mais enfants et parents obéissaient à des principes de droiture

---

1. Cette maison a été démolie après la révolution de 1917.

aussi intangibles que les commandements de Dieu. Avant même de savoir lire et compter, Marina a appris de sa mère que l'argent est « sale » et que nul n'a le droit, sous peine de perdre son âme, de se laisser dominer par l'appât du gain. « De même, écrira-t-elle, il était impensable de chercher à obtenir la satisfaction de quelque désir que ce soit. Il suffisait que nous ayons grande envie d'une chose pour qu'on ne nous la donne pas : par exemple de jeter un simple regard sur un saucisson pour que, bien entendu, nous ne puissions le recevoir. Le droit de quémander n'existait pas dans notre famille, même du regard[1]. » Toujours contrariée dans ses élans, Marina se croit mal aimée ; elle s'imagine que sa mère lui préfère Anastasie ; elle s'offense d'un rien ; elle se demande si elle n'est pas possédée par le diable ; à moins qu'elle ne soit l'élue de Dieu. Mais n'est-ce pas la même chose ?

C'est quand elle a une plume à la main qu'elle retrouve un semblant d'équilibre. Improviser des tours d'adresse avec les mots lui procure le même plaisir exaltant qu'à maman d'égrener des notes. À l'âge de six ans, elle griffonne, à l'insu de tous, des bouts de phrase, assemble des rimes, s'évertue à sauter d'une image à l'autre, comme si elle poussait un palet, à cloche-pied, sur les cases numérotées d'une figure de marelle. Ce ne sont encore que des tâtonnements puérils, des manières de calembours, mais, déjà, le besoin de mettre noir sur blanc les

---

1. Marina Tsvetaeva : *L'Histoire d'une dédicace.*

idées qui caracolent dans sa tête est si impératif et si mystérieux qu'il a pour elle les douceurs maléfiques d'un vice.

À neuf ans, Marina entre au « gymnase » pour filles de la rue Sadovaïa. Chaque jour, Anastasie, accompagnée d'une gouvernante, vient la chercher à la sortie des classes. Les notes de la nouvelle élève sont si brillantes que sa mère s'en réjouit sans se départir de son habituelle circonspection. Elle répète, à l'occasion des succès scolaires de sa fille, les mises en garde qu'elle a énoncées au sujet de ses dispositions pour le piano. Si elle la félicite ce n'est pas pour sa réussite, mais pour son « application ». Le don de Dieu, dit-elle, est une qualité toute différente de ce genre d'étincelles ; le génie met toujours du temps à se manifester et il est généralement durable. Elle espère, par ce propos, assagir les élans désordonnés d'une gamine sujette à d'inquiétantes sautes d'humeur. Au fond, cette femme, dont le mari est trop occupé et la carrière musicale précocement compromise, cherche à se « réaliser » dans une enfant qu'elle voudrait exemplaire, mais que son excès de tendresse et d'attention accable. « Maman et papa étaient très dissemblables, écrira Marina Tsvetaeva dans une lettre restée longtemps inédite. Chacun portait une plaie dans son cœur. Maman, la musique, la poésie, le chagrin ; papa — la science. » Et aussi : « Ma mère nous a inondées de toute l'amertume de sa vocation contrariée, de sa vie contrariée, elle nous a inondées de musique comme de sang, du sang

de la seconde naissance[1]. » Plus loin, elle insiste :
« L'enthousiasme musical, il est temps de le dire,
me manquait, par la faute ou plutôt à cause du zèle
excessif de ma mère : elle attendait de moi, qui n'en
avais ni la force ni les capacités, le maximalisme
entier et sans âge d'une vocation innée. Elle exigeait de moi que je fusse elle ! De moi, qui étais
déjà un écrivain et qui ne serais jamais une
musicienne[2]. »

Enfin, cet aveu : « Ma pauvre mère, comme je
l'ai déçue ; comment n'a-t-elle pas décelé que mon
manque de goût pour la musique provenait du fait
que j'étais possédée par une autre musique[3] ? »

Affaiblie par une grippe qui traîne en longueur,
Maria Meyn n'en continue pas moins à régner avec
une ferme douceur sur ses filles, impatientes à la
fois de lui ressembler et de s'affirmer. Mais la
grippe évolue peu à peu vers une tuberculose
caractérisée. Obéissant aux prescriptions des
médecins, la mère et les deux jeunes enfants, laissant le père et le reste de la famille à Moscou, s'en
vont à la recherche du soleil dans le sud de la Russie, puis à travers l'Europe.

Les voici en Italie, à Nervi, dans une « Pension
russe », face à la mer. Pendant que Maria Meyn se
repose dans son lit, les fillettes jouent dans le jardin
avec Volodia, le fils du propriétaire. Bientôt d'ailleurs, le cercle de leurs relations s'élargit. Alexan-

---

1. Marina Tsvetaeva : *Ma mère et la musique.*
2. *Ibid.*
3. *Ibid.*

dra Ilovaïski, la seconde femme du grand-père d'André, arrive à Nervi avec ses enfants, Serge et Nadia, qui tous deux sont tuberculeux et doivent se ménager. Serge, un adolescent épris, lui aussi, de poésie, se dit intéressé par les vers de Marina. Elle en est si émue qu'elle tombe amoureuse de lui et découvre, en la sœur du garçon, une amie selon son cœur. Bien des années plus tard, évoquant cette passion subite pour un jeune homme qu'elle connaissait à peine, elle écrira : « Je crois que, de toute ma petite enfance, c'est la seule personne qui ne se soit pas moquée de mes vers. [...] Mon doux Serioja [diminutif de Serge], à plus d'un quart de siècle de distance, acceptez la gratitude de cette fillette à grosse tête, aux cheveux courts, ce laideron qui ne plaisait à personne, et de qui vous preniez le cahier des mains avec tant de délicatesse. Par votre geste, ce cahier, vous me l'avez donné[1]. »

Hélas, cette idylle inoffensive ne dure guère. Nadia, la sœur de Serge, a fait des siennes, entretemps. Apprenant qu'elle est tombée amoureuse d'un étudiant pauvre, sa mère la renvoie, ainsi que son frère, en Russie, pour couper court à leurs divagations sentimentales. Deux ans plus tard, ils y mourront, l'un et l'autre, et Marina portera un double deuil : celui de sa première amitié avec Nadia Ilovaïski et celui de son premier amour avec Serge, le charmant jeune homme aux yeux noirs,

---

1. Marina Tsvetaeva : *La Maison près du Vieux Pimène.*

qui appréciait ses vers et refusait de voir en elle une enfant.

Mais, déjà, un autre sujet d'émotion et de réflexion s'est emparé d'elle. Un groupe de jeunes anarchistes russes, sous la conduite de leur chef, Vladislav Kobylianski, surnommé « le Tigre », vient de s'installer à la « Pension ». Malgré son extrême faiblesse, Maria Meyn, séduite par leur fougue, entre en relation avec eux. D'emblée, elle embrasse leurs opinions qui lui paraissent audacieuses et justes. Le soir, elle les rejoint au salon et participe à leurs débats. Ses deux filles sont à ses côtés. Parfois, Maria Meyn prend sa guitare et accompagne « les combattants de la liberté » dans leurs chants révolutionnaires. Marina admire la force d'âme de cette femme malade, sa mère, qui consacre son restant d'énergie à soutenir des rebelles. D'instinct, elle est portée elle-même à se réjouir chaque fois que l'autorité officielle est défiée et battue en brèche. Il lui semble qu'en se dévouant à une noble cause sa mère finira par guérir.

Or, ce n'est pas tant la « noble cause » qui attire Maria Meyn que la personnalité de celui qui en est le porte-parole. Les progrès de la tuberculose vont de pair chez elle avec les progrès de son engouement pour « le Tigre », en qui elle voit à la fois son sauveur et le sauveur de l'humanité souffrante. Emportée par la fièvre d'une imagination romanesque, elle envisage même un moment de rompre avec son mari, de quitter ses enfants et de suivre Kobylianski à Zurich. Mais, un jour, alors qu'elle se promène sur la plage avec « le Tigre », Marina, restée à la maison, fait une chute dans l'escalier et se blesse grièvement à la tête. Cet accident, qui aurait pu être fatal à sa fille, rappelle Maria Meyn à ses devoirs. Affolée, dégrisée, elle renonce à son projet d'escapade, retourne à sa famille et redouble de soins au chevet de son enfant.

Si la plaie de Marina guérit rapidement, la santé de sa mère empire de jour en jour. Il faut bientôt se rendre à l'évidence : la tuberculose gagne du terrain. Les médecins conseillent à Maria Meyn d'expédier ses enfants dans un pensionnat, en Suisse, afin d'éviter les risques de contagion. Au printemps 1903, les deux fillettes s'installent sur les bords du lac Léman, chez les sœurs Lacaze, qui dirigent un pensionnat à Lausanne, au numéro 3 de la rue de Grancy. Le style de l'institution est des plus débonnaires. Les cours ne sont pas ennuyeux et, pour un oui, pour un non, les élèves sont conduites en promenades. Peu avant l'été, Maria Meyn va visiter ses filles et descend dans un hôtel proche de la pension. Puis elle les emmène en France, à Chamonix et à Argentière. Dans son souci de leur rendre ce séjour en montagne agréable, elle accepte même qu'elles participent à des excursions en groupe, sur les glaciers, en compagnie d'un guide.

Toutefois, les médecins estiment que, pour préparer la malade à un retour en Russie, dont le climat froid risque de la surprendre, elle devrait rester encore un an dans un coin paisible d'Europe centrale. Suivant leur recommandation, la famille se transporte d'abord en Allemagne, à Fribourg. À la rentrée des classes, on émigre, en groupe, dans le village de Langackern, dans la Forêt-Noire, où l'hôtel Zum Engel offre un confort suffisant à la malade. À peine Marina et Anastasie se sont-elles fait des amis parmi les jeunes clients de l'établissement qu'il leur faut retourner à Fribourg afin d'y être confiées au sévère pensionnat des sœurs Brink, au numéro 10 de la Wallstrasse. Contrairement à l'atmosphère bon enfant de l'école de Lausanne, elles découvrent ici la terrible ordonnance d'une caserne prussienne. Réveil au premier coup d'une sonnerie stridente, à six heures du matin ; débarbouillage hâtif à l'eau glacée ; huit minutes pour avaler un semblant de repas au réfectoire ; cours magistraux mais insipides ; déjeuner rapide, frugal et silencieux ; promenade en rangs, deux par deux, les yeux au sol, comme si on se dirigeait vers un peloton d'exécution. Cette discipline incite Marina à la négation des plus innocentes contraintes dictées par autrui. Désormais elle est décidée à dire non au milieu de tous ceux qui disent oui par lâcheté ou par lassitude. Son unique consolation dans cette suite d'heures grises est la pensée qu'elle pourra rejoindre sa mère, en fin de semaine, et passer la nuit du samedi au dimanche avec elle, dans la chambre louée spécialement, au numéro 2 de la Marienstrasse, non loin du pensionnat. Encore cette permission n'est-elle accordée aux deux sœurs qu'à tour de rôle. La semaine suivante, ce sera Anastasie qui rendra visite à maman. Ce tête-à-tête, Marina s'y prépare comme à une fête dont le plus beau cadeau sera le visage d'une femme lasse, à la voix essoufflée et au regard fiévreux. Ce soir-là, autour d'une tasse de thé, sa mère lui donne des nouvelles de sa santé, mais aussi des graves événements qui agitent le monde. Bien que malade, Maria lit les journaux et les lettres qu'elle reçoit de Russie. Le pays est en guerre contre le Japon. Port-Arthur vient de tomber après une résistance héroïque. Les soldats que le tsar a lancés dans cette tuerie absurde se demandent pour quoi et pour qui ils combattent. Le 9 janvier, lors d'une manifestation pacifique devant le palais d'Hiver, la troupe ouvre le feu sur une foule confiante et désarmée. Des centaines de morts jonchent les abords de la résidence impériale. On parle déjà de « dimanche rouge ». Le prestige de Nicolas II est noyé dans le sang. Marina pense que les anarchistes de Nervi doivent se réjouir de ce drame qui leur donne raison. Quant à elle, qui va avoir treize ans, ce qui l'inquiète, pour l'instant, ce n'est pas tant la santé de la Russie que la santé de maman. Malgré ses frissons de fièvre et ses quintes de toux, Maria Meyn s'est mis en tête de participer à une chorale dont le concert est prévu dans les jours prochains, à Fribourg. Or, pendant les répétitions, elle prend froid. Une pleurésie se déclare et la tuberculose, qu'on croyait enrayée, prend des proportions telles que les médecins appellent d'urgence le professeur Ivan Tsvetaev au chevet de sa femme. Il accourt de Moscou. Mais, alors qu'il se lamente, impuissant, auprès d'elle, il apprend qu'un incendie a éclaté dans « son » musée des Beaux-Arts, détruisant plusieurs pièces d'une valeur inestimable. Parant au plus pressé, il s'occupe de faire hospitaliser sa femme qui étouffe et délire. Dès qu'une amélioration se dessine, on la transporte avec de grandes précautions au sanatorium Sankt Blasian.

Obligées de retourner dans leur pensionnat-prison, Marina et Anastasie y restent jusqu'aux vacances d'été, n'ayant de nouvelles de leur mère que de loin en loin. Puis, les cours terminés, leur père les délivre de la « geôle allemande », les conduit au sanatorium où Maria Meyn lutte farouchement pour survivre et les installe dans un petit hôtel à proximité.

De jour en jour, les raisons d'espérer s'amenuisent. Renonçant à guérir la malade, les médecins conseillent à présent de la ramener dans son pays, si possible au soleil. Toute la famille plie bagage à la fin de l'été 1905. En repassant la frontière, Marina a l'impression de pénétrer dans un cimetière où la tombe de maman est déjà creusée. Après un bref séjour à Sébastopol, les Tsvetaev se transportent à Yalta. Ayant installé sa femme et ses filles dans un appartement loué avec vue sur la mer, le professeur repart pour Moscou où le réclament les affaires du musée.

Au rez-de-chaussée de la maison où logent les Tsvetaev, à Yalta, habitent d'étranges personnages, au verbe haut et aux manières suspectes : les Nikonov. Même en présence de Marina et d'Anastasie,

26

ils ne se gênent pas pour critiquer le gouvernement. À leur avis, la Russie, dirigée par des incapables et des escrocs, court à l'abîme. En les écoutant à la dérobée, Marina estime qu'il y a tout lieu de s'inquiéter, en ces derniers mois de l'année 1905. Les grèves et les attentats se multiplient à travers le pays. Çà et là, on dresse des barricades. Les ouvriers se soulèvent et réclament on ne sait trop quoi. Le cuirassé *Potemkine* se présente devant Odessa, avec à son mât le drapeau rouge ; son équipage, qu'on veut obliger à manger, faute de mieux, de la viande avariée, massacre les officiers ; des contingents de révolutionnaires disséminés dans la ville proposent aux marins de déclencher, avec eux, une insurrection générale ; les troupes régulières ripostent, l'artillerie du bord entre en action ; l'émeute, mal orchestrée, échoue ; après avoir en vain bombardé la cité, les insurgés du *Potemkine*, devinant leur cause perdue, font route vers le port roumain de Constantza ; leur navire y est désarmé et le lieutenant Schmidt, considéré comme l'instigateur de la mutinerie, est fusillé aussitôt après son arrestation. Cette exécution laisse à Marina l'impression d'un châtiment barbare et stupide. Pour elle, le lieutenant Schmidt est un martyr de la cause du peuple. « À l'annonce de sa condamnation et de sa mort, écrira Anastasie, Maroussia [diminutif de Marina] s'est repliée sur elle-même, cachant aux adultes son âme ébranlée par le chagrin. Elle ne permettait pas qu'on effleurât sa blessure [1]. »

---

1. Anastasie Tsvetaeva : *Souvenirs*.

Enfin, après une série de grèves, de parlotes et de combats de rue, le tsar promulgue une constitution qui tranquillise les bourgeois et suscite les ricanements des extrémistes. À Yalta règne un calme relatif, mélange de peur, d'expectative et de résignation. Dès que la menace d'un soulèvement local se précise, le commandant de la place procède à une série d'arrestations préventives. Comme il fallait s'y attendre, le jeune Nikonov, soupçonné de menées révolutionnaires, est jeté en prison. Marina en est outrée et se heurte, pour la première fois, à sa mère qui, lasse de ce tohu-bohu politique autour de son lit, estime à présent que les « gens de gauche » ne savent plus ce qu'ils veulent et que la monarchie constitutionnelle promise par le tsar est la meilleure des solutions dans une Russie déboussolée. En entendant ces paroles lénifiantes, Marina serre les lèvres dans un sourire sarcastique et refuse de polémiquer. Comme elle continue à fréquenter les Nikonov après l'arrestation d'un des leurs, sa mère lui interdit de se compromettre avec des gens surveillés par la police. Du coup, Marina juge que la malade n'a plus toute sa raison et se contente de déplorer cette dégradation. Ce qu'elle pense, elle ne le dit plus à sa mère, devenue trop vulnérable pour la comprendre, elle l'exprime dans de brefs poèmes :

Ne riez pas de la jeune génération.
Vous ne comprendrez jamais
Qu'il est possible de vivre

Marina Tsvetaeva

Rien qu'avec le désir de la liberté et du bien.

Vous ne comprendrez pas
Que s'embrase
D'ardeur belliqueuse
La poitrine d'un combattant,
Et qu'un adolescent peut mourir,
Fidèle jusqu'au bout à ses principes.

De temps à autre, elle apprend qu'un homme de progrès, un écrivain célèbre, nommé Maxime Gorki, vient à Yalta pour y rendre visite à son ancienne femme, Catherine Pechkov, et à leurs enfants. Ils sont logés dans la même maison que les Tsvetaev mais à l'étage supérieur. Certes, tout ce qui touche à la littérature intéresse Marina, mais elle n'a ni la curiosité ni l'audace de rencontrer le « grand homme de gauche » pour lui demander ce qu'il pense de la politique. D'ailleurs, à la veille de la rentrée scolaire, elle est surtout préoccupée par la préparation de l'examen qu'elle doit subir afin d'être admise dans le gymnase de filles de Yalta.

Tandis qu'elle pâlit sur des livres de classe, sa mère subit une première et terrible hémorragie. Réveillées en pleine nuit par des appels étouffés, les deux fillettes se précipitent et découvrent la malheureuse effondrée, serrant entre ses doigts une cuvette pleine de sang. On prévient la propriétaire, on court chercher de la glace. Après cette alerte, et malgré la recommandation du médecin, Marina et Anastasie s'installent dans la chambre de la malade, à deux pas de son lit, pour préparer leurs devoirs. Cette prévenance héroïque et cette assiduité dans le travail sont récompensées par la réussite des postulantes dans les épreuves officielles. Marina est fière d'offrir cette satisfaction d'amour-propre à sa mère qui dépérit à vue d'œil.

Quand le professeur Ivan Tsvetaev revient dans sa famille, en juin 1906, il sait déjà que sa femme est condamnée à brève échéance. Alors, il n'a plus qu'une idée : la ramener à Taroussa pour qu'elle puisse revoir, avant de fermer les yeux pour toujours, ces lieux qu'elle a tant aimés. Mais Maria Meyn est arrivée à un tel degré de délabrement que son transport se révèle à la fois douloureux et risqué. Pendant des jours et des nuits, elle doit subir les changements de température, les cahots d'une voiture brimbalante, le roulement saccadé et grondant d'un train... Seule la pensée d'apercevoir, une dernière fois, le paysage qui a illuminé toute sa vie l'aide à surmonter le supplice du voyage. Et le miracle se produit. En retrouvant la maison de Taroussa, elle se redresse, franchit le seuil et s'avance, sans l'aide de personne, vers le piano. Depuis des mois, elle n'a pas effleuré un clavier autrement qu'en rêve. « Voyons à quoi je suis encore bonne ! » dit-elle avec un pauvre rire en s'asseyant sur le tabouret pivotant. Son mari, ses enfants l'entourent, debout, les yeux fixes, la gorge serrée. Elle laisse voleter ses doigts gourds sur les touches. « Ce fut son dernier jeu », notera Anastasie Tsvetaeva dans ses *Souvenirs*. Le 4 juillet 1906, les forces de Maria Meyn déclinent encore. Elle appelle ses enfants autour de son lit. « Maman a posé sa main sur nos têtes, d'abord sur celle de Marina, puis sur la mienne, écrira Anastasie dans le même ouvrage. Papa, au pied du lit, sanglotait. Se tournant vers lui, maman essaya de l'apaiser. Puis, s'adressant à nous : "Vivez selon la vérité, mes enfants, dit-elle. Vivez selon la vérité !" D'après Marina, sa mère aurait soupiré en les regardant l'une et l'autre : "Quand je pense que n'importe quel imbécile pourra vous voir adultes, tandis que moi[1]..." »

Le lendemain, 5 juillet, alors que les deux sœurs se promènent dans la forêt pour cueillir des noisettes, elles aperçoivent, entre les arbres, Génia, la fille de cuisine, qui les cherche, à droite et à gauche, en courant. Aussitôt, elles comprennent que leur mère est à l'agonie. Les jambes faibles, elles se hâtent, sans échanger un mot, vers la maison. Dès le seuil, il leur semble qu'elles ne sont plus chez elles. Le silence est celui du malheur. En pénétrant dans la chambre, elles découvrent le corps pétrifié de leur mère, gisant tout habillée sur le lit. Un linge blanc soutient sa mâchoire, ses paupières sont closes, ses joues ont la couleur de la cire. « Ce n'était pas maman qui se trouvait dans la chambre, écrira Anastasie, c'était quelqu'un d'étranger et il n'y avait aucun moyen d'entrer en contact avec

---

1. Cité dans une lettre de Marina Tsvetaeva à son ami le philosophe Vassili Rozanov, du 8 avril 1914.

elle. Muettes, nous avons baisé, l'une après l'autre, son front jaune, comme quelqu'un nous l'avait recommandé, puis, toujours dociles, nous sommes sorties[1]. »

À peine s'est-elle éloignée de la couche funèbre que Marina se sent habitée, envoûtée par une image qui ne la quittera plus. Celle d'une femme singulière, morte à trente-sept ans, sans avoir été vraiment heureuse ni dans sa carrière artistique ni dans sa vie conjugale, mais qui lui a légué, à travers ses défaites, le besoin de tout sacrifier à la poésie et à l'amour. « Après la mort de ma mère, j'ai cessé de jouer [du piano], écrira-t-elle. En silence, avec entêtement, je réduisais ma musique à néant. Comme la mer qui, en se retirant, laisse dans le sable des sillons d'abord profonds, puis peu à peu nivelés et enfin à peine humides, de même les traces de la mer maternelle sont restées inscrites en moi à jamais[2]. »

---

1. Anastasie Tsvetaeva : *Souvenirs*.
2. Marina Tsvetaeva : *Ma mère et la musique*.

II

UNE ÉMANCIPATION PRÉCOCE

Après la disparition de sa mère, Marina supporte difficilement le retour à la maison natale de la rue des Trois-Étangs. Tout, ici, appartient à la morte : c'est l'ombre de la morte qui se cache derrière les rideaux ; c'est la voix de la morte qui hante le silence. Chaque meuble est un souvenir et presque un reproche. La seule vue du piano au couvercle rabattu jette la jeune fille dans des transes morbides. Elle refuse de s'en approcher. Si elle avait la foi, elle se réfugierait dans un couvent. Comme elle est incroyante, elle choisit d'être enfermée dans le gymnase von Derviz, le plus strict de tout Moscou. Elle considère cet exil à la fois comme une échappatoire et comme une mortification. Au degré de chagrin où elle est parvenue, elle préfère le supplice de la discipline à celui de la mémoire.

D'un tempérament plus égal que sa sœur, Anastasie reste à la maison et se contente de poursuivre ses études, d'abord avec un répétiteur, puis avec une répétitrice. Mais elle aussi, bientôt, se plaint du vide qui l'entoure. Victime d'une légère attaque d'apoplexie, son père doit passer quelques semaines à l'hôpital. Son demi-frère, André, qu'elle aime bien, est un hurluberlu qui se désintéresse d'elle et s'isole des heures durant dans sa chambre pour jouer de la mandoline. Devenue institutrice, sa demi-sœur, Valérie, se consacre à « l'éducation du peuple », fréquente des jeunes gens aux idées avancées, se moque d'Anastasie qu'elle accuse d'ignorer l'évolution du monde vers le triomphe du prolétariat.

En revanche, elle témoigne beaucoup d'intérêt à Marina. Quand celle-ci peut s'échapper de l'internat, les jours de congé, pour une brève visite à la maison, des apprentis conspirateurs l'y accueillent à bras ouverts. C'est comme si une famille clandestine s'était installée rue des Trois-Étangs, à côté de la famille officielle. L'ardeur et la conviction de ces nouveaux amis sont communicatives. En retournant au gymnase von Derviz après des heures de palabres politiques, Marina apporte un esprit révolutionnaire que la direction ne saurait tolérer. Ses maîtres lui reprochent l'introduction de livres dangereux dans l'établissement, la tenue de propos incendiaires entre les heures de cours et ses réactions insolentes à la moindre observation. En vérité, elle est possédée par l'esprit de négation. Critiquant tout, s'opposant à tout, on dirait qu'elle en veut à l'univers entier d'être orpheline. Un jour, comme le directeur de l'école la réprimande pour son refus d'obéissance, elle s'écrie : « Seul le cercueil peut redresser un bossu ! Ne cherchez pas à me convaincre, je ne crains pas vos avertissements, vos menaces ! Si vous voulez me renvoyer, renvoyez-moi ! J'irai dans un autre gymnase et je ne perdrai pas au change ! Je suis habituée à la vie nomade. C'est si intéressant, les visages nouveaux[1] ! »

Au printemps de 1907, ayant réintégré la maison après un séjour à l'hôpital, le professeur Tsvetaev est prié de retirer de la pension sa sauvageonne de fille qui ne perd pas une occasion de bafouer l'ordre établi et de prêcher la révolte. Or, l'agitation idéologique n'est pas — et de loin ! — le principal souci de Marina. Tout en rêvant d'ébranler par un furieux coup d'épaule les assises de la société, elle continue à lire, pêle-mêle, ce qui lui tombe sous la main, et à composer des vers empreints d'un sentimentalisme juvénile. Il lui arrive de réciter quelques-uns de ces poèmes à sa sœur, à des amis et de prendre plaisir à leurs compliments. Mais sa vraie récompense est tout intime, toute secrète : c'est la notion d'avoir, le temps d'un éclair, fait coïncider la marche de sa pensée avec la musique des mots. Elle n'attend pas autre chose de ses écrits que le plaisir dont ils la gratifient quand, assise seule devant son papier, la plume à la main, la tête à la dérive, elle sent que, tout à coup, des rimes accourent et lui obéissent.

Cependant, on ne vit pas uniquement de

---

1. Anastasie Tsvetaeva : *Souvenirs.*

mirages. Après l'exclusion de sa fille du gymnase von Derviz, le professeur Tsvetaev l'inscrit au gymnase Alferova. Cette fois, Marina est externe et passe toutes ses soirées rue des Trois-Étangs. Dès qu'elle le peut, elle se réfugie dans une petite chambre au dernier étage de la maison paternelle. Elle a l'impression qu'entre ces quatre murs son esprit se concentre et fuse. Plus elle lit les grands écrivains, plus elle voudrait leur ressembler. Il lui semble qu'il ne peut y avoir de plus profond bonheur pour un être humain que d'égaler le génie d'un Pouchkine, d'un Goethe, d'un Schiller. Peut-être est-ce parce qu'elle se juge incapable de séduire qui que ce soit par son aspect physique qu'elle compte sur son talent pour susciter l'admiration des foules ? À quinze ans, elle se trouve trop grosse, déteste ses joues rebondies, ses cheveux raides, ses gestes maladroits, ses yeux de myope enfin, qui semblent flotter dans l'espace à la recherche d'un point fixe. Elle devrait porter des lunettes et elle n'en a pas encore le courage. Chaque fois qu'elle découvre son image dans un miroir, elle s'en détourne avec dégoût. Ce refus d'elle-même prend de telles proportions qu'elle souffre le martyre dès qu'elle est obligée d'affronter le jugement des autres : « Entrer dans un salon plein de monde, dans le réseau des regards entre-croisés, sous la lumière impitoyable et éblouissante des lampes [...], était presque au-dessus de ses forces, écrira Anastasie dans ses *Souvenirs*. Elle marchait comme au supplice. » Et Marina elle-même traduira ce double sentiment de défi et d'angoisse dans un de ses premiers poèmes :

Orgueil et timidité, ces deux sœurs jumelles,
Se sont dressés ensemble au-dessus de [mon] berceau.

Tandis qu'Anastasie, d'esprit conciliant, accepte aussi bien les contraintes de l'école que l'amitié de ses compagnes de classe, Marina se renferme dans la forteresse des fantasmes et de la poésie. Certes, elle consent, parfois, à participer aux conversations oiseuses de sa sœur avec des camarades, parmi lesquelles Alia Kaline et Galia Diakonova[1], qui viennent souvent à la maison. Mais c'est une femme mûre, une amie de la famille, la dentiste Lydia Tamburer, qui parvient à percer sa carapace de méfiance et d'arrogance.

À bavarder librement avec cette personne équilibrée et avisée, Marina a, par instants, l'illusion de retrouver une mère et une conseillère. Elle en arrive même à oublier son engouement révolutionnaire pour se livrer à une passion moins dangereuse : en compulsant des ouvrages d'histoire, elle a découvert un personnage digne d'une adoration fanatique : Napoléon ! Le caractère, les exploits et jusqu'à la fin tragique de l'empereur des Français la bouleversent. Peu lui importe qu'il ait, jadis, envahi la Russie et causé ainsi la mort de plusieurs

---

1. Galia (Gala) sera plus tard la compagne de Paul Éluard, puis la femme de Salvador Dali. Elle mourra en 1981.

milliers de ses compatriotes, c'est un surhomme qui mérite l'agenouillement de tous les peuples de la terre. Dans son enthousiasme, elle s'attelle à la traduction en russe de *L'Aiglon*, d'Edmond Rostand. Le destin du duc de Reichstadt, ravi à l'affection de la France et jeté en pâture à l'Autriche, lui arrache des larmes. « Sans doute aucune des épouses de Napoléon, pas même la mère de son fils, n'a pleuré ces deux hommes avec une amertume aussi passionnée que Marina à seize ans[1], racontera sa sœur. Toujours excessive dans ses jugements, Marina n'hésite pas à prendre parti dans les querelles qui ont divisé jadis la famille de Sa Majesté. Elle a de la sympathie pour la voluptueuse et coquette Joséphine et déteste Marie-Louise à cause de ses formes plantureuses et de sa trahison de la dernière heure. Fière de sa traduction du drame de Rostand, elle en lit des passages à ses proches. Puis, apprenant que quelqu'un a déjà traduit la pièce en russe, elle abandonne son manuscrit inachevé et s'en désintéresse. Mais elle n'en continue pas moins à servir le culte du grand homme et imagine de décorer sa chambre dans le style Empire. L'entreprise se révèle délicate, car on ne trouve pas les menus ornements nécessaires dans les magasins de Moscou. Ainsi, regrettant de ne pouvoir se procurer dans le commerce des motifs d'abeilles impériales, doit-elle se contenter de parsemer les murs et le plafond de son repaire

---

1. Anastasie Tsvetaeva : *Souvenirs*.

avec des étoiles dorées. En revanche, les libraires spécialisés de la ville font venir de France, à sa demande, un florilège de représentations picturales et graphiques de son idole. Des portraits de Napoléon et de son fils ornent désormais la chambre de Marina. Elle va même jusqu'à remplacer, dans le coin réservé aux images saintes, une icône ancienne et vénérable par une effigie — ô combien profane ! — du grand conquérant corse. En découvrant ce sacrilège, le père de Marina explose de colère. Mais elle tient bon et manifeste sa volonté de passer outre aux indignations en brandissant un lourd chandelier comme elle ferait d'une arme. Pour elle, Napoléon vaut tous les saints du martyrologe orthodoxe.

Au vrai, bien qu'aimant tendrement son père pour sa bonhomie, sa science et sa droiture, elle ne lui reconnaît aucun droit sur la conduite de sa vie. Alors qu'elle n'a pas encore dix-sept ans, elle décide, sur un coup de tête, de partir seule pour Paris. Elle compte y fréquenter les cours de l'Alliance française et suivre des exposés sur la littérature médiévale à la Sorbonne. Débordé, bousculé, le professeur Tsvetaev n'a pas le courage de s'opposer à cette lubie. Mais, parmi les proches de la famille, on se lamente : « À Paris ! Seule ! Une jeune fille de seize ans !... Dans cette horrible ville !... Ce pauvre père ne sait plus ce qu'il fait !... Il est tout à son musée[1] ! »

---

1. Anastasie Tsvetaeva : *Souvenirs*.

En débarquant à Paris, la première idée de Marina est de se mettre sous la protection, fût-elle symbolique, de son « demi-dieu » ! À cet effet, elle voudrait, du moins, loger dans une rue portant le nom de Napoléon. Or, il n'y en a pas dans cette cité ingrate. Heureusement, on lui signale une rue Bonaparte. C'est mieux que rien. Par chance, elle déniche une chambre à louer dans cette voie étroite, bordée de librairies et de magasins d'antiquités. L'agitation de la ville l'amuse quelque temps, elle court les musées, les bibliothèques, les boutiques, visite les monuments, mais le véritable but de son voyage est le théâtre où l'incomparable Sarah Bernhardt joue *L'Aiglon*. Elle assiste sans se lasser à plusieurs représentations de la pièce, se faufile dans les coulisses après chaque spectacle, et supplie la grande actrice de lui dédicacer une photographie. Par trois fois, elle renouvelle son exploit en s'étonnant elle-même de son cran. Sans doute est-ce son amour pour Napoléon qui lui a donné tant d'audace. Quand elle se présente en admiratrice pour une dernière démarche, Sarah Bernhardt se dit mécontente de la photographie qu'elle lui soumet et sur laquelle elle se juge vieillie et mal coiffée. D'une main rageuse, elle trace ces quelques mots sur le carton : « Ce n'est pas moi ! » et signe à regret. Marina s'estime comblée. Mais, à présent qu'elle a obtenu ce qu'elle voulait, elle n'éprouve plus que solitude et tristesse dans cette ville étrangère. Tous les passants qu'elle croise ont l'air d'avoir trois intérêts dans la vie : l'amour, le travail, l'argent ! Elle seule n'a rien. Elle exprime sa nostalgie et son dénuement moral dans un poème intitulé *À Paris* :

> *Rumeur des boulevards nocturnes.*
> *Le dernier rayon de soleil s'est éteint.*
> *Partout, partout des couples et des couples.*
> *Le frémissement des lèvres et l'audace des yeux.*
>
> *Je suis seule, ici. Il serait doux d'appuyer sa tête*
> *Au tronc d'un châtaignier !*
> *Dans mon cœur pleure un vers de Rostand.*
> *Comme à Moscou que j'ai abandonné.*
>
> *Paris, la nuit, m'est étranger et pitoyable,*
> *Le délire d'autrefois est plus cher à mon cœur.*
> *En rentrant chez moi, je retrouve la tristesse des violettes*
> *Et le portrait de quelqu'un à l'expression amicale. [...]*
>
> *Dans le vaste et joyeux Paris*
> *Je rêve d'herbages, de nuages,*
> *Les rives s'éloignent, les ombres se rapprochent*
> *Et la douleur en moi est aussi profonde que jadis.*

Or, pendant que Marina se morfond à Paris, son père, en Russie, vit un drame professionnel. On vient de découvrir qu'un certain nombre de gravures entreposées au musée Roumiantsev, dont il est le conservateur, ont disparu. Le ministre de l'Éducation nationale A.N. Schwartz, qui s'est toujours montré hostile à Ivan Tsvetaev, ordonne une enquête. N'est-ce pas un collaborateur ou un proche du professeur qui a commis le larcin ? Lorsque Marina revient à Moscou, après un séjour de quelques mois à Paris, l'affaire n'est pas encore élucidée. Cependant, tout en plaignant son père injustement soupçonné et qui souffre dans son amour-propre de savant, elle n'attache guère d'importance à ces tracas administratifs. Curieusement, en s'éloignant de sa patrie, elle a attisé son désir de participer au mouvement intellectuel qui s'y développe. Elle se rappelle qu'avant son départ pour la France elle a rencontré un écrivain, Lev Lvovitch Kobylinski[1], connu sous le pseudonyme d'Ellis, et qu'il l'a félicitée pour les extraits qu'elle lui a lus de sa traduction de *L'Aiglon*. Malgré le temps écoulé depuis leur dernière entrevue dans la maison de la rue des Trois-Étangs, les moindres détails du personnage sont restés gravés dans sa mémoire : un homme d'une trentaine d'années, maigre comme un hareng, avec un crâne dégarni strié de rares cheveux noirs, une flamme verte dans les yeux et des lèvres si rouges qu'elles semblent barbouillées de sang. Est-il un magicien ou un vampire, ou les deux à la fois ? Vivant pauvrement, se nourrissant au hasard des invitations et ne voyant de salut que dans l'écriture, Ellis prépare, dit-on, avec le célèbre poète André Biély, l'édition d'une nouvelle revue : *Le Musagète*[2]. Il serait donc opportun de reprendre contact avec lui ? Dominant ses réticences habi-

---

1. Ne pas confondre avec Vladislav Kobylianski, dit « le Tigre », dont il est question dans le chapitre I.
2. Surnom mythologique d'Apollon, le conducteur des Muses.

tuelles, Marina Tsvetaeva convie Ellis à la maison.
Il accourt. Et d'emblée, c'est l'enchantement. Il a
tout lu, tous les livres d'hier et d'aujourd'hui, il
connaît par cœur des centaines de vers, il est à tu
et à toi avec les plus grands poètes de son temps et
il déborde d'histoires drôles sur les milieux littéraires de Saint-Pétersbourg et de Moscou. Anastasie, qui assiste aux conversations de sa sœur, tombe,
elle aussi, sous le charme de cet invité bavard et inspiré. Désormais, chaque jour, on le voit à la table des
Tsvetaev. Pique-assiette consciencieux, il paie sa
nourriture en aphorismes et en anecdotes. Si les
deux jeunes filles se délectent de sa compagnie, leur
père déplore l'influence que ce « décadent aux idées
de gauche » exerce sur ses enfants. Il craint qu'Ellis
ne les détache de lui et ne les attire dans le milieu de
la bohème moscovite.

Là-dessus, une grave accusation frappe l'hôte
des Tsvetaev et, par contrecoup, le professeur lui-
même. Selon certains ennemis du conservateur,
celui-ci aurait fait preuve de négligence dans la surveillance des salles de lecture du musée Roumiantsev et son « protégé », Ellis, en aurait profité pour
arracher les pages de plusieurs livres de la bibliothèque afin de les utiliser pour des travaux personnels. Mais d'autres informateurs, proches de la
famille, se demandent si ce n'est pas Tsvetaev lui-
même qui, pour couper court aux assiduités d'Ellis
auprès de ses filles, a provoqué cet incident et en a
averti les autorités. Toujours est-il que l'histoire fait
le tour des journaux, accompagnée de commen-

taires désobligeants pour le « coupable », et que le ministre de l'Éducation nationale décide d'en prendre prétexte pour infliger une sanction à Tsvetaev dont il voudrait depuis longtemps se débarrasser. L'affaire des volumes lacérés rejoint, dans l'esprit de Schwartz, celle des gravures disparues. En attendant les conclusions de l'enquête, Ellis, dénoncé, déconsidéré, évite de fréquenter la maison de la rue des Trois-Étangs. Mais il ne cesse de penser aux deux jeunes filles qui en sont l'âme et, jouant le tout pour le tout, écrit à Marina une lettre d'amour assortie d'une demande en mariage. Comme il ne peut être question pour lui de remettre cette missive en mains propres à sa destinataire, puisque l'entrée de la demeure du professeur lui est interdite, il charge son meilleur ami, le poète Vladimir Nilender, de le faire à sa place. Marina reçoit le messager dans sa petite chambre, en compagnie d'Anastasie. Immédiatement, une atmosphère de cordialité et de franchise s'installe entre le visiteur et les deux jeunes filles. On échange des confidences, on avoue des ambitions, des espoirs, on caresse des projets chimériques. La nuit vient sans interrompre cette conversation captivante. À l'aube, Nilender se prend la tête à deux mains et gémit : « Marina, Lev [Ellis] m'attend ! Que dois-je lui dire ? » Marina sursaute, la demande en mariage contenue dans la lettre d'Ellis lui avait paru tellement saugrenue qu'elle ne s'en souvenait plus. Au même instant, elle comprend que Nilender est tombé amoureux d'elle et que c'est lui maintenant qui désire l'épouser. Après avoir été longtemps persuadée qu'elle n'aurait jamais aucun succès auprès des hommes, la voici tout à coup nantie de deux prétendants. Elle en est à la fois flattée et agacée. Ne peut-on s'aimer en esprit sans envisager l'union des corps ? Dans le désordre de ses idées, elle refuse aussi bien la proposition de Nilender que celle d'Ellis. D'ailleurs, elle note que c'est en la quittant qu'un être devient pour elle irremplaçable. Quand elle ne l'a plus sous les yeux, elle peut songer à lui sans crainte d'être déçue. En disparaissant, il s'enrichit dans son cœur des mensonges poétiques de la mémoire. De tout temps, pense-t-elle, les absents lui ont été plus chers que les présents.

Mais cet imbroglio l'a tellement éprouvée que, pour calmer ses nerfs, elle se met à fumer. Elle envisage même de se suicider pour en finir avec les aléas d'une vie inutile. Cependant, l'instruction de l'absurde affaire du musée Roumiantsev se poursuit dans l'ombre, et le professeur Tsvetaev enrage. Impuissante à le secourir, sa fille aînée ne peut que le plaindre et se plaindre elle-même.

Seule lueur dans ces ténèbres, la rencontre fortuite, par Marina, dans la librairie Wolf, sur le pont des Maréchaux, du fameux poète Valéry Brioussov. Elle l'entend dire au vendeur : « Donnez-moi *Chantecler*, bien que je n'aie pas beaucoup d'estime pour Rostand ! » Ces paroles méprisantes font à Marina l'effet d'une gifle. Rentrée à la maison, elle écrit au maître une lettre dans laquelle, prenant la défense de son auteur préféré, elle affirme que Rostand est un génie, car ses vers l'aident à supporter toutes les laideurs de l'existence. « Je pense que personne, personne ne l'aime autant que moi, conclut-elle. Votre phrase fugitive m'a fait beaucoup de peine[1]. » Amusé par cette profession de foi juvénile, Brioussov répond à sa correspondante que son opinion sur Rostand est plus nuancée qu'il n'y paraît ; il exprime aussi le souhait de faire la connaissance de cette lectrice enthousiaste du Français. Malgré la tentation d'entrer en contact avec un homme dont elle admire le talent et redoute la critique, Marina ne répond pas. Son expérience avec Ellis et Nilender lui aurait-elle servi de leçon ? Elle ne se juge pas assez mûre pour affronter le monde des écrivains qui s'impriment, se vendent et dont on parle dans les journaux. D'ailleurs, elle est sur le point de quitter la Russie, avec Anastasie, pour accompagner leur père en Allemagne. Le professeur doit s'y rendre pour les besoins de son musée des Beaux-Arts qui est encore en chantier.

Le trio se retrouve aux environs de Dresde, dans la famille d'un pasteur féru de musique. Durant ce bref séjour, Marina perfectionne ses connaissances en allemand, se plonge dans les œuvres de Goethe qu'elle estime supérieur à Tolstoï et découvre que l'Allemagne, pétrie de qualités, pourrait bien devenir sa seconde patrie. Or voici que, le 13 juin 1910, le professeur Tsvetaev reçoit de Moscou l'annonce

---

1. Lettre du 15 mars 1910.

qu'en conclusion de l'enquête il est écarté du poste de conservateur du musée Roumiantsev. Le ministre Schwartz a eu sa peau. Ulcéré, Tsvetaev encaisse le coup et prépare un mémoire pour sa défense. Devinant le désarroi de son père, Anastasie décide de rester auprès de lui, en Allemagne, tant qu'il n'aura pas fini de rédiger son rapport de justification. Marina, en revanche, se hâte de rentrer en Russie, pour être sur place au moment de la reprise des cours au gymnase. Elle se met en route au déclin de l'été, et se réjouit par avance de retrouver le cadre et les habitudes de ses très jeunes années.

Cependant, la seule vue de la maison familiale, à Moscou, lui serre le cœur. En pénétrant dans ces pièces désertes, elle a l'impression que sa mère est morte la veille, pour la seconde fois. Elle a hâte soudain que sa sœur et son père reviennent. Or, à son retour, le professeur est tellement accaparé par ses efforts pour se disculper auprès des autorités dans l'embrouillamini du musée Roumiantsev et par les travaux d'installation du musée des Beaux-Arts qu'il n'a pas la tête à s'occuper de ses filles. L'acharnement qu'il met à se laver de tout soupçon et à poursuivre parallèlement la constitution d'un nouveau trésor national ne sera pas inutile puisque, quelques mois plus tard, il obtiendra gain de cause et, définitivement blanchi, se verra nommer directeur honoraire du musée Roumiantsev. Mais, d'ici là, que de démarches, que d'humiliations ! Ses filles compatissent à ses tourments, mais ne lui sont d'aucun secours dans sa lutte contre la malignité publique. Elles ont leurs propres soucis. Des événements plus graves font passer, pour elles, au second plan les malheurs de leur père : en octobre 1910, l'annonce de la mort de Léon Tolstoï dans la petite gare d'Astapovo, où il s'était réfugié pour fuir sa famille, plonge la Russie dans la consternation. Pour rendre un ultime hommage à l'écrivain dont elles ont aimé les romans et admiré les idées, les deux sœurs décident de se rendre en pèlerinage dans sa propriété de Iasnaïa Poliana. Il doit y être enterré civilement, l'Église l'ayant excommunié pour ses prises de position anticléricales. Malgré les mises en garde de leur père, qui craint des échauffourées avec la police au cours de la cérémonie, elles se joignent à la foule des émules de Tolstoï qui, au jour dit, afflue vers la gare et assaille les wagons. Après un voyage épuisant, Marina et Anastasie parviennent à destination, les pieds gelés et le cœur malade d'enthousiasme. Elles assistent à l'arrivée de la dépouille mortelle, suivent la procession qui conduit le cercueil jusqu'à la maison du défunt, piétinent des heures dans la cohue des visiteurs anonymes avant de pénétrer dans la chambre où le grand homme repose, le front serein, indifférent à tout, dans sa caisse dérisoire, qui pourrait être celle d'un paysan. Anastasie note qu'il porte une blouse noire, que son visage est émacié, que sa barbe est d'une blancheur irréelle et qu'il n'y a pas d'icône dans la pièce. « C'est là qu'il a écrit *La Guerre et la Paix*, ajoute-t-elle ; un silence surprenant émanait

48

de cet homme qui fut si tourmenté. Il se taisait, lui qui ne s'était jamais tu[1]. »

Le retour des deux sœurs dans un wagon de troisième classe est sinistre. Elles sont rompues, affamées, mais fières d'avoir payé leur tribut à un écrivain qui les a fait rêver durant toute leur enfance et qui a eu le courage de braver les représentants officiels de l'ordre et de la religion.

Après cette expédition héroïque, Marina retombe dans sa solitude, ses hésitations, ses doutes et décide brusquement de renouer avec Nilender qu'elle n'a pas revu depuis l'étrange micmac de la demande en mariage par procuration. Mais elle ne voudrait pas le relancer par lettre, ce qui serait maladroit et banal. Elle préfère lui envoyer un recueil de vers qu'elle fera imprimer à ses frais. Le coût de l'opération ne saurait la retenir. Le professeur Tsvetaev n'est pas regardant. Elle peut puiser à volonté dans la cassette paternelle. Justement, il y a une imprimerie tout à côté. Marina confie à la typographie Mamontov un choix de poèmes écrits ces derniers temps et passe commande pour un tirage de cinq cents exemplaires. Toujours secrète et méfiante, elle n'avertit personne de son projet. Pendant que le volume est sous presse, elle retourne au gymnase en écolière docile. Nul ne se doute encore de l'événement qui se prépare. Elle a éprouvé un petit choc vaniteux en voyant les épreuves. Suffit-il d'être imprimé pour se procla-

---

1. Anastasie Tsvetaeva : *Souvenirs.*

mer écrivain ? Deux cent vingt-six pages. Le titre s'étale en caractères gras : *Album du soir*. Au-dessous, on peut lire, en petites lettres : *Enfance – Amour – Les ombres seules*. Et, de fait, il y a là les échos de tous les errements de l'enfance et de l'adolescence de Marina. Pour souligner son goût des vies ardentes et des morts précoces, elle a dédié son ouvrage à Marie Bashkirtseff, cette jeune Russe romantique qui a vécu en France à la fin du siècle dernier, a rédigé un Journal d'une poignante sincérité et s'est éteinte, tuberculeuse, à vingt-quatre ans. Hantée par l'idée de sa propre disparition à brève échéance, Marina écrit, dans son poème *Prière*, qu'elle est une tsigane éprise de changement, de clinquant et de liberté, et qu'elle a hâte de quitter un monde où elle n'a que faire :

> *Christ Dieu, j'ai besoin d'un miracle,*
> *Tout de suite, à présent, à l'orée du jour,*
> *Ô permets-moi de mourir alors que la vie*
> *N'est encore pour moi qu'un livre ouvert [...]*
> *J'aime la croix, la soie, les casques.*
> *Mon âme est une trace évanescente,*
> *Tu m'as donné une enfance plus belle qu'une légende,*
> *Donne-moi la mort à dix-sept ans.*

En vérité, lorsque l'*Album du soir* paraît en librairie, porteur de cette invocation funèbre, Marina, tout en se disant désabusée, espère, à part soi, que son premier livre sera remarqué, admiré, que Nilender le lira avec émotion et que l'avenir, éclairé par la poésie, leur sourira à tous deux.

III

DÉBUTS EN POÉSIE ET DÉBUTS EN AMOUR

Depuis Pouchkine, le peuple russe est ivre de poésie. La musique des vers est aussi indispensable à ses oreilles que l'air du pays natal à ses poumons. Ce n'est pas pour rien qu'on qualifiera cette époque de « Siècle d'Argent » de l'inspiration poétique. Les deux capitales de l'Empire rivalisent dans l'étalage de talents originaux. Saint-Pétersbourg s'enorgueillit de compter, parmi « les siens », Merejkovski et Zénaïde Hippius, responsables d'une société « philosophico-religieuse », Viatcheslav Ivanov, qui dirige *Le Monde de l'art* et *Apollon*, d'autres écrivains de première grandeur comme Alexandre Blok, Nicolas Goumilev, Michel Kouzmine ; pour n'être pas en reste, Moscou met en avant le cercle des Argonautes, animé par André Biély, et la revue *La Balance*, que Valéry Brioussov dirige d'une main dictatoriale. L'émulation est telle parmi les gens de lettres que chaque jour apporte de nouvelles idées, de nouvelles œuvres, aux

51

tendances disparates. On vient de découvrir une poétesse aux dons exceptionnels : c'est la femme du poète Goumilev et elle a pris le pseudonyme d'Anna Akhmatova. Marina Tsvetaeva envie le brusque succès d'une consœur si bien épaulée. Mais, au milieu de cette effervescence intellectuelle, où la camaraderie compte autant que le génie, elle manque totalement d'expérience et d'appuis.

La diversité des styles dans la poésie russe, au moment où Marina décide de tenter sa chance, donne le vertige. Quelle ligne doit-on suivre pour exceller ? À quelle école vaut-il mieux se plier pour être de son temps ! Faut-il se laisser porter par le courant néoromantique, ou par celui des nouveaux symbolistes, ou par celui des décadents émules des Français, ou par celui des véristes, proches de l'inspiration populaire, ou par celui des « acméistes » qui prônent la perfection formelle et l'expression aiguë de la vérité ? Nourrie de Pouchkine, Marina Tsvetaeva voudrait à la fois ressembler à son grand modèle et obéir aux incitations de la littérature moderne. Mais, très vite, pour échapper à ce vain combat entre la tradition et l'innovation, elle choisit de se fier à son seul instinct pour délivrer le chant dont elle est possédée. Lorsque l'*Album du soir* paraît en librairie, elle suit encore sagement les cours de la classe de septième [1] au gymnase Briou-

---

1. La numérotation des classes, en Russie, était inverse de celle pratiquée en France et commençait par la première pour se terminer, à l'achèvement des études, par la huitième.

khonenko, où Anastasie est venue la rejoindre. Personne autour d'elle ne se doute qu'elle vient de publier un livre. Même le professeur Tsvetaev, absorbé par les préparatifs de la prochaine ouverture de son musée des Beaux-Arts, ne cherche pas à savoir s'il est vrai, comme on le chuchote çà et là, que sa fille aînée se destine à une carrière littéraire. Marina ne souffre nullement de cette conspiration du silence autour de son premier ouvrage. Au contraire, elle en est plutôt rassurée. Par fierté et par timidité, elle aurait détesté être tirée de l'ombre. Tout tapage, tout éclat lui fait horreur.

Pourtant, au milieu du fatras de la production poétique, en cette fin d'année 1910, quelques critiques remarquent cet opuscule d'une inconnue dont le nom, Tsvetaeva, vient joliment du mot russe *tsvetok* qui signifie fleur. Valéry Brioussov, après avoir rendu hommage, dans *La Pensée russe*, à un autre débutant, appelé Ilya Ehrenbourg, mentionne les honnêtes promesses de l'*Album du soir*, en regrettant toutefois que, dans la description de sa vie intime, l'auteur « gaspille ses dons en petits riens inutiles bien qu'élégants ». En revanche, Goumilev affirme, dans la revue pétersbourgeoise *Apollon*, que cette modeste plaquette mérite attention et sympathie et qu'on aurait tort d'y voir « le gentil recueil des confessions d'une jeune fille », alors qu'il s'agit d'un ensemble de « vers merveilleux ». Enfin Maximilien Volochine, dans *Le Matin de la Russie*, se déclare charmé par ce chant harmonieux et naïf qui « se situe à la frontière de l'enfance et de l'adolescence ». Nul n'informe Marina de la publication de ce dernier article, signé par un poète de trente-trois ans à la renommée déjà établie. Ignorant tout des réactions suscitées par son livre, elle ne pense qu'à écrire de nouveaux poèmes sans se soucier de leur avenir ni du sien.

Or, un soir de décembre 1910, un coup de sonnette retentit dans la vieille maison de la rue des Trois-Étangs. Marina ouvre la porte, croyant qu'il s'agit d'un ami de la famille. Mais c'est un inconnu qui se dresse devant elle. « Sur le seuil, je vois un chapeau haut de forme, écrira-t-elle. Et, sous le chapeau haut de forme, un visage démesuré, encadré par une barbe courte et frisée. Une voix insidieuse demande : "Pourrais-je voir Marina Tsvetaeva ? — C'est moi ! — Et moi, je suis Max [Maximilien] Volochine. Puis-je entrer ?" Marina conduit le visiteur dans sa chambre, au dernier étage. Là, il lui pose une question qui la déroute : "Avez-vous lu mon article sur vous ?" Et, comme elle avoue n'en avoir pas eu connaissance, il s'écrie : "C'est ce que je pensais et je vous l'ai apporté. Il y a déjà un mois qu'il est paru[1] !" » Marina parcourt des yeux ce tissu d'éloges pendant que Volochine l'observe derrière ses lunettes aux verres épais. Il est gros et respire difficilement. Peut-être est-il aussi ému qu'elle ? Anastasie vient les rejoindre. La conversation crépite comme du sel

---

1. Marina Tsvetaeva : *Paroles vivantes à propos d'un vivant.*

sur le feu. On parle de tout à tort et à travers, mais d'abord de littérature. Des noms d'auteurs étrangers alternent, dans le débat, avec des noms d'auteurs russes contemporains. Comme Volochine s'étonne que Marina n'ait pas eu la curiosité de consulter la presse au moment de la sortie de l'*Album du soir*, elle confesse : « Je ne lis pas les gazettes et je ne vois personne. Mon père ignore encore que j'ai publié un livre. Mais peut-être le sait-il et il ne dit rien ! Au gymnase aussi, on se tait. » Souriant à cette remarque, le visiteur s'enquiert poliment : « Et que faites-vous au gymnase ? » La réponse est péremptoire : « J'écris des vers. » Volochine la prie de lui en lire quelques-uns, séance tenante. Touchée de son intérêt, elle s'exécute. Pendant qu'elle récite ces strophes dont elle a pesé chaque mot, sa voix vibre, son regard s'allume, elle devient presque jolie. Tard dans la soirée, en quittant les deux sœurs, Volochine est subjugué. Le lendemain, il envoie à Marina un poème où il compare leur rencontre à un « miracle ». Dans ces conditions, elle ne peut faire moins que de le remercier et de l'inviter à revenir « dans la vieille maison à volets » s'il n'a pas « peur d'y mourir de froid »[1].

Il accourt. Bien qu'il ait presque le double de son âge, Marina se lie d'amitié avec lui. Très vite, il lui en impose par sa connaissance des littératures étrangères et ses relations dans les milieux intellectuels russes. Il la taquine gentiment pour son

---

1. Lettre de Marina Tsvetaeva du 23 décembre 1910.

amour d'Edmond Rostand et lui révèle des génies d'une tout autre envergure, tels Hugo, Baudelaire, Rimbaud. L'ayant ainsi « mise à la page », il l'introduit — honneur suprême ! — dans le groupe rédactionnel de la revue *Le Musagète*, où trônent côte à côte André Biély, Ellis et Nilender. Elle apparaît dans ce cénacle avec un air d'indépendance et même de défi. Sa mise, à la fois excentrique et négligée, la ferait prendre pour une bohémienne. Les doigts chargés de bagues, elle voudrait pourtant passer inaperçue. Comme toujours, son besoin de surprendre combat chez elle celui de s'effacer. Une telle dualité dans le comportement inquiète et dérange ceux qui la jugent sur sa mine. Un des collaborateurs du *Musagète*, Fédor Stépoune, note dans ses *Souvenirs* : « Il y avait chez Marina, dans sa façon de sentir, de penser, de parler, quelque chose qui n'était pas totalement agréable, un égocentrisme indestructible imprégnait tous les mouvements de son âme. Tout en ne racontant rien de sa vie, elle ne cessait de parler d'elle-même [1]. »

Ailleurs, Stépoune souligne les bizarreries de ce cerveau toujours en éveil et « à la musculature d'acier quasi masculine ». Marina pourrait être embarrassée de retrouver, dans la salle de rédaction du *Musagète*, son amoureux de l'année précédente, Vladimir Nilender. Il n'en est rien. Celui qu'elle

---

1. F.A. Stépoune : *Ce qui fut et ce qui ne fut pas*, cité par Maria Razoumovski dans : *Marina Tsvetaeva, mythe et réalité*.

nomme à présent son « fiancé éconduit » devient pour elle un ami irremplaçable, un « frère ». De même, son autre soupirant des mois « d'apprentissage », Ellis, qui, lui aussi, se pavane dans les réunions littéraires du *Musagète*, se révèle, une fois guéri de sa ridicule passion, un confrère des plus utiles et des plus agréables. Et, si André Biély se montre plutôt réservé, sa fiancée, Assia Tourgueniev, artiste peintre de talent et petite-nièce de l'auteur des *Récits d'un chasseur*, prend Marina en affection et l'étourdit de compliments et de prévenances. Peu habituée aux manifestations de la tendresse féminine, Marina se laisse admirer, adorer avec une satisfaction qui agace sa sœur. Du reste, Anastasie se désintéresse bientôt de ces joutes littéraires et sentimentales à huis clos. Elle a découvert, depuis peu, le plaisir de patiner avec un charmant jeune homme, Boris Troukhatchov, qui n'a que dix-sept ans — un an de plus qu'elle ! — mais est aussi à l'aise pour tenir des propos galants que pour évoluer sur la glace.

L'année suivante, Marina décrète qu'elle n'a plus rien à faire au gymnase, parmi des péronnelles insignifiantes, et, sans attendre la fin de ses études et le brevet qui les consacrerait, quitte avec éclat l'établissement, au grand dépit de son père, lequel a toujours eu un respect exagéré des diplômes. Autre manifestation d'indépendance : au mois d'avril 1911, elle part seule pour la station balnéaire de Goursouf, au bord de la mer Noire. Peu après son arrivée en Crimée, elle est présentée à la mère de

Volochine. Celle-ci possède dans la région plusieurs villas qu'elle loue à des touristes. Elle invite Marina à venir sans façon, avec sa sœur, prendre quelques semaines de repos chez elle, dans le pittoresque village de Koktébel, au pied du mont Karadag. Ravie à la perspective de ces vacances ensoleillées, Marina se dépêche d'accepter. Tout lui plaît, à Koktébel, le ciel bleu, le miroitement infini de la mer, la végétation tropicale et la conversation avec les nombreux artistes qui hantent ce lieu de villégiature. Pourtant, la nouveauté du décor et de la société ne la détourne pas de ses multiples problèmes sentimentaux. Évadée de Moscou, elle tente encore d'analyser la nature de ses relations avec Nilender. « Si je suis allée à Koktébel, écria-t-elle, c'est pour m'éloigner de lui, non pour aimer quelqu'un d'autre, mais pour ne pas l'aimer, lui[1]. » Elle précise sa pensée dans une lettre à l'ami Volochine : « Je ne peux pas être heureuse, je ne veux pas le forcer à m'oublier. [...] Le corps de l'autre est un mur, il empêche de voir son âme. Oh ! comme je le déteste, ce mur ! Je refuse le paradis où tout est aérien, bienheureux. [...] Je refuse aussi la vie, tout y est si clair, si simple, si grossier... Je souffre et nulle part je n'ai de place. »

À la longue cependant, le charme émollient de Koktébel apaise ses regrets, ses révoltes et ses angoisses. Elle trouve du plaisir à la petite tribu cosmopolite que domine de son autorité la mère de

---

1. Marina Tsvetaeva : *Paroles vivantes à propos d'un vivant.*

Maximilien Volochine, Hélène. Allemande de naissance et provocante par tempérament, cette femme porte des tuniques grecques et des sandales à l'antique. Ses proches l'ont surnommée plaisamment « Pra », la première syllabe du mot russe *prababouchka* signifiant arrière-grand-mère. Elle admire aveuglément son fils qui est, à son avis, un poète et un peintre de génie. Il loge dans une tour, non loin d'elle, au milieu d'une riche bibliothèque. Cet ermitage constitue son refuge contre les tracas de la vie courante. D'ailleurs, il n'a à se plaindre de rien, puisqu'il ne manque ni d'argent, ni de confort, ni de talent, ni d'amitié. Marina l'envie pour la régularité et la simplicité de ses plaisirs, alors qu'elle-même n'est qu'interrogation et ouverture craintive aux présages.

Un jour, se promenant seule sur la plage étalée devant une paroi rocheuse de cornaline, elle s'amuse à ramasser, dans le sable, des cailloux aux couleurs brillantes. Derrière elle, au bord de la route longeant la mer, un jeune homme, assis sur un banc, scrute l'horizon. Ses yeux sont d'un bleu délavé, tirant sur le gris ; son visage est pâle, émacié, presque maladif. Soudain, il lui propose de l'aider dans sa cueillette. Le son de cette voix la remue jusqu'au ventre. Sans réfléchir, elle estime qu'elle ne peut refuser une offre aussi aimable. En même temps, elle décide, dans un accès de folle superstition, que, si cet inconnu lui apporte la pierre dont elle rêve, elle l'épousera. Il se lève, descend vers la plage, se met en quête d'un caillou exceptionnel et revient, peu après, triomphant, avec, au bout des doigts, « une perle de cornaline ». Fascinée par la précision surnaturelle de l'oracle, Marina s'incline. En vérité, moins une résolution lui semble raisonnable, plus elle est tentée d'y obéir.

En arrivant à Koktébel, sur l'invitation de Mme Volochine mère, Anastasie découvre une Marina transfigurée par le bonheur. On lui présente l'élu : Serge Efron. Il avoue dix-sept ans, n'a pas encore terminé ses études et se trouve en Crimée pour soigner un début de tuberculose. Éprise de son côté de Boris Troukhatchov, « l'aimable patineur », qui a le même âge que Serge Efron, Anastasie ne trouve rien à redire au brusque emballement de sa sœur. Celle-ci lui conseille de faire venir son amoureux à Koktébel pour un bref séjour et de partir ensuite avec lui dans quelque coin tranquille pendant qu'elle-même se rendra avec Serge Efron à Oufa, en pays bachkir, où il pourra faire une cure de *koumiss*, breuvage fermenté à base de lait de jument, dont on prétend qu'il constitue un remède souverain contre l'anémie et les affections pulmonaires.

Obéissant aux suggestions de son aînée, Anastasie convoque son soupirant à Koktébel et, dès qu'il est arrivé, prépare leur voyage à tous les quatre. Le duo Anastasie-Boris a choisi d'aller abriter son amour en Finlande, pendant que Serge, accompagné de Marina, se soignera à Oufa, à la lisière des monts Oural. Le jour fixé pour la séparation, les deux couples se promènent, bras dessus bras dessous, dans les rues de Féodossia, en attendant de prendre le train, chacun vers sa destination, chacun vers son destin. Ni Marina, ni Anastasie n'ont jugé nécessaire de mettre leur père au courant de leurs projets matrimoniaux. Il a un esprit si timoré que, de toute façon, il poussera les hauts cris. Pour l'heure, il suit une cure thermale en Allemagne, à Bad Nauheim. On le laissera boire en paix ses verres d'eau minérale et on l'avertira avec ménagement, à son retour en Russie. Avec un peu de chance, il aura tellement à faire avec les derniers agencements de son musée des Beaux-Arts qu'il se contentera d'une protestation de principe.

À l'automne 1911, quand elles rentrent à Moscou après leur voyage de fiançailles secrètes — à Helsingfors pour Anastasie, à Oufa pour Marina —, les deux sœurs trouvent leur père au lit, souffrant d'une angine de poitrine. Tandis que Serge, à dix-huit ans, suit encore les cours du gymnase et écrit des vers de son côté, Marina, libre de toute entrave scolaire, rassemble et corrige les éléments d'un second recueil de poèmes, la future *Lanterne magique*. Pour en préparer la publication, elle vainc sa timidité congénitale et accepte de participer à des soirées littéraires patronnées par Brioussov. Certes, son maintien est guindé et sa voix mal assurée quand elle lit ses vers en public. Mais les applaudissements des auditeurs sont assez vifs pour la réconforter. Enhardie par ce premier succès, elle expédie une de ses élégies, écrite naguère pour Nilender, à un concours organisé par le même Brioussov. Elle sait que celui-ci n'apprécie guère son talent, mais, comme le règlement exige que les manuscrits des concurrents soient anonymes, elle espère avoir raison de l'ostracisme du maître. Et, en effet, grâce à la dépersonnalisation des envois, Marina Tsvetaeva triomphe. Cependant, Brioussov est si mauvais joueur que, en découvrant l'identité de la lauréate, il refuse de souscrire à la décision du jury et déclare au public : « Le premier prix n'a été attribué à personne. Mais le premier des seconds prix est allé à Marina Tsvetaeva. » Ce second prix, plus humiliant qu'honorifique, elle devra le partager avec le jeune poète Khodassévitch. À l'issue de la cérémonie, elle reçoit une médaille dorée représentant Pégase sur un fond de soleil levant. Elle portera ce bijou de pacotille en breloque à son bracelet. Tout en se disant indifférente aux intrigues et aux brimades, elle est ulcérée par l'indélicatesse de Brioussov à son égard. Peu après l'incident du premier prix « confisqué », elle se venge en adressant au maître un poème satirique.

> *J'avais oublié qu'en vous le cœur n'est qu'une veilleuse,*
> *Et non une étoile, je l'avais oublié !*
> *J'avais oublié que votre poésie vient des livres*
> *Et vos critiques de la jalousie.*
> *Vieillard précoce, l'espace d'un instant,*
> *J'ai oublié que vous êtes un grand poète.*

Cette attaque venimeuse achève de convaincre Brioussov que Tsvetaeva est une créature infréquentable et que son talent ne vaut pas mieux que son caractère.

Ignorant la rancœur de Marina envers Brioussov, Volochine la félicite pour son second prix comme si cette modeste distinction avait la valeur d'une grande victoire. Il voudrait aussi la féliciter pour son prochain mariage, dont il a entendu parler. Mais il a le tort de prendre la chose sur un mode badin et de lui offrir, au lieu des congratulations d'usage, des condoléances amusées. Vexée, Marina lui répond d'une plume trempée dans le vinaigre : « Votre lettre est une grave erreur. Il y a des domaines où la plaisanterie n'est pas de mise et des choses dont il ne faut parler qu'avec respect. En l'absence de sentiment, il faut savoir se taire. » Elle gardera longtemps une dent contre le pauvre Maximilien pour son manque de tact.

Si Volochine fait preuve d'un scepticisme souriant devant la nouvelle passion de Marina, le professeur Tsvetaev, enfin mis au courant des projets de sa fille aînée, en est atterré. Homme de tradition, il ne peut accepter le mariage d'une gamine de moins de vingt ans avec un godelureau qui en avoue dix-neuf, et qui, de surcroît, présente à ses yeux la double tare d'être juif et tuberculeux. La petite enquête à laquelle il se livre à ce sujet augmente son appréhension. Il apprend de bonne source que l'arrière-grand-père du prétendant était certes un rabbin respectable, mais que son grand-père et sa grand-mère s'étaient toujours conduits en fieffés révolutionnaires, qu'ils avaient été compromis dans des complots contre le régime, qu'ils s'étaient enfuis à l'étranger pour échapper à la prison, que leurs enfants, eux aussi saisis par la contagion politique, avaient fini dans l'opprobre et le malheur, mais que, grâce au ciel, la nouvelle génération, celle du jeune Serge, semblait, pour l'instant, à l'abri de la lèpre de gauche. Évidemment, dans ce genre d'obsession héréditaire, il faut compter avec le phénomène de récurrence. Un homme dont les ancêtres ont été empoisonnés par des théories subversives est plus qu'aucun autre exposé à retomber dans les mêmes erreurs. Toutes ces réflexions heurtent les idées monarchistes et rigides du professeur Tsvetaev. Cependant, il est tellement las de batailler contre des filles sans cervelle qu'il finit par accepter l'idée de cette union tout en la réprouvant.

Le mariage de Marina Tsvetaeva et de Serge Efron est célébré, dans l'intimité, le 27 janvier 1912, en l'église Palachevskaïa. Si, parmi l'assistance très clairsemée, bien des visages expriment la consternation, ceux des fiancés rayonnent d'allégresse.

Le professeur Tsvetaev domine son dépit en redoublant d'ardeur dans les préparatifs d'inauguration du musée des Beaux-Arts, appelé maintenant musée Alexandre III[1], et auquel il a consacré le plus clair de sa vie. La cérémonie officielle est fixée au 31 mai 1912. Le tsar en personne, entouré

---

1. Ce musée porte actuellement le nom de musée Pouchkine.

de la famille impériale, des plus hauts dignitaires de la cour et des membres du gouvernement, préside au déroulement de l'apothéose. Cette consécration solennelle contraste avec la modestie de celui dont elle couronne les efforts. Certes, le professeur Tsvetaev a dû revêtir pour l'occasion son uniforme de gala aux lourdes broderies, qu'il a payé huit cents roubles (ce dont il ne se console pas) et qu'il a agrémenté d'une brochette de décorations, mais son cœur n'est pas à l'unisson de cette pompe vestimentaire. Il semble si gauche, si emprunté dans sa tenue d'apparat, que ses filles ne peuvent s'empêcher de le plaindre tout en l'admirant. Quant à son gendre, qui assiste, lui aussi, à la cérémonie, il n'a d'yeux que pour le tsar Nicolas II et se borne à noter dans une lettre à sa sœur du 7 juin 1912 : « Je l'ai examiné [le tsar] avec soin. Il est de petite taille, avec un aspect juvénile et de bons yeux clairs. Il n'a pas l'air d'un empereur. » Pendant que Marina écoute, la gorge serrée d'émotion, les propos conventionnels de Nicolas II, remerciant le professeur Tsvetaev des travaux qu'il a menés à bien pour la plus grande gloire de la Russie, elle devine que le héros de la fête est surtout pressé de fuir ces congratulations protocolaires pour rentrer chez lui et se replonger dans ses dossiers et dans ses livres. « Il se tenait à l'entrée principale, seul au milieu des colonnes blanches, debout sous le fronton du musée et au zénith de son existence, au sommet de son œuvre », écrira-t-elle dans un récit autobiographique : *L'Inauguration du musée.* « C'était, ajoutera-t-elle, une vision de calme absolu. »

Cette reconnaissance publique de son dévouement à l'art et à la patrie console plus ou moins le professeur Tsvetaev des accusations ineptes portées jadis contre lui pour incompétence et négligence dans la gestion du musée Roumiantsev. L'euphorie de la réussite actuelle lui ferait presque oublier l'absurdité du mariage contracté par sa fille aînée. Pour un peu, il trouverait Serge Efron intelligent et sympathique. Mais voici qu'aussitôt après Marina c'est la cadette Anastasie qui veut épouser un fruit sec. Décidément, il est plus facile de rassembler des chefs-d'œuvre aux quatre coins du monde que de mettre du plomb dans le crâne d'une gamine amoureuse ! Cette fois, toute opposition serait vaine, car Anastasie, ayant pris les devants, est enceinte. Elle l'a caché aussi longtemps qu'elle l'a pu à son entourage. Seule Marina était au courant de cette grossesse clandestine. Et elle exulte à l'idée que sa sœur cadette va être mère avant elle. Submergé par ce déferlement d'insanités féminines, Ivan Tsvetaev se résout à l'inévitable. Anastasie se marie à l'église puis, bénie à temps par le prêtre, met au monde un fils qu'elle prénomme André.

Les émotions du professeur ne sont pas terminées pour autant. Déjà, Marina prend la relève. Au retour de son voyage de noces en France et en Italie, elle annonce à son père qu'elle attend un bébé. Elle en est tout illuminée, comme si la vraie poésie n'était pas celle de ses écrits mais celle de son ventre. Docile, son père se réjouit avec elle de cette maternité providentielle. Le 5 septembre 1912, elle accouche d'une fille et décide de l'appeler Ariadna. Pourquoi ce prénom bizarre, qui, dans le calendrier orthodoxe, correspond à la fête d'une martyre parfaitement inconnue, symbole, pour l'Église, de « la femme fidèle » ? Les proches de Marina, son père, son mari, la supplient de réfléchir encore et lui font observer que la fillette souffrira peut-être, en grandissant, de cette dénomination précieuse et un rien ridicule. Mais Marina s'entête et affirme qu'elle s'est décidée en pensant à une héroïne de l'histoire de Thésée dont elle rêvait dans son enfance. Son vrai sentiment, comme elle l'avouera plus tard, était, une fois de plus, le désir de se singulariser, de ne pas ressembler aux autres mères qui raffolent des Tatiana, des Nathalie, des Olga, et de placer sa fille sous un signe exceptionnel, dès ses premiers pas dans le monde. « Je l'ai appelée ainsi, écrira-t-elle, à cause du romantisme et de l'orgueil altier qui gouvernent toute ma vie[1]. » Toutefois, à l'usage, elle troquera le prénom tarabiscoté et rugueux d'Ariadna contre le diminutif affectueux d'Alia.

Une autre naissance, presque aussi importante, a marqué pour Marina l'année 1912. Le recueil de vers auquel elle travaillait depuis des mois, à l'insu

---

1. Cité par Véronique Lossky dans : *Marina Tsvetaeva, un itinéraire poétique.*

de tous, *La Lanterne magique,* vient de paraître en librairie. Comme son précédent ouvrage, celui-ci, imprimé à compte d'auteur, est tiré à cinq cents exemplaires. Mais à présent, instruite par l'expérience, elle guette avidement les réactions de la presse. Hélas ! il est rare que les critiques encensent un écrivain pour son deuxième livre quand ils ont eu la faiblesse de louer le premier. Passé le plaisir de la découverte, ils retrouvent leur lucidité et s'ébrouent dans la négation comme s'ils regrettaient d'avoir cédé d'abord à l'indulgence. Après avoir salué les balbutiements de « la jeune poétesse », les voici qui font la fine bouche. Serguéïev reproche à l'auteur l'atmosphère confinée de ses poèmes, qui sont comme enfermés entre les quatre murs d'une chambre d'enfant. Plus sévère encore, Brioussov dénonce à la fois l'intimisme excessif de l'ensemble et des négligences de style impardonnables. Goumilev conclut son éreintement en formulant l'espoir que la troisième production de Tsvetaeva rachètera la puérilité décadente de *La Lanterne magique.*

Aucun de ces coups de griffe ne blesse profondément Marina. Dès le début, elle a voulu que sa poésie fût un cri du cœur. Or, ce cri du cœur est censé obéir à l'âge de celui ou de celle qui n'a pu se retenir de le pousser. Si l'auteur est à peine sorti de l'enfance, c'est l'enfance qui doit l'inspirer. Plus tard, il aura le droit de parler, avec la même conviction, des émois de l'adolescence, des tortures de l'amour, des ombres de la mort sur les jours qui

raccourcissent et peut-être, qui sait ? de la politique. Mais qu'on n'exige pas de Marina une autre
vertu que la sincérité. Même ses erreurs passion-
nelles et ses imperfections prosodiques lui sont
chères, puisqu'elles témoignent de son humeur du
moment. Sa règle d'or est la vérité dans l'expression du sentiment quel qu'il soit. Ainsi, dans *La
Lanterne magique*, peut-elle célébrer la joie du
couple en apostrophant son compagnon (« Ami,
ami, tels des dieux, le monde nous appartient ! »)
et, dans le même recueil, gémir sous le poids d'un
passé qui l'empêche de croire à la pérennité du
bonheur.

Les souvenirs m'écrasent les épaules,
Viendra le moment — je ne cache pas mes larmes ! —
Ni ici ni là-bas, nulle part il ne faut espérer de rencontres
Et ce n'est pas pour des rencontres que nous nous
[réveillerons au paradis.

Ce que les commentateurs professionnels refusent d'admettre, c'est qu'une jeune femme au
tempérament fougueux peut être, tour à tour, et
avec une égale franchise, émue par la réminiscence
de ses jeux d'enfant, éblouie par la découverte de
l'amour et assombrie à la pensée d'une mort qu'elle
imagine prochaine. Tant qu'ils n'auront pas
compris qu'à travers une forme moderne, heurtée,
voire agressive, c'est son autobiographie que
Marina Tsvetaeva leur livre dans ses vers, ils lui
reprocheront d'être tantôt trop puérile et tantôt

trop exaltée. Elle, en tout cas, est sûre d'une chose :
qu'on la blâme ou qu'on la loue, elle serait incapable d'écrire autrement.

IV

JOIES ET ANGOISSES DU MARIAGE
ET DE LA MATERNITÉ

L'accouchement de Marina a été pour elle mieux qu'une délivrance, une révélation. Elle n'en revient pas d'avoir su donner le jour à un enfant. Sa fille lui paraît la plus belle et la plus éveillée de la terre. Elle la pomponne, la dévore de baisers, s'extasie sur ses moues, sur ses grognements, sur ses gestes encore incertains, et commente les moindres progrès d'Ariadna (Alia, pour les intimes), dans son Journal. Dès que celle-ci est en âge de faire ses premiers pas et de balbutier quelques syllabes, sa mère veut l'accaparer avec une passion autoritaire. Observant que la petite fille sourit à la seule vue de sa tante Lilia (Élisabeth, la sœur de Serge Efron), elle domine mal son irritation ombrageuse. Le 5 mai 1913, elle notera dans son « carnet de bord », en feignant de s'adresser à l'enfant comme à une grande personne : « Tu as un an et j'en ai vingt et un. Tu répètes sans cesse : "Lilia, Lilia, Lilia", même en ce moment, tandis que je trace ces lignes. J'en suis offensée dans ma fierté, j'oublie que tu ne sais pas encore et ne sauras pas de sitôt qui je suis. Je me tais, j'évite de te regarder et je sens que, pour la première fois, je suis jalouse. C'est un mélange d'orgueil, d'amour-propre blessé, de tristesse amère, de fausse indifférence et de profonde indignation. »

Cet amour possessif et férocement animal pour sa fille se double, chez Marina, d'un amour protecteur pour son mari. Elle est émue par la pâleur de Serge, par sa santé précaire, par la délicatesse de ses sentiments artistiques et par l'indulgence avec laquelle il accepte toutes ses fantaisies de femme ardente, paradoxale et capricieuse. Parfois, elle pense qu'elle a deux enfants à charge, une fille en bas âge, Ariadna, et un mari, Serge, l'éternel étudiant. Il l'admire, il la comprend, il sourit de ses incartades. Que demander de plus à un homme dont on porte le nom et partage la couche ? La liberté qu'ils s'accordent mutuellement en fait un couple moderne avant la lettre. Pas une seconde elle ne regrette d'avoir lié sa vie à celle de ce garçon qui ne sait encore ni ce qu'il est au juste, ni ce qu'il fera plus tard, mais qui a certainement du cœur et de l'esprit à revendre puisqu'elle l'a choisi et que son intuition ne la trompe jamais. Deux ans après son mariage, elle confiera dans une lettre à l'écrivain et penseur chrétien Vassili Rozanov : « Jamais je ne pourrai aimer quelqu'un d'autre, il y a en moi trop d'angoisse et d'esprit frondeur. » Et elle pro-

clame fièrement, dans un poème dédié à Serge
Efron :

Avec défi, je porte son anneau.
Je suis sa femme, non sur le papier, mais devant
[l'Éternité.

Ce bonheur, à la fois maternel et conjugal, la
rend indifférente au sort des autres membres de la
famille. Elle se désintéresse tellement de son demi-
frère et de sa demi-sœur qu'ils rejoignent à ses yeux
la foule des étrangers. Si elle se préoccupe encore
des amours d'Anastasie, jeune mariée et jeune mère
elle aussi, elle ne recherche plus guère sa compagnie. Quant à son père, bien qu'elle prétende lui
être toujours très attachée, elle estime qu'il appartient à un autre siècle et même à une autre planète.
L'exaltation sentimentale de Marina l'isole du
monde extérieur. Heureusement, entre le lit et le
berceau, il y a sa table de travail qui l'attire comme
par le passé. De temps à autre, la plume à la main,
elle se replonge dans le désenchantement de ses
premiers poèmes. Rien de tel que la nostalgie de
l'enfance, le dégoût de la vie quotidienne et la hantise de la mort pour nourrir l'inspiration d'une
femme en apparence comblée. Lors d'un nouveau
séjour en Crimée, à Koktébel, au printemps de
1913, elle affirme qu'elle n'a plus aucun doute sur
l'efficacité de sa force créatrice. C'est sans fausse
modestie qu'elle exprime, cette année-là, sa foi en
l'avenir de son œuvre :

Marina Tsvetaeva

Pour mes vers écrits si tôt,
Alors que je ne savais pas être un poète,
Et qui ont jailli de moi comme l'eau des fontaines,
Comme le feu des fusées,
S'engouffrant, tels des diablotins,
Dans le sanctuaire plein de rêves et d'encens,
Pour mes vers sur la jeunesse et sur la mort,
Pour mes vers jamais lus —
Jetés dans la poussière des librairies,
Où personne n'en veut et n'en a voulu, —
Pour mes vers, comme pour les vins précieux,
L'heure [de la reconnaissance] sonnera[1].

Bien des années plus tard, elle confirmera cette opinion avantageuse sur elle-même en notant dans son Journal : « Je suis sûre de mes vers inébranlablement[2]. »

Le troisième recueil de Marina Tsvetaeva, publié en 1913, et intitulé *Extraits de deux livres*, reproduit des textes anciens, mais comporte une préface qui apparaît comme le *credo* poétique de l'auteur : « Nous passerons tous. Dans cinquante ans, nous serons tous sous terre. Il y aura de nouveaux visages sous un ciel éternel. Et j'ai envie de dire à tous ceux qui sont encore vivants : "Écrivez, écrivez davantage ! Fixez chaque instant, chaque geste, chaque soupir. Pas seulement le geste, mais aussi la forme de la main qui l'a fait ; pas seulement le

---

1. Le recueil contenant ces vers ne paraîtra, sous le titre de *Poèmes de jeunesse*, qu'après la mort de Marina Tsvetaeva.
2. Cité par Véronique Lossky : *Marina Tsvetaeva, un itinéraire poétique.*

soupir, mais le dessin des lèvres dont il s'est envolé. Ne méprisez pas l'extérieur. [...] Notez les choses avec plus de précision. Il n'y a rien qui soit sans importance. [...] La couleur de vos yeux et de votre abat-jour, le coupe-papier et les motifs de vos papiers peints, la pierre précieuse de votre bague préférée, tout cela formera le corps de votre âme, de votre pauvre âme, abandonnée dans le monde immense." »

Ce souci, à la fois primitif et métaphysique, de lier les obscurs mouvements de la pensée à l'immobilité et à la réalité des objets qui entourent l'écrivain, Marina Tsvetaeva s'y pliera tout au long de sa carrière. Ses poèmes obéissent à l'instant qu'elle traverse, aux événements qu'elle subit, à l'air qu'elle respire, aux modes intellectuelles de l'époque. Et pourtant, elle n'appartient à aucune coterie littéraire. Elle n'appartient même pas à elle-même. Souvent, elle a l'impression que ce n'est pas elle qui écrit, que les mots qui tombent de sa plume viennent d'ailleurs, que tout ce qu'elle invente lui est *donné*. Par qui ? Agnostique de tempérament et d'éducation, elle ne le précise pas. Tout au plus se dit-elle qu'une force supérieure lui dicte ses trouvailles. « J'ai toujours tout su à ma naissance, dira-t-elle. J'ai toujours eu de tout un savoir inné[1]. »

Cette fière confiance de Marina en son talent est renforcée par l'accueil de plus en plus favorable réservé par les amateurs aux poésies qu'elle récite

---

1. Cité par Véronique Lossky, *ibid.*

dans les salons ou publie dans les revues. Parfois, elle regrette que sa mère, qui a tant souffert d'avoir manqué sa carrière de musicienne, ne soit pas là pour assister aux succès de sa fille dans la carrière d'écrivain. Elle souhaiterait aussi que son père fût plus sensible aux éloges qui pleuvent de tous côtés sur elle. Mais il a toujours sacrifié les joies de la famille aux satisfactions du travail. Justement, il vient de recevoir une nouvelle marque d'estime du gouvernement. À l'occasion du cinquantième anniversaire du musée Roumiantsev, dont il s'est longtemps occupé, il a été chargé de saluer cette vénérable institution au nom de l'Académie des Beaux-Arts. L'obligation de paraître, une fois de plus, dans une cérémonie officielle, de serrer des mains, de prononcer des discours est au-dessus de ses forces. Aussitôt après cette corvée protocolaire, il tombe malade. Le 27 août 1913, alors qu'il se repose à la campagne, chez des amis, il est terrassé par une crise cardiaque. On le transporte, tant bien que mal, à Moscou, dans sa maison de la rue des Trois-Étangs. Accourues à son chevet, ses filles le trouvent affaibli, mais encore conscient. Entre deux étouffements, il les interroge sur leur vie de femmes mariées. Ont-elles trouvé le bonheur ? Ne regrettent-elles rien ? Elles sont très émues de sa sollicitude à un moment où il pourrait ne penser qu'à lui-même et à ce qui l'attend de l'autre côté du rideau. Pour ne pas l'alarmer, Anastasie évite de lui dire qu'elle a commis une erreur en épousant Boris Troukhatchov et qu'il menace de l'abandonner, ainsi que leur fils de un an. Ignorant tout des tribulations de son entourage, Tsvetaev s'éteint calmement, le 30 août 1913. Anastasie est frappée par l'expression sereine, presque triomphale, du visage de son père dans le cercueil. Il a l'air d'avoir enfin découvert le musée de ses rêves. Selon son désir, il est enterré au cimetière Vagankovski, près de sa femme Maria, morte à trente-sept ans. Sans doute l'a-t-il aimée plus qu'on ne le supposait, pense Marina, puisqu'il ne l'a jamais remplacée. La disparition du professeur bouleverse ses deux filles qui se reprochent de l'avoir délaissé et peut-être même méconnu : « Cher et charmant papa ! écrira Anastasie dans ses *Souvenirs*. Toute sa vie durant, il a amassé de l'argent pour ses enfants, se refusant tout, voyageant en deuxième classe [...], préférant le tramway ou la marche à pied [...]. Tout ce qu'il avait épargné a été réparti par lui, avec une sollicitude paternelle et un grand souci de l'équité. [...] Cher, cher papa, de son vivant nous lui avons témoigné bien peu d'attention et de tendresse ! »

Après ces journées de deuil, les relations entre Boris Troukhatchov et Anastasie se détériorent pour aboutir, de dispute en dispute, à une rupture définitive. Plantant là son épouse et son rejeton, le mari de vingt ans s'esquive sur la pointe des pieds. Aussitôt, Marina vole au secours de sa sœur et du bébé. Pour remonter le moral de la malheureuse, elle persuade Serge qu'ils seront très heureux, avec Anastasie et les enfants, au soleil de la Crimée. On se retrouve à Yalta, puis on émigre à Féodossia. Là, les deux jeunes mères pouponnent, se promènent, rêvassent devant des paysages immuablement tranquilles et, pour se distraire, déclament des vers dans les soirées à prétentions artistiques. Lors d'une de ces exhibitions, Marina annonce qu'elle va réciter un poème dédié à sa fille, *Alia*, et le public, agréablement surpris, applaudit la confidence de cette très jeune femme. Rapportant l'incident dans son Journal, Marina raconte : « Quelqu'un a même poussé un cri d'admiration : Bravo ! » Et elle ajoute, avec une innocente vanité : « Sur ma mine, on ne me donnait pas plus de dix-sept ans ! »

Parfois, Maximilien Volochine vient à pied de Koktébel pour tenir compagnie aux deux sœurs, leur apporter quelques échos du monde littéraire et prendre connaissance des derniers poèmes de Marina. Il se réjouit de constater que celle-ci n'a rien perdu ni de sa verdeur poétique, ni de son goût d'une vie libre et aventureuse. Bravant le qu'en-dira-t-on, elle écrit :

> *Je n'ai pas suivi la Loi ; je n'ai pas communié,*
> *Et je sais qu'à l'heure dernière je pécherai*
> *Comme j'ai péché et comme je pèche encore,*
> *Avec passion. Avec les cinq sens que Dieu m'a donnés.*

Elle exprimera mieux encore cette négation de la morale et de la religion dans une longue lettre à Rozanov, avec lequel elle se plaît maintenant à discuter des problèmes spirituels qui la tourmentent :

« Je ne crois absolument pas en Dieu, ni en une vie
d'outre-tombe. D'où mon désespoir et ma terreur
devant la vieillesse et la mort, une incapacité naturelle totale de prier et de me résigner, un amour
délirant de la vie, un désir convulsif, enfiévré, de la
vie... Peut-être allez-vous me repousser à cause de
cela ? Pourtant, ce n'est pas ma faute [...]. Si Dieu
existe, eh bien, c'est lui qui m'a faite comme cela.
Et s'il y a une vie outre-tombe, j'y serai évidemment heureuse, pourquoi ? Je n'ai rien fait
exprès[1]. »

À côté de ces méditations supérieures, elle
éprouve le besoin de révéler à son correspondant
quelques détails de sa vie privée et, oubliant la différence d'âge (Rozanov a cinquante-huit ans et elle
en a vingt-deux), elle lui annonce, dans la même
lettre, avec une sincérité désarmante : « Je vous
dirai que je suis mariée, que j'ai une fille d'un an et
demi, Ariadna (Alia) et que mon mari a vingt ans.
Il est incroyablement beau et bien fait, extérieure-
ment et intérieurement. Son arrière-grand-père
paternel était rabbin, son grand-père du côté
maternel était un brillant officier de la garde de
Nicolas Ier. En Serge (mon mari) se trouvent merveilleusement unis les deux sangs : le sang juif et le
sang russe. Il est exceptionnellement doué, intelligent et généreux. [...] J'aime Serge infiniment et
pour toujours. J'adore ma fille [...] Cher Vassili
Vassiliévitch [Rozanov], je ne veux pas que notre

1. Lettre du 7 mars 1914.

79

rencontre soit provisoire. Il faut que ce soit pour la vie [...]. Aussi, lorsque vous m'écrirez, n'essayez pas de faire de moi une chrétienne. Je vis en ce moment selon mon idée. Je veux, à ce propos, vous dire encore quelques mots de Serge. Il est très maladif. À seize ans, il a eu un début de tuberculose [...]. Je tremble constamment pour lui. À la moindre émotion il a de la température [...]. Nous ne nous séparerons jamais. Notre rencontre a été un miracle [...]. C'est seulement auprès de lui que je peux vivre comme je l'entends, c'est-à-dire en toute liberté. »

Dans une autre lettre, elle parle à Rozanov des deux morts qui l'ont le plus marquée dans le passé. Celle de son père, et surtout celle de sa mère, en 1906. Elle cite religieusement les dernières paroles de la défunte : « Je regrette seulement le soleil et la musique. » En ressassant ainsi, devant Rozanov, les souvenirs de son adolescence, Marina recherche inconsciemment la protection d'un homme qu'elle connaît à peine mais dont elle suppose que l'expérience pourra lui éviter les pièges du monde des adultes.

Au fond, ce qui l'effraie, c'est la conscience d'être si vulnérable devant les exigences de la vie courante. Adepte convaincue de la liberté des mœurs dans un couple, elle apprécie certes la facilité de ses rapports avec Serge, mais elle n'en est pas moins inquiète de constater à quel point il est peu préparé aux combats quotidiens. Par suite de sa mauvaise santé, il a pris du retard dans ses études et continue de fréquenter le lycée en espérant que sa tuberculose lui évitera d'accomplir son service militaire. Par chance, le professeur Tsvetaev a laissé, en mourant, un modeste capital à partager entre ses enfants, ce qui leur permet de vivre dans une relative aisance et sans trop se préoccuper du lendemain. Au vrai, le séjour à Féodossia est une fête permanente au milieu des estivants qui n'ont qu'une idée en tête : oublier les soucis des grandes villes pour se livrer aux plaisirs superficiels de la villégiature. Et cependant, Marina éprouve une vague impression de malaise. Il lui semble que les gens qui s'agitent dans les salons, dans les restaurants, sur le boulevard du bord de mer se forcent pour paraître insouciants. Comme si leur gaieté était une défense contre un péril que nul n'ose s'avouer encore. Comme si un roulement de tonnerre, très assourdi, très lointain, secouait le ciel bleu au-dessus de leur tête. Comme si tout ce monde de luxe, de joie et de futilité faisait un dernier tour de valse avant de disparaître, corps et biens, dans un naufrage.

Obsédée par l'idée du mauvais sort qui la guette parmi une foule inconsciente, Marina en décèle le premier signe dans l'arrivée inopinée en Russie de Pierre Efron, le frère aîné de Serge, qui résidait jusque-là à Paris et y exerçait occasionnellement le métier d'acteur. Rongé par la tuberculose (une maladie commune à la famille Efron et à la famille Tsvetaev) il a voulu retourner au pays natal pour y mourir. À peine en sont-ils avertis que Marina et son mari rentrent à Moscou. Au chevet de ce malade qu'elle ne connaît guère, Marina est saisie d'une infinie compassion. Son dévouement ressemble à de l'amour. Rien ne l'émeut davantage que la vue d'un être jeune sur le point de rendre le dernier soupir. Est-ce Pierre Efron ou Serge qui gît devant elle et implore du regard sa pitié ? Est-elle infidèle en se donnant à lui par la pensée, alors que bientôt, sans doute, il aura cessé d'exister ? Après une visite à l'agonisant, elle lui avoue : « Je vous ai quitté à sept heures du soir et, en ce moment, à onze heures du matin, je songe constamment à vous, je me répète votre nom si suave [...]. D'où me vient cette tendresse ? Je l'ignore. Mais je sais vers quoi elle conduit, vers l'éternité. Je ne suis qu'amour [...]. J'aime du même amour absolu les bouleaux, le crépuscule, la musique et Serge et vous-même [...]. Vous êtes pour moi un merveilleux petit garçon, dont je ne sais pas grand-chose, sinon que je l'aime [1]. » Quatre jours plus tard, Marina récidive « au milieu de la nuit » : « Mon petit garçon adoré, [mon mari] remue dans son lit, se mord les lèvres, gémit. Je regarde son visage oblong, doux et souffreteux et je comprends tout mon amour pour lui et mon amour pour vous ! [...] Mes petits garçons sans mère, j'ai envie d'unir dans une même étreinte infinie vos chères têtes sombres et de vous dire, par-delà les mots : "Je vous aime tous les deux, aimez-vous

---

1. Lettre du 10 juillet 1914.

pour l'éternité !" Pierre, je vous donne mon âme, je prends la vôtre, je crois en leur immortalité [...]. Même si je dois mourir, cela ne changera rien. »

Puis, passant de la prose aux vers, elle dédie une série de chants à cette passion surnaturelle. Elle espère que ces mots, choisis par elle, survivront pour les siècles des siècles à l'homme qui les a inspirés. Elle écrit :

> *Je vous ai embrassé, je vous ai ensorcelé.*
> *Je ris de l'obscurité d'outre-tombe...*
> *Je ne crois pas à la mort.*
> *J'attends que vous reveniez de la gare.*
> *J'attends votre retour à la maison. [...]*
> *Si pour le monde entier vous êtes mort,*
> *Alors, je suis morte, moi aussi.*

Le 16 juillet 1914[1], la nouvelle éclate comme une bombe : l'Autriche vient de déclarer la guerre à la Serbie. On s'y attendait, mais la menace de l'extension du conflit est si grave que la Russie entière retient son souffle. La Russie entière, sauf Marina, qui n'a d'yeux que pour son malade dont les forces s'amenuisent et dont le cerveau s'obscurcit lentement. Elle ne lit pas les journaux qui parlent d'une négociation de la dernière heure ; elle

---

1. La déclaration de la guerre de l'Autriche-Hongrie à la Serbie est officiellement datée du 15 juillet d'après le calendrier julien en usage en Russie, soit le 28 juillet d'après le calendrier grégorien en usage ailleurs.

n'entend pas les rumeurs de la rue, envahie par des énergumènes qui clament leur haine contre l'Autriche et l'Allemagne. Au plus fort de la folie patriotique qui s'est emparée du pays, elle s'écrie, impavide :

> *La guerre, la guerre ! Encens devant les icônes !*
> *Les éperons tintent,*
> *Mais je n'ai rien à faire ni des calculs du tsar*
> *Ni des querelles des peuples !*

L'agonie de Pierre Efron n'en finit pas. La déclaration de guerre de l'Allemagne à la Russie date du 19 juillet 1914[1] ; quelques jours plus tard, le 28 juillet, le malade expire, veillé par Serge et par Marina. Et voici qu'au moment où elle voudrait s'abîmer dans son deuil, une nouvelle épouvante la saisit. Elle avait oublié la guerre. Mais la guerre aveugle frappe un grand coup à sa porte. Les hommes les plus rassis perdent la tête dans le vacarme des proclamations civiques et des *Te Deum*. Saisis par un délire belliqueux, des jeunes gens qui, en principe, ne seraient pas encore mobilisables s'enrôlent par centaines dans l'armée. Serge, avec son caractère impulsif, ne va-t-il pas se croire obligé de suivre le mouvement ?

---

1. D'après le calendrier julien, en retard de treize jours sur le calendrier grégorien.

V

GUERRE INTERNATIONALE ET
EXPÉRIENCES SAPHIQUES

De semaine en semaine, les appréhensions de Marina se vérifient. Dès les premiers combats, toute la jeunesse en âge de porter les armes se rue vers les bureaux de recrutement. Les détenteurs de grosses fortunes rivalisent de générosité afin d'aider à « l'effort de guerre », les jeunes filles des meilleures familles suivent des cours d'infirmière, des propriétaires de locaux inoccupés les offrent gracieusement pour accueillir les blessés. André Ivanovitch Tsvetaev, le fils aîné du professeur, qui a hérité de la maison familiale rue des Trois-Étangs, la remet aux autorités qui y installent un hôpital. Peu après, la vénérable bâtisse sera à demi détruite par un incendie. De retour à Moscou, Marina et Serge, qui avaient d'abord élu domicile dans un appartement de la Polianka, emménagent plus confortablement au numéro 6 de la rue Boris-et-Gleb. Serge entre à l'université (faculté de philologie), tandis que

Marina s'efforce de vivre comme si le pays n'était pas en guerre et fréquente assidûment les salons littéraires et les salles de rédaction des journaux. Sur le plan matériel, elle n'a pas de soucis à se faire, le capital légué par son père et placé par elle à la banque lui rapporte six pour cent chaque mois, soit environ cinq cents roubles, alors que le salaire d'un ouvrier moyen, à l'époque, est de vingt-deux roubles par mois[1]. Au vrai, si elle encourage son mari à suivre des cours et à passer des examens, c'est parce qu'elle pense qu'aussi longtemps qu'il continuera ses études il sera à l'abri des obligations militaires. En même temps, elle est heureuse de ne pas l'avoir toute la journée derrière son dos. Certes, elle lui est encore tendrement acquise, mais, depuis peu, une autre passion la ravage et l'inspire. À l'automne de 1914, elle a fait la connaissance de la poétesse Sophie Parnok, une femme de trente ans, énergique et même agressive, qui ne cache pas ses instincts homosexuels et dont l'œuvre remporte déjà quelque succès. D'emblée, Marina tombe sous le charme de cette créature entreprenante. Ayant toujours dominé Serge, le mâle indolent et chétif, elle prend plaisir à être dominée par Sophie, la femelle ardente, pleine d'exigence et de santé. Celle-ci, de sept ans plus âgée qu'elle, la traite volontiers en fillette, s'amuse de ses lubies, la gronde maternellement pour ses écarts et admire son talent. Adulée

---

1. Chiffres fournis par Michael T. Florinski, dans son ouvrage : *The End of the Russian Empire* (1931).

par une consœur aussi experte en caresses qu'en poésie, Marina se montre partout avec elle et se réjouit de choquer les pudibonds par l'étalage de ses goûts contre nature. Du reste, même ceux qui condamnent son indécence s'inclinent devant sa personnalité. Avec ses cheveux châtains coupés court, son visage large et son regard direct, elle en impose plus qu'elle ne séduit. L'ayant rencontrée lors d'une soirée au cours de laquelle elle récite ses derniers poèmes, le jeune écrivain Nicolas Elenev notera : « Ses yeux gris étaient froids, transparents, des yeux qui n'avaient jamais connu la peur, encore moins la prière et la soumission[1]. »

L'emprise de Sophie Parnok sur sa jeune compagne est telle que Marina éprouve de plus en plus de difficulté à concilier son doux attachement à Serge et sa flamboyante passion pour la nouvelle venue. Analysant cette conjoncture apparemment sans issue, elle avouera : « J'ai souffert à vingt-deux ans, à cause de Sophie P... ; elle me repoussait, se faisait prier, me foulait aux pieds, mais elle m'aimait[2]. »

Excédé par la trahison de sa femme qui lui préfère une « lesbienne », excité par l'exemple de ses camarades d'université qui, l'un après l'autre, s'enrôlent dans l'armée, Serge écrit à sa sœur : « Chaque jour, les nouvelles de la guerre me transpercent le cœur [...]. Si j'étais en bonne santé, il y

---

1. Nicolas Elenev : *Qui était Marina Tsvetaeva ?*
2. Cité par S. Poliakova, repris par Véronique Lossky, *op. cit.*

a longtemps que je me serais enrôlé dans l'armée. À présent, on parle à nouveau de la mobilisation des étudiants. Peut-être mon tour viendra-t-il bientôt[1]. » En février 1915, surmontant sa faiblesse maladive et ses difficultés respiratoires, il s'engage comme infirmier dans un train sanitaire en partance pour le théâtre des opérations. Cette initiative de son mari consterne Marina, mais, en même temps, la soulage. La voici à la fois coupable et exaucée. Au fond, elle a toujours aimé le déchirement entre le devoir et le plaisir. Existe-t-il un meilleur piment que le remords pour rehausser l'ordinaire de l'amour ? Il lui semble exaltant de s'apitoyer sur Serge qui grelotte de froid, mange une nourriture de rebut dans une gamelle et risque à chaque instant d'être blessé ou tué, tandis qu'elle s'abandonne aux caresses de son amie. Sa mère lui a manqué dans son enfance, Sophie Parnok remplace la défunte auprès d'elle en ajoutant la sensualité à l'affection, la notion du péché à celle de la dépendance honnête. Même les révoltes, les disputes qui marquent leur liaison sont nécessaires à la cohésion du couple. Marina se délecte à raconter cette succession d'orages et d'embellies dans le cycle de poèmes intitulé *L'Amie*[2]. Tantôt voluptueux, tantôt élégiaques, ces hymnes à l'amour saphique expriment les errances d'une passion qui cherche à se justifier. L'émotion de Marina est sincère quand elle évoque :

---

1. Cité par Anna Saakiantz : *Marina Tsvetaeva, sa vie, son œuvre.*
2. Publiés dans le recueil : *Poèmes de jeunesse.*

Marina Tsvetaeva

La caresse de ma joue ensommeillée
Frôlant vos doigts longs et fins,
Votre taquinerie quand vous m'appeliez votre petit
                                                    [garçon,
Et combien je vous plaisais alors telle quelle !

Si elle dédie de nombreux poèmes à la partenaire
de ses nuits, elle continue d'admirer et de cajoler
sa fille, Ariadna, en qui elle voit son œuvre la plus
accomplie, et écrit lettre sur lettre à son mari qu'elle
imagine très malheureux loin d'elle. Les journaux
la tiennent au courant, presque à son insu, des événements du front. Mais, en dépit des titres violents
de la presse et des commentaires vindicatifs de la
plupart des gens, elle ne peut se résigner à maudire
l'Allemagne. Son besoin organique de contradiction la pousse à défendre quiconque est l'objet
d'une condamnation unanime. De même qu'elle a
voulu épouser un Juif malgré l'antisémitisme d'une
partie de son entourage, de même qu'elle brave
l'opinion publique en affichant son amour pour
une autre femme, de même elle juge nécessaire de
réhabiliter un pays que tout le monde, autour
d'elle, accuse des pires méfaits. Son estime pour
la littérature et la pensée allemandes lui interdit de
s'associer à un patriotisme slave excessif. Relevant
le défi, elle s'adresse à l'Allemagne en ces termes :

Traquée par le monde entier,
Tu as des ennemis sans nombre,

Marina Tsvetaeva

Comment donc t'abandonnerais-je,
Comment te trahirais-je ?
Où trouverais-je la sagesse de dire
Œil pour œil, dent pour dent ?
Ô Allemagne, ma folie,
Ô Allemagne, mon amour !

Ces vers, qui heurtent le sentiment de ses concitoyens, elle a le courage de les lire dans plusieurs soirées littéraires privées. Et, chose curieuse, on ne le lui reproche pas. À l'arrière, l'élan des premiers jours regroupant la nation autour du tsar a fait place à un scepticisme larvé. Les partis politiques, qui avaient tu leurs dissensions au début de la guerre, se livrent de nouveau à la critique, aux querelles et aux manœuvres de couloirs. Dans la haute société, les revers subis par l'armée russe depuis le mois de mai 1915 provoquent une indignation grandissante. On dénonce l'incompétence des généraux, l'insuffisance des effectifs et de l'armement, la désorganisation des transports, l'indulgence de la police à l'égard des espions. On déplore la décision inepte de Sa Majesté, qui vient de prendre la tête des troupes, laissant la direction des affaires publiques à son épouse notoirement incapable et névrosée. On chuchote que la tsarine est entièrement soumise au pouvoir occulte de Raspoutine, ce moujik illuminé et roublard surgi du fin fond de la Sibérie, et que le pays, désorienté, envahi, saigné à blanc, court à sa ruine. Mais, tout en prophétisant le désastre, l'élite intellectuelle continue à se passionner pour des problèmes de littérature et de philosophie, se perd en des discussions interminables sur l'avenir du symbolisme en Russie, colporte avec gourmandise les ragots filtrant du palais d'Hiver et se dit, pour garder bonne conscience, qu'au train où vont les choses il n'y a rien d'autre à faire qu'attendre la suite des événements.

C'est dans cette étrange atmosphère d'angoisse et d'inconscience, de honte et de résignation, de fatalisme et de moquerie, que Marina et Sophie Parnok, devenues inséparables, débarquent, à la fin de l'année 1915, à Petrograd. Si le nom de Saint-Pétersbourg a été ainsi russifié au début des hostilités, l'aspect de la capitale n'a que peu changé depuis la mobilisation. Les théâtres, les restaurants, les cabarets et les salons reçoivent toujours autant de monde. On voit bien dans les rues des défilés de soldats qui partent pour le front, les hôpitaux, assure-t-on, manquent déjà de lits pour accueillir les blessés et de nombreuses familles comptent des morts parmi leurs proches, mais même ceux qui portent le deuil d'un être cher veulent croire que tant de sacrifices n'auront pas été vains.

D'autorité, Sophie Parnok introduit Marina parmi les rédacteurs des *Notes du Nord*, feuille où elle publie régulièrement ses œuvres. Sous la direction de Fédor Stépoune, cette revue, orientée à gauche, reçoit la crème des penseurs et des rimeurs libéraux de Pétrograd. On y rencontre aussi bien un homme politique socialisant comme Kerenski qu'un rêveur impénitent comme l'écrivain Rémizov, qu'un jeune poète à la renommée croissante comme Essenine, ou qu'une poétesse prestigieuse comme Anna Akhmatova. C'est sous l'égide des rédacteurs de *Notes du Nord* que Marina réveillonne, à l'occasion du Nouvel An 1916. Organisée par Michel Kouzmine, un des coryphées littéraires de Pétrograd, la soirée du 1er janvier, pendant laquelle Marina lit ses plus récents poèmes, est un triomphe pour l'invitée. Elle en est d'autant plus fière qu'elle a conscience de représenter Moscou, sa ville natale, au cœur de la grande cité concurrente des bords de la Néva. Pourtant, ici, les amateurs de beau langage ont une idole indestructible, une jeune femme de vingt-sept ans à peine : la célébrissime Anna Akhmatova. Momentanément absente de la capitale, celle-ci ne connaît Marina Tsvetaeva que par ses vers et serait, dit-on, plutôt réservée dans son appréciation. En revanche, Marina admire sans réserve son éclatante rivale et regrette de ne pouvoir la saluer de vive voix. Elle affirme haut et fort qu'elle ne pense qu'à Akhmatova en récitant ses nouvelles stances à l'Allemagne :

Je sais la vérité ! Arrière la vérité d'hier !
Il ne faut pas que l'homme se déchaîne contre l'homme.

Elle écrira, en se remémorant cette soirée : « Je récite comme si Akhmatova se trouvait dans la pièce. Le succès m'est indispensable. Si je veux me frayer un chemin jusqu'à Akhmatova, si, en cet instant, je veux représenter Moscou aussi bien que possible, ce n'est pas pour vaincre Pétersbourg, mais pour offrir ce Moscou-là à Pétersbourg, offrir à Akhmatova ce Moscou que j'incarne en ma personne et en mon amour, pour m'incliner devant elle. »

Sans doute Sophie Parnok a-t-elle éprouvé quelque jalousie devant cette dévotion — fût-elle purement intellectuelle — de son amie pour une autre femme de lettres ? Encore heureux que cette dernière n'ait pas été là pour recueillir les déclarations éperdues de sa jeune consœur ! En revanche, si Marina a manqué la rencontre avec Anna Akhmatova, elle en a fait une autre, bien réelle, qui a pris la valeur d'une révélation. Le poète Ossip Mandelstam, qu'elle avait déjà vu, l'année précédente, à Koktébel, est présent à la fête du Nouvel An et, en le retrouvant à Pétrograd, Tsvetaeva à senti la secousse d'une profonde communion de pensée. Il a à peine un an de plus qu'elle ; il est féru de ses poésies ; il déborde lui-même de talent, de projets, d'idées originales ; mais il est marié. Ce n'est pas un obstacle. N'est-elle pas mariée elle-même ? D'ailleurs, leurs relations resteront toujours amicales. Il est délicieux de désirer en toute chasteté, de confier à l'âme seule le soin de jouir de l'approche d'une autre âme, de s'enrichir dans l'abstinence et la distance. Certaines confidences par lettre émeuvent mieux la chair que les plus fougueuses étreintes.

Cependant, après l'entrevue du 1ᵉʳ janvier, Marina prend soin de dissimuler à son amie le sentiment trouble qu'elle nourrit envers Ossip Mandelstam. Sophie Parnok est trop fine mouche pour ne pas deviner qu'elle risque d'être détrônée. D'insinuations en reproches, les deux femmes en viennent à une explication déterminante. Au début de mars, la rupture est consommée. Marina, qui en est assez triste, dédie à Sophie Parnok un poème d'adieu. Apostrophant son amie, elle écrit :

> *Tout cela, vous l'avez fait sans colère.*
> *Innocente et impardonnable,*
> *J'ai été pour vous la jeunesse*
> *Qui passe sans s'arrêter.*

Privée de cette épaule tutélaire et de cette jalousie flatteuse, elle revient à son mari qui, lui, est capable de tout comprendre, de tout pardonner, de tout oublier. Le 27 avril 1916 elle lui envoie au régiment des vers qui sont un appel de détresse :

> *Je viens à toi dans la nuit noire,*
> *Pour chercher un ultime secours.*
> *Je suis une vagabonde sans famille,*
> *Un navire qui sombre.*

Dans l'incertitude où elle est de son avenir sentimental, elle rentre à Moscou. Entre-temps, Anastasie, elle aussi, a eu des aventures. Séparée de Boris Troukhatchov, elle s'est mise en ménage avec

Mavriki Alexandrovitch Minz, un ingénieur de ses amis, alors que la procédure de divorce d'avec Boris Troukhatchov n'a pas encore abouti. Boris est aux armées ; Mavriki, lui, mobilisé à l'arrière, travaille dans sa spécialité de technicien et doit s'absenter du matin au soir. Anastasie habite avec lui à Alexandrov, une bourgade à cent kilomètres de Moscou, dans le gouvernement de Vladimir. Elle est de nouveau enceinte. Ployant sous la fatigue et les soucis, elle a besoin qu'on l'aide. Immédiatement, Marina se précipite auprès d'elle et les deux sœurs échangent, en bavardant à cœur ouvert, avec leurs marmots dans les jupes, des souvenirs et des commentaires sur l'extravagance de leurs destins parallèles. La guerre, qu'on voudrait tant oublier, se rappelle à elles quand, parfois, elles entendent, au loin, le chant viril d'un détachement de soldats se rendant au front. Au mois de juin, Anastasie accouche d'un second fils, Aliocha. Le vivant portrait de Mavriki. Tout ce petit monde est logé dans une maison rustique, près de la forêt. Marina s'occupe à la fois de sa fille Ariadna et de ses deux neveux, André et Aliocha. Une domestique la seconde dans les tâches quotidiennes. Mais les temps sont durs, le ravitaillement devient de plus en plus difficile et l'humeur du foyer s'en ressent.

Puis, brusquement, tout s'éclaire : Ossip Mandelstam arrive de Pétrograd via Moscou, prend place dans le cercle familial à la façon d'un oncle bienvenu, répète aux jeunes femmes les cancans de la grande ville, leur récite ses propres vers, écoute religieusement ceux de Marina, joue avec les enfants et se promène, le nez au vent, dans la campagne. Hélas ! bientôt ses nerfs le lâchent. Est-ce l'idée de cette guerre inexorable et interminable qui le tourmente ? Il souffre de prémonitions, d'hallucinations, reproche à Marina d'aimer trop les visites au cimetière du village et annonce enfin que le climat pourri d'Alexandrov ne lui vaut rien et qu'il veut retourner en Crimée où le soleil le guérira de ses obsessions.

Après son départ, Marina se demande ce qui la retient encore à Alexandrov. Réponse : la poésie ! Elle n'a jamais écrit avec autant d'aisance et de sûreté. Le rythme de sa production l'étonne : cinq à six poèmes par semaine sur les sujets les plus divers. Tantôt elle chante Moscou, sa ville de prédilection, aux quarante fois quarante églises, tantôt elle tresse des couronnes à la merveilleuse Akhmatova qu'elle n'a toujours pas rencontrée, tantôt elle divinise le grand maître Blok, tantôt, revenant à ses thèmes favoris, elle célèbre la solitude, la maladie, la mort[1]. Et cependant, dans le recueil *Verstes I*, qui contient nombre de ses plus beaux vers, elle ne fait aucune allusion à la guerre, dont elle perçoit quotidiennement les secousses. On dirait qu'une étrange superstition lui interdit de s'aventurer, pour l'instant, sur ce terrain miné. Le 2 juillet 1916, elle écrit :

---

1. « Poèmes sur Moscou », « Poèmes à Akhmatova », « Poèmes à Blok » font partie, entre autres, du recueil : *Verstes*.

Marina Tsvetaeva

Qu'est-ce donc que cette cloche lointaine, plus pesante que
[celle du Kremlin,
Qui sonne et résonne sans cesse dans ma poitrine ?
Qu'est-ce donc ? Qui le sait ? Peut-être cela signifie-t-il
Que je ne serai plus longtemps l'hôte de la terre russe ?

La prophétie qu'elle lance ce soir-là tarde à se réaliser. Et pourtant, à mesure que les jours passent, un voile funèbre s'appesantit sur la Russie. On vit dans l'attente d'événements qui, semble-t-il, ne peuvent être que tragiques. Les nouvelles du front sont de plus en plus mauvaises. Les changements de ministres n'apaisent pas la fronde des milieux politiques. Soudain, à la fin du mois de décembre 1916, les journaux annoncent que Raspoutine vient d'être assassiné. On chuchote dans les antichambres des journaux et dans la rue que le crime a été perpétré par des proches du trône, aidés d'un parlementaire très en vue[1]. Certains, parmi les gens les mieux informés, n'hésitent pas à dire qu'ils sont soulagés par la disparition de Raspoutine, ce personnage outrecuidant, dont la présence au palais discréditait la famille impériale ; d'autres se demandent s'il ne s'agit pas d'un coup d'État avorté et si cette exécution sanglante n'est pas le prélude à une révolution. Au milieu de cette agitation hystérique, Marina pense surtout aux

---

1. On apprendra peu après que les membres du complot sont le prince Félix Youssoupov, le grand-duc Dimitri Pavlovitch, le député Pourichkévitch, aidés de deux comparses aux titres plus modestes, le médecin Lazovert et un officier en congé de convalescence, le capitaine Soukhotine.

répercussions que de tels désordres pourraient avoir sur le sort de son mari. Elle ignore comment la Russie émergera de la tourmente, mais il importe que Serge, lui, s'en sorte sain et sauf. Or, il est toujours sous l'uniforme, quelque part dans la zone des combats. Même en tant qu'infirmier, il risque sa peau. Il faudrait l'intervention d'un gros bonnet pour le tirer de là. Si le professeur Tsvetaev avait été encore de ce monde, il aurait pu entreprendre des démarches, car il avait des relations en haut lieu. Mais Marina est isolée, avec, comme seules armes, une plume et du papier. Elle aligne des vers pendant que d'autres se font tuer. Et pourtant, elle a conscience qu'elle perd moins son temps en écrivant qu'en lisant les journaux et en suivant sur la carte les progrès de l'armée allemande.

VI

LA RÉVOLUTION BOLCHEVIQUE
EN MARCHE

Ne faudrait-il pas craindre l'ennemi intérieur davantage que l'ennemi extérieur ? Certains se posent la question au spectacle de l'incohérence qui règne à la tête de l'État. Aux défaites sur le front répondent les scandales à l'arrière. Des murmures s'élèvent, çà et là, pour préconiser une paix séparée avec l'Allemagne. L'un après l'autre, des généraux se déclarent incapables de maintenir le moral de leurs troupes si les civils continuent de donner l'exemple de l'inconscience et de la corruption. Certains ne voient de salut que dans une prompte soumission aux exigences des libéraux. Pour préserver le pays de l'invasion et de l'anarchie, le tsar n'a pas le choix : il doit démissionner. Le 2 mars 1917, sous la double pression des militaires et des politiciens, Nicolas II abdique au profit de son frère, Michel. Mais, celui-ci ayant refusé la couronne, c'est un minable gouvernement provisoire qui s'efforce de diriger la nation divisée et décontenancée. À Pétrograd, après la formation d'un « soviet des travailleurs et des soldats », le chaos s'installe dans une explosion de joie revancharde. Les meetings se multiplient, mais aussi les pillages et les exécutions sommaires. Si quelques intellectuels, tels André Biély et Alexandre Blok, saluent dans ces désordres quotidiens l'aube d'une civilisation de justice et de liberté, d'autres s'inquiètent des débordements d'une populace livrée à ses plus bas instincts. Marina Tsvetaeva déplore l'arrestation du tsar, enfermé avec sa famille dans le palais de Tsarskoïe-Selo. Comme nombre de ses compatriotes, elle espère que Kerenski, devenu l'âme du gouvernement provisoire, saura rétablir le calme dans la rue, accorder un statut honorable à l'ex-souverain et surtout arrêter les hostilités avec l'Allemagne. Mais Kerenski proclame haut et fort son désir de poursuivre la guerre jusqu'à la victoire. Marina s'insurge contre cette obstination, car, à son avis, plus le temps passe et plus Serge risque d'être envoyé en première ligne. Craignant de perdre son affectation privilégiée d'infirmier lors d'une nouvelle levée de recrues et de se retrouver simple soldat dans l'infanterie, il vient de s'inscrire aux cours des élèves officiers, à l'Académie militaire de Moscou. En dépit de ses antécédents familiaux de révolte et d'anarchie, il demeure fidèle au monarque déchu. Marina l'approuve pour son loyalisme, non qu'elle soit une fanatique du pouvoir absolu, mais parce qu'elle devine que Nicolas II, malgré toutes ses faiblesses et tous ses défauts, incarnait cette Russie éternelle dont les bolcheviks voudraient faire table rase. De même qu'elle adore Moscou et ses églises sans assister aux messes qu'on y célèbre, de même elle vénère le tsar, symbole du passé russe, tout en se situant à l'écart de ceux qui l'encensent officiellement. Pour elle, trahir l'empereur, alors qu'il a été abattu, serait une lâcheté et presque un reniement de la parole donnée. Par orgueil, par défi, par gratitude envers la tradition dans laquelle elle a grandi non sans la contester souvent, elle écrira :

> *De nouvelles foules, d'autres drapeaux,*
> *Mais nous resterons fidèles au serment,*
> *Car le vent est mauvais juge*[1].

En vérité, à cette époque, elle est moins attentive à l'avènement de la nouvelle Russie qu'aux premiers mouvements du bébé qu'elle porte, depuis quelques mois, dans son ventre. Enceinte une fois de plus, elle tremble pour l'avenir de cet enfant qui risque de naître dans les pires conditions. D'ailleurs, le père, lui non plus, n'est pas sûr du lendemain. À l'abri, pour le moment, dans son école d'officiers, ne va-t-il pas être expédié au feu dès qu'il aura obtenu ses brevets ? Pourvu que Kerenski mette de l'eau dans son vin et décommande les prochaines offensives ! Pourvu que les

---

1. Marina Tsvetaeva : « Il faut le reconnaître franchement » *(Le Camp des Cygnes).*

fous furieux d'Allemagne et de Russie s'entendent, le doigt pointé sur une carte ! Pourvu que Serge quitte son uniforme et redevienne un civil, comme au temps béni de la paix ! Mais, décidément, Kerenski, si habile en paroles, est incapable de trancher dans le vif. Il fait penser à un conventionnel français bavard et creux, alors qu'il faudrait « un Bonaparte » !

Le 2 avril 1917, l'arrivée à Pétrograd de Lénine, le chef pourchassé et triomphant du parti bolchevique, inspire à Marina, par réaction, un poème de tendresse envers le tsarévitch Alexis, détenu, avec ses parents, à Tsarskoïe-Selo. Elle supplie « la Russie chrétienne » de garder sain et sauf « l'agneau » innocent qui se languit, sous la surveillance des soldats rouges, dans l'ancienne résidence impériale. Puis, s'adressant à l'autocrate humilié, elle s'écrie :

> *Tsar, ce ne sont pas les hommes,*
> *C'est Dieu qui vous a choisi,*
> *Et cependant, le jour de Pâques,*
> *Ce seront des drapeaux rouges*
> *Que vous verrez à travers tout le pays !*
> *Tsar, vos descendants, comme vos ancêtres,*
> *Ne sont plus que des figures de rêve.*
> *Il vous reste la besace puisqu'on vous a pris le trône.*

Enfin, le 13 avril 1917, à Moscou, en pleine déroute militaire, en pleine confusion politique, Marina accouche douloureusement d'une fille : Irène. Aussitôt, elle annonce l'heureux événement à la petite Ariadna (Alia) : « Ma chère Alia, je m'ennuie beaucoup de toi [...]. Ta sœur, Irène, m'a été apportée par une cigogne, tu sais bien, un de ces grands oiseaux tout blancs, au bec rouge et aux longues pattes. [...] Irène a des yeux sombres et des cheveux bruns ; elle dort, elle mange, elle crie et on ne la comprend pas [...]. Elle te plaira. À ma prochaine visite, je te ferai cadeau d'un nouveau livre. » Cependant, Marina n'a guère le temps de s'attendrir sur cette naissance. Au milieu d'un pays désorganisé, elle ne sait pas quelle protection implorer pour son mari et pour elle-même. Certes, les bolcheviks, sous la direction de Lénine et de son acolyte Trotski, ont échoué dans une tentative de coup d'État, mais l'autorité du gouvernement provisoire n'en est pas renforcée pour autant. La rue dicte sa volonté à des politiciens frileux. Marina redoute à chaque instant que, par un diktat de quelque comité irresponsable, Serge ne soit tiré de son école d'officiers et envoyé à la boucherie. Dans son affolement, elle s'adresse à son meilleur ami, Maximilien Volochine (Max), qui, suppose-t-elle, a des relations dans « les sphères supérieures », afin qu'il tente d'obtenir pour Serge une affectation de tout repos. « Cher Max, lui écrit-elle, j'ai un grand service à te demander : essaie d'envoyer Serge dans l'artillerie, au sud. Le mieux serait l'artillerie lourde. [...] Je t'en conjure, Max, ne tarde pas ! » Mais les jours passent et Max ne répond pas. Or, à Moscou, on manque de tout. La ville n'est qu'irrégulièrement approvisionnée. La nourriture est hors de prix. Cet hiver, on ne trouvera pas de bois de chauffage. Sans plus attendre, Marina revient à la charge dans une nouvelle lettre à Volochine. Elle voudrait partir pour la Crimée, mais il faut impérativement que Serge l'accompagne : « Cher Max, persuade Serge de prendre un congé et de partir pour Koktébel. Il en rêve, mais, en ce moment, il a comme un affaiblissement de la volonté, il est incapable de prendre une décision. Il se sent très mal. À Moscou, il fait humide et il n'y a rien à manger. On lui accordera sûrement une permission... Écris-lui, Maximouchka ! Alors seulement, je pourrai partir avec les enfants pour Féodossia. J'ai peur de le laisser ici, dans cette situation inquiétante[1]. »

Alors que Marina se lamente sur le sort de Serge, prisonnier de son uniforme, Anastasie vient de subir un chagrin qui l'a laissée moralement et physiquement anéantie. Le 21 mai 1917, elle a perdu son mari, l'ingénieur Mavriki Minz, mort d'une péritonite. Et quelques semaines plus tard, en juillet, ses deux garçons sont atteints de dysenterie. L'aîné, André, guérit, mais le petit, Aliocha, succombe, le 18 août. Désemparée, Anastasie se tourne vers sa sœur, restée à Moscou. Pour Marina, il y a là un cas de force majeure. Elle doit se précipiter à la rescousse. Faisant d'une pierre deux coups, elle décide de profiter de son passage en Crimée pour louer un appartement où elle s'ins-

---

1. Cité par Maria Razoumovski : *Marina Tsvetaeva, mythe et réalité.*

tallera avec ses enfants, loin des grandes villes du Nord livrées à la démence populaire et à la famine. Aventurière par dévouement, elle prend le train, laissant à Moscou ses deux filles et son mari. Qu'ils ne s'inquiètent de rien ! Dès qu'elle aura trouvé un domicile convenable à Koktébel ou à Féodossia, elle reviendra les chercher, tous trois, et les emmènera, telle une chatte ses chatons.

Le programme de Marina est d'une logique parfaite. Mais des événements inattendus en compliquent soudain la réalisation. Dans la nuit du 24 au 25 octobre 1917, alors qu'elle se trouve déjà en Crimée, le peuple et la garnison de Pétrograd, obéissant aux ordres de Lénine, ont investi le palais d'Hiver, siège du Gouvernement provisoire, emprisonné les ministres ébahis et porté au pouvoir les bolcheviks avec leur « leader » arrogant. L'une après l'autre, les villes de province se sont, elles aussi, insurgées. La révolution triomphe partout, dans la pagaïe, la haine et l'injustice. Ceux qui tentent de s'y opposer au nom du civisme sont emprisonnés ou fusillés sur place. À Féodossia, la soldatesque a fêté sa victoire par le pillage, la soûlographie et l'insulte aux gradés. Or, Serge est sur le point de sortir de l'école des officiers de Moscou. Comme la plupart de ses camarades, les « junkers », il ne manquera pas de se dresser contre l'action des mutins. Dès le 15 septembre 1917, il a écrit au ménage Volochine : « J'ai envie de me précipiter, de toute mon âme, à Koktébel et j'espère y parvenir. Au grand regret de Marina, je prends très à cœur tout ce qui se passe ici : à un tel point que j'ai peur de quitter la capitale. [...] Je suis occupé toute la journée par l'instruction des jeunes soldats, besogne désespérante et sans utilité. Cela mériterait quelques détails [explicatifs], mais je me méfie de la commission chargée de veiller à l'ordre nouveau [...]. Ici on ne voit que des files de gens affamés, des individus aux visages cyniques, ce ne sont que scandales, bagarres et remuements de boue, comme il n'y en a jamais eu auparavant, et cela aussi bien dans la rue que dans le tramway. La ville paraît bouillir d'une colère qui ne demande qu'à éclater [...]. En ce moment, je suis tellement malade de la Russie, tellement outragé pour elle, que je crains de ne pouvoir supporter l'idée d'un séjour au calme en Crimée. C'est à présent seulement que j'ai senti combien la Russie est profondément enfouie en moi... Peu de gens comprennent que ce n'est pas nous qui sommes en Russie, mais la Russie qui est en nous. »

Ces considérations de haute politique, qui sont communiquées à Marina par Volochine, ne font qu'aggraver l'état de perpétuelle alarme où elle se trouve depuis le début de l'année. Les insurgés ne vont-ils pas s'attaquer à Serge pour le punir d'avoir voulu porter les épaulettes d'officier ? Il n'y a pas à balancer, décrète-t-elle. Dans les heures graves, sa place est auprès de son mari et de ses enfants. Le 31 octobre, elle prend le train pour Moscou. Trois jours de voyage dans un wagon qui cahote et qui craque de partout. Elle n'a pas emporté de provisions et, dans les gares où l'on s'arrête, les buffets sont vides. Même pas de quoi boire ! Heureusement, elle s'est munie d'un stock de cigarettes. Elle fume pour tromper sa faim. Et elle lit les journaux qu'on trouve à chaque station. Les nouvelles sont désastreuses : à l'arrière, arrestation en masse des partisans de l'ancien régime, chasse aux officiers loyalistes ; à l'avant, progression irrésistible des Allemands, et des dizaines de milliers de morts. Tout le monde critique et personne ne gouverne. Effrayés par ces informations calamiteuses, les voyageurs quittent le wagon l'un après l'autre, et prennent un train en sens inverse. Mais Marina, les reins brisés, le ventre creux, la gorge sèche, s'obstine dans sa décision de regagner Moscou, fût-ce à quatre pattes. Pour s'occuper, elle note dans un cahier à l'intention de Serge le récit de cette expédition infernale : « Tout ceci n'est qu'un cauchemar... J'essaie de dormir. Je ne sais comment vous écrire. Mais le principal, le principal, le principal, vous, vous, vous et votre instinct du sacrifice. Vous est-il possible d'éviter de sortir de la maison ? Même si tout le monde reste, vous seriez le seul à sortir parce que vous êtes sans reproche, parce que vous ne supportez pas qu'on tue les autres. [...] Si Dieu accomplit le miracle de vous laisser en vie, je vous suivrai comme un chien[1]. » Sans désigner nommément celui à qui elle adresse ce message de désespoir et d'amour, Marina ne songe en l'écrivant qu'à

---

1. Marina Tsvetaeva : *Octobre en wagon.*

son mari dont elle admire, tout en la réprouvant, la générosité utopique.

Pendant que le train rampe ainsi à travers la campagne engourdie de froid, les officiers et les « junkers » de la garnison de Moscou affrontent les révolutionnaires de rue en rue, de maison en maison, dans de sanglantes escarmouches. Partout, de jour comme de nuit, la fusillade fait rage. Après une semaine de défense héroïque devant un ennemi supérieur en nombre, les derniers champions de la monarchie se trouvent à bout de force et de munitions. Le 2 novembre, ils capitulent. Une fois désarmés, on les laisse rentrer chez eux. C'est le lendemain de cet armistice local que Marina débarque à Moscou. Le soir même, elle se rend auprès de son mari qui a cherché refuge chez des amis. Elle le découvre terrassé par le sommeil, la tête renversée, l'air exténué, mais sans une égratignure. Les deux fillettes aussi sont en parfaite santé. Délivrée de son principal souci, Marina revient à son idée ; cette accalmie dans les troubles révolutionnaires de Moscou, elle veut en profiter afin de filer avec Serge à Féodossia et y préparer une position de repli pour toute la famille. En attendant, elle laissera les enfants à la garde des deux sœurs de son mari, Véra et Élisabeth, la fameuse Lilia, dont Ariadna s'est entichée. Dès le lendemain, Serge, mis au courant du projet, l'approuve avec flamme. Mais cet enthousiasme n'est pas sans arrière-pensée. Depuis longtemps, il souhaitait descendre dans le Sud et s'enrôler dans les armées de volontaires blancs qui combattent les bolcheviks. Ce n'est pas tout à fait ce qu'espérait Marina, mais elle évite de le contredire : l'essentiel, à son avis, est de s'évader du guêpier de Moscou.

Aussitôt dit, aussitôt fait : bravant tous les obstacles, Marina et Serge se mettent en route pour la Crimée. Encore un trajet entrecoupé et interminable. En arrivant à Koktébel, ils sont pris dans une violente tempête de neige. Max Volochine et sa mère Pra les accueillent chaleureusement, comme les rescapés d'un séisme. Miracle ! il y a du vrai pain blanc sur la table, à dîner. Les voyageurs se jettent dessus. Max les regarde se restaurer et sourit tristement. Mais, quand il apprend que Marina veut retourner à Moscou pour y chercher les enfants confiés à ses belles-sœurs, son visage se rembrunit : les événements lui paraissent trop menaçants pour qu'elle entreprenne sur-le-champ cette manœuvre de récupération familiale. Son pessimisme étonne Serge qui lui en demande l'explication. Alors Volochine lui décrit, d'une voix posée, l'avenir qu'il entrevoit pour le pays. « Voici, Serge, ce qui va arriver, lui dit Max : la terreur, la guerre civile, les innocents fusillés, des barrières partout, la Vendée, la sauvagerie, la perte de toute dignité humaine, le déchaînement des forces primitives, le sang, le sang, le sang !... » Marina est impressionnée, sur le moment, par ce tableau apocalyptique, mais Serge ne démord pas de son idée : quoi qu'il advienne, il entend rejoindre l'armée des volontaires antibolcheviques qui se rassemble sur les bords du Don, à l'appel de quelques généraux prestigieux. À son tour, Pra supplie Marina, si elle veut mettre son projet à exécution, de se hâter tant que la voie est encore libre. « Dans ce cas, lui dit-elle, partez immédiatement ; une fois que vous serez sur place, abandonnez toutes les affaires que vous avez là-bas, n'emportez que vos cahiers et vos enfants. Nous passerons l'hiver ici, avec vous. » Marina les rassure l'un et l'autre. Elle a confiance en son étoile, et d'ailleurs la Crimée qu'elle a sous les yeux lui prouve qu'on peut encore vivre paisiblement en Russie. Les Tatars du coin semblent ignorer la contagion bolchevique. Ils ne lisent pas les journaux et continuent d'obéir aux coutumes ancestrales de leur peuple. Puisque la sagesse prévaut ici, peut-être finira-t-elle par prévaloir ailleurs ?

De son côté, Serge piaffe en attendant de rallier ses « frères d'armes » sur le Don. Dès qu'elle l'a mis dans le train, Marina se prépare à partir elle-même. Volochine ne songe même plus à la retenir. En l'accompagnant jusqu'à la voiture qui doit la conduire à la gare, il dit encore, en se haussant sur le marchepied : « Dépêche-toi, Marina, je t'en supplie. Rappelle-toi que désormais il y aura deux pays, le Nord et le Sud[1]. » Elle sourit, une dernière fois, à ce charmant oiseau de malheur.

Le trajet, en chemin de fer, se déroule sans anicroche. En rentrant chez elle, à Moscou, Tsvetaeva

---

1. Marina Tsvetaeva : *Paroles vivantes pour un vivant.*

constate que tout s'est bien passé en son absence. Encouragée par ce premier succès, elle prépare activement son départ définitif, avec les deux fillettes, pour la Crimée, où Max et Pra les attendent. Or, les événements l'ont devancée : la guerre entre Rouges et Blancs a pris, depuis quelques jours, une telle ampleur que tout voyage est devenu impossible. Conformément aux prévisions de Max dont elle a refusé de tenir compte, le pays est coupé en deux. Il serait aussi aventureux de vouloir passer d'une Russie à l'autre que de prétendre, en pleine guerre, franchir la ligne de front qui sépare les Russes des Allemands. Toutes les communications étant interrompues, Marina découvre avec horreur qu'elle est bloquée avec ses enfants dans une ville tenue par les bolcheviks alors que son mari, à mille lieues de là, est censé combattre contre eux. Otage des Rouges, privée d'appuis, dénuée de sens pratique, écrasée par ses responsabilités de mère, elle doit s'imposer un effort surhumain pour survivre sans autre espoir qu'une lettre improbable de Serge, ou le succès, tout aussi aléatoire, d'une de ses prochaines poésies. En ces temps de lutte fratricide, qui s'intéresserait encore aux vers d'une jeune femme esseulée ? Tout à coup, elle songe à André Chénier qui fut, lui aussi, victime d'une politique aveugle. Hantée par l'image de ce frère en inspiration et en infortune, elle le célèbre à sa façon :

André Chénier est monté sur l'échafaud
Et moi, je vis et c'est là un péché mortel !

Marina Tsvetaeva

Il y a des époques de fer pour tout le monde,
Et il n'est pas poète celui qui chante quand la parole est à
[la poudre !

Cependant, il lui semble que, par une bienfaisante absurdité, par une divine inconscience, le remède est là, à portée de sa main, à portée de sa plume, dans le travail de l'esprit. Aucune drogue ne saurait procurer l'ivresse des rythmes et des rêves. Son regard va de ses filles à son cahier et elle se dit, soudain illuminée, qu'après tout elle n'est pas aussi seule, ni aussi à plaindre qu'elle le croyait, puisqu'il lui reste la poésie.

VII

SANS NOUVELLES DE SERGE !

Les coupoles des églises brillent toujours au soleil, on parle toujours autant pour ne rien dire dans les salons et dans les salles de rédaction des journaux, les accents familiers de la langue russe résonnent toujours à chaque coin de rue, à Moscou, et cependant Marina a l'impression de n'être plus tout à fait en Russie. Est-ce parce que les emblèmes impériaux ont disparu de la façade des immeubles et de l'enseigne des magasins ? Les bourgeois apeurés se cachent tels des coupables, on s'aborde sans même se connaître en se traitant de « camarade », les ouvriers tiennent le haut du pavé, la casquette du prolétaire est reine, chaque jour un nouvel édit, promulgué par le gouvernement, s'abat sur la tête des citoyens ahuris. Certes, les élections de novembre 1917 à l'Assemblée constituante ont donné la victoire aux modérés sur les bolcheviks, qui n'ont obtenu que 24 % des voix, mais Lénine se moque de ces considérations

113

périmées. Dès le mois de décembre de la même année, il proclame dans un manifeste que les intérêts de la Révolution sont légitimes même quand ils contredisent les décisions de l'Assemblée. Après un violent échange de vues, il fait interdire aux députés contestataires l'accès de la salle des séances, bien que ceux-ci aient été régulièrement élus et qu'ils soient en majorité au Parlement. Ainsi, le bon vouloir du peuple, incarné en un seul homme, lequel n'a même pas été choisi par l'ensemble de ses concitoyens, remplace le bon vouloir du prince qui, lui, tirait sa légitimité de l'hérédité dynastique. Le coup de balai est d'une brutalité dictatoriale. Nul n'ose élever la voix contre la raison du plus fort. De nombreux intellectuels, pressés de se ranger du côté de la trique, croient même, ou feignent de croire, qu'en la personne de Lénine c'est la classe ouvrière tout entière qui a vaincu et que, grâce à lui, la Russie sortira enfin d'une ère de ténèbres pour accéder, comme la France de 89, aux lumières de l'esprit. Alors que Maïakovski, Blok, Biély, Brioussov sont de tout cœur avec les nouveaux maîtres du pays, Marina ne sait encore vers quel bord elle penche. Son refus de toute consécration officielle lui ferait préférer les gens de l'extrême gauche, mais elle est terrifiée par l'avalanche de décrets que Lénine lance autour de lui avec un sang-froid de démolisseur. Aucune institution, si respectable soit-elle, ne résiste aux coups de pioche du prophète furibond. Son premier soin est de créer une police politique, la Tchéka, chargée de traquer et d'anéantir les ennemis du communisme. Tour à tour, des industriels nantis, de paisibles propriétaires fonciers, des fermiers opulents, des prêtres, des officiers, des hauts fonctionnaires, des écrivains aux opinions suspectes sont dénoncés par les « vrais patriotes ». On condamne sans laisser le temps aux accusés de présenter leur défense. Sur la foi de racontars de quartier on fusille ou on déporte tout individu qui parle avec légèreté de l'infaillibilité sacrée des Soviets. Les perquisitions, les confiscations, les spoliations, les relégations transforment la Russie en un vaste camp de concentration où les voisins s'épient entre eux, et où chacun tremble dès qu'on frappe, au petit jour, à sa porte. Ne va-t-on pas découvrir que Marina a un mari qui est officier dans l'Armée blanche ? Il suffirait d'une indiscrétion, d'une lettre décachetée par les services de contrôle ! Depuis sa séparation d'avec Serge, elle est sans nouvelles de lui. Est-il mort ? Est-il vivant ? Elle craint, en tâchant de se renseigner, d'éveiller l'intérêt malveillant des informateurs de la Tchéka. Mieux vaut rentrer la tête dans les épaules, raser les murs et attendre.

Cependant, à l'autre bout de la Russie, Pra et Max Volochine reçoivent, le 12 mai 1918, une lettre de Serge Efron postée à Novotcherkassk, au nord de Rostov.

« Je reviens à l'instant de l'armée [des volontaires blancs] avec laquelle j'ai accompli une fantastique expédition de plusieurs milliers de verstes. Je suis vivant et je n'ai même pas été blessé, ce qui est une chance inouïe, car des cadres de l'armée de Kornilov il ne reste presque rien [...]. J'ai perdu tout contact avec Marina et mes sœurs. Je suis sûr qu'elles m'ont depuis longtemps enterré et cette idée ne me laisse pas en repos. J'ai essayé, par tous les moyens, de leur donner de mes nouvelles, mais ces tentatives ont été infructueuses. Pra, ma chère, je vous en supplie, imaginez avec Max un procédé quelconque pour faire savoir à Marina et à mes deux sœurs que je suis en vie. [...] Ma situation, à présent, est des plus incertaines, car je suis provisoirement affecté à la Commission extraordinaire auprès du gouvernement dont dépend l'armée du Don. Peut-être serai-je obligé de retourner à l'armée qui se reconstitue à près de soixante-dix verstes d'ici ? Je ne puis penser à cette éventualité qu'avec épouvante, car je me trouve dans un état déplorable. Il nous a fallu parcourir près de six cents verstes dans une gadoue comme je n'en ai jamais vu autrefois. Les étapes étaient interminables, jusqu'à soixante-cinq verstes dans la journée. On dormait à peine trois à quatre heures par nuit. Nous sommes restés trois mois sans nous déshabiller. Les bolcheviks nous encerclaient et nous étions constamment sous le feu de leur artillerie. Notre position actuelle est très difficile. Que faire ? Où aller ? Est-il possible que tant de sacrifice ait été inutile[1] ? »

---

1. Lettre citée par Anna Saakiantz : *Marina Tsvetaeva, sa vie, son œuvre.*

Ignorant les détails de la déconfiture de Serge, Marina s'efforce de parer au plus pressé. Le quotidien, pour elle, emporte tout. Elle a tant à faire pour s'acclimater à Moscou qu'elle en oublie parfois de penser aux volontaires blancs, ces « chevaliers sans peur et sans reproche », dont son mari a épousé la cause.

Par chance, alors qu'à Moscou les autorités réquisitionnent avec une rigueur méthodique les locaux insuffisamment occupés, Marina a obtenu de conserver, pour elle-même et ses deux filles, l'usage des trois pièces de son appartement de la rue Boris-et-Gleb. Un méchant poêle suffit à peine à réchauffer la chambre d'enfants. Pour travailler, Marina, grelottante, se réfugie dans le grenier, au milieu d'un cimetière de paperasses et de bouquins. Les amis qui lui rendent visite s'amusent de la voir évoluer, avec une aisance princière, dans ce trou à rats. Elle reçoit, de temps à autre, Maïakovski, Ilya Ehrenbourg, et n'hésite pas à exprimer devant eux son regret de la monarchie, dont les abus et la sottise étaient moins pénibles à supporter que ceux du régime bolchevique. Ils sourient avec indulgence de ses colères, par respect pour sa misère et son talent.

Néanmoins, ce ne sont pas eux qui l'aident à garder confiance en l'avenir. Son interlocutrice préférée est encore sa fille aînée Ariadna. À six ans, cette gamine a une intelligence tellement exceptionnelle que Marina n'hésite pas à l'emmener parfois dans des soirées littéraires où elle lit ses poèmes. Fascinée par la personnalité de sa mère,

Alia tient, malgré son âge puéril, un Journal d'une étonnante précocité. En décembre 1918, elle note : « Ma mère est très étrange. Ma mère ne ressemble pas du tout aux autres mères. Elle a des cheveux d'un roux clair ; sur les côtés, ils sont frisés. Elle a des yeux verts, un nez busqué et des lèvres roses. Elle est élancée et elle a des mains que j'aime. [...] Elle est triste, rapide. Elle aime la poésie et la musique. Elle écrit des vers. Elle est patiente, et patiente toujours jusqu'au bout. Elle se met en colère et elle aime. Elle est toujours pressée. Elle a une grande âme, une voix douce, une démarche rapide. Elle porte des bagues à tous les doigts. [...] Quelquefois, elle marche comme si elle était perdue, puis elle semble se réveiller, elle se met alors à parler, puis à nouveau elle s'absente quelque part[1]. » Sous le poids de ce regard, à la fois naïf et scrutateur, Marina éprouve un amour mêlé de crainte. Elle se contemple dans cette vivante réplique d'elle-même comme dans un miroir. Elle lui dédie ces vers :

Un jour, adorable créature,
Je ne serai plus pour toi qu'un souvenir,
Perdu, dans ta mémoire aux yeux bleus,
Perdu, enseveli, si loin, si loin !
Tu oublieras mon profil au nez busqué,
Mon front auréolé par la fumée des cigarettes,
Mon rire continuel qui agace les gens,
Et la centaine de bagues d'argent sur ma main laborieuse,

---

1. Ariadna Efron : *Pages de mes Souvenirs.*

Marina Tsvetaeva

Et notre grenier-cabine de bateau,
Et le désordre de mes paperasses.
Tu oublieras l'année terrible, sublimée par le Malheur.
Tu étais si petite et moi encore si jeune !

En songeant à sa fille, Marina se rappelle sa propre mère, qui la couvait d'une admiration exigeante dans son enfance et souhaitait, par-dessus tout, qu'elle devînt une musicienne, une virtuose du piano. Il lui semble que cette recherche orgueilleuse de la perfection dans l'être qu'on a mis au monde se répète d'une génération à l'autre, inexorablement. De Maria Meyn à Marina Tsvetaeva, c'est la même femme qui s'entête à vouloir que sa progéniture se consacre à l'art et se pousse au premier rang. Peut-être Ariadna, qui a du goût pour la poésie (elle connaît déjà par cœur des poèmes de sa mère, de Blok, d'Ehrenbourg), sera-t-elle un jour célèbre ? Marina l'espère, mais, en même temps, elle est froissée à la perspective de cette concurrence familiale. Une Tsvetaeva numéro deux, c'est inconcevable ! Et pourtant, ce n'est certes pas elle qui s'y opposerait. Écartant ce dilemme, elle veut, pour le moment, s'enivrer des promesses de son enfant sans réfléchir à d'éventuelles blessures d'amour-propre au cas où Ariadna viendrait à la supplanter. Elle ne manque pas une occasion de présenter aux amis la jeune prodige. À ses côtés, Ariadna se transforme en un petit singe savant de la littérature. Ilya Ehrenbourg racontera que cette vedette en herbe, au langage trop précieux pour son âge, le « glaçait d'effroi ».

Malgré l'inconfort, les difficultés de ravitaillement et les tracasseries administratives, Marina voit beaucoup de monde en 1918. Si sa plume demeure active, son cœur non plus ne chôme pas. Toujours aussi prompte à s'enflammer, elle s'éprend d'un poète, Paul Antokolski, un jeune homme de vingt et un ans (elle en a vingt-cinq), qui suit des cours d'art dramatique au Troisième Atelier du Théâtre-Artistique de Moscou. Plongée, grâce à lui, dans le milieu remuant et exalté des comédiens, elle écrit quelques pièces, destinées à l'acteur et metteur en scène Youri Zavadski. Tout en s'amusant à faire dialoguer des personnages imaginaires, elle n'espère même pas que ces œuvres mineures seront un jour représentées. Au vrai, sa principale découverte dans ce domaine, c'est la comédienne Sophie Holliday (Sonetchka). Le coup de foudre est réciproque. Sophie est d'emblée conquise par l'autorité et la singularité de la poétesse androgyne. Et Marina se laisse un moment réchauffer par cette passion juvénile, dans laquelle l'admiration se colore de sentiments saphiques inavoués. À cette nouvelle venue dans sa vie, elle consacre des poèmes tendres et un récit en prose : *L'Histoire de Sonetchka.*

Toutes ces amitiés, tous ces emballements passagers ne guérissent pourtant pas Marina de sa plaie secrète : le sort de son mari, volontaire dans l'Armée blanche. C'est en pensant à lui et à ses camarades de combat qu'elle compose la suite de poèmes du *Camp des Cygnes,* vibrant hommage à ceux qui risquent leur peau pour délivrer la patrie de l'oppression bolchevique. En apprenant qu'après une succession de combats héroïques les troupes loyalistes sont sur le point de céder aux assauts de l'Armée rouge, elle écrit :

Celui qui survit mourra ; celui qui est mort ressuscitera ;
Et les descendants, évoquant le passé, demanderont d'une
[voix de tonnerre :
« Où étiez-vous ? » La réponse résonnera aussi comme un
[coup de tonnerre : « Sur le Don ! »
« Qu'y faisiez-vous ? — Nous y subissions notre martyre.
Puis enfin, exténués, nous nous sommes couchés et
[assoupis. »
Et les petits-fils songeurs inscriront dans leur dictionnaire,
Après le mot Devoir, le mot Don.

Et encore :

Où sont les cygnes ? — Les cygnes sont partis.
Et les corbeaux ? — Les corbeaux sont restés.
Où sont-ils partis, les cygnes ? — Là où partent les grues
[migratrices.
Pourquoi sont-ils partis ? — Pour n'être pas plumés.
Et papa, où est-il ? — Dors, dors ! Le Sommeil
Chevauchant le coursier des steppes va venir nous
[chercher.
Où nous emmènera-t-il ? — Vers le Don des cygnes,
Là, tu le sais, où se trouve mon beau cygne blanc[1].

---

1. Le recueil de poèmes du *Camp des Cygnes* n'a été publié, en U.R.S.S., qu'en 1990.

Avec ces vers en l'honneur des volontaires de la croisade antibolchevique, Marina veut se persuader qu'elle a eu raison de choisir le parti de la fidélité et de l'aventure. Mais, chaque jour, son angoisse se hausse d'un cran : au manque de nouvelles de son mari s'ajoutent le manque d'argent, le manque de nourriture, le manque de bois de chauffage et le manque de foi en l'avenir. La révolution est impitoyable pour les nantis de la veille. Les confiscations de toutes sortes ont englouti le maigre capital que Tsvetaeva avait conservé à la banque. Elle subsiste vaille que vaille en vendant ses derniers bijoux, fait la queue pendant des heures pour obtenir, auprès du centre de secours aux enfants démunis, le repas gratuit auquel elle a droit pour ses filles. Son unique robe tombe en lambeaux. À longueur de journée, elle balaie, frotte, lave du linge, coupe du bois, épluche des pommes de terre, les met à cuire dans un vieux samovar, et, dès qu'elle a un instant de répit, griffonne des vers pour se convaincre qu'elle est encore en vie, et qu'elle est cette même Marina Tsvetaeva qui, jadis, rêvait d'être saluée comme un grand poète. Un de ses voisins, qui travaille à la Tchéka, la prend en pitié et décroche pour elle un emploi rémunéré dans les services du Commissariat du peuple aux Nationalités. Désormais, du matin au soir, rivée à une table, elle lit les journaux, découpe les articles relatifs à la guerre civile et les colle sur des fiches en vue d'un classement ultérieur. « Quel emploi étrange ! écrira-t-elle dans un récit autobiographique. On arrive, on plante ses coudes sur la table (les deux poings dans les mâchoires) et on se creuse la cervelle pour trouver quelque chose à faire afin que le temps passe plus vite. Quand je demande du travail au chef, je constate qu'il se met en colère[1]. » Sous n'importe quel prétexte, ses collègues se faufilent dehors et courent d'un magasin à l'autre, d'une file d'attente à l'autre, en quête d'un improbable arrivage de nourriture. Marina en fait autant, hésitant entre des pommes de terre gelées et des œufs d'une fraîcheur douteuse. Quand elle retourne au bureau après cette chasse infructueuse, elle se dit qu'elle a doublement perdu son temps. Au vrai, elle est si mal payée et sa besogne dans ce Commissariat du peuple est si peu absorbante, qu'elle écrit beaucoup pour elle-même derrière le rempart des dossiers. Après six mois de présence, et malgré le petit salaire qu'elle rapporte régulièrement au foyer, elle ne supporte plus la promiscuité, la sottise et la jalousie des scribouillards qui l'entourent. Elle démissionne, ou plus exactement elle est renvoyée afin de céder sa place à une autre, plus nécessiteuse ou politiquement plus sûre qu'elle.

Marina est très satisfaite d'avoir recouvré sa liberté car elle était constamment sur le qui-vive quand elle devait laisser ses enfants à la maison pour se plier aux horaires administratifs. Certes, Ariadna paraît solide malgré sa maigreur et sa pâleur ; mais la petite Irène est incontestablement

---

1. Marina Tsvetaeva : *Mes emplois.*

retardée dans son développement physique et même mental. Engourdie par une rêverie sans fin, elle parle à peine, et, la plupart du temps, chantonne en branlant la tête. Sans doute est-elle insuffisamment nourrie. Au vrai, en 1919, la majorité des enfants en Russie ne sont pas mieux lotis qu'elle. En dépit de la signature, en mars 1918, à Brest-Litovsk, d'une paix séparée avec l'Allemagne, les conditions de vie, sous la conduite des Soviets, continuent de se dégrader. La poursuite de la guerre civile coûte cher et le dirigisme obstiné de Lénine sur le plan économique, comme sur le plan social, accélère la ruine de la nation et aggrave la terreur politique. L'homme du peuple se serre la ceinture, souffle dans ses doigts gelés et se demande s'il doit, dans son dénuement extrême, maudire les bolcheviks, qui ont mis la patrie cul par-dessus tête, les tenants de l'ancien régime, qui n'ont pas su les empêcher de le faire, ou la fatalité qui est tellement « chez elle » en Russie.

Plus que quiconque, Marina est désarmée devant les nécessités matérielles de l'heure. Là où les autres se débrouillent, elle perd ses moyens. Comme elle ne supporte plus de voir sa petite Irène, âgée de trois ans bientôt, souffrir de la faim et dépérir de jour en jour, elle consulte quelques amis de bon conseil et ceux-ci l'encouragent à la placer dans un refuge pour enfants, à Kountsevo, non loin de Moscou. Là, disent-ils, elle sera mieux surveillée, mieux éduquée et surtout mieux alimentée. Lasse de lutter, Marina accepte cette solution.

Sans l'avouer à personne, elle est soulagée de se retrouver seule avec sa chère Ariadna. L'insignifiante et souffreteuse Irène était entre elles deux un poids mort et presque une intruse. Est-ce parce que la grossesse de Marina a été difficile et son accouchement douloureux qu'une fois délivrée elle a considéré son bébé comme une punition, le produit d'un ratage ? Au fil du temps, l'immaturité persistante de la fillette l'a consternée. Elle était trop fière pour endurer cette déconvenue maternelle. Quand elle était mécontente d'une de ses poésies, elle la rangeait dans un tiroir pour mieux l'oublier. Elle avait donc rangé Irène dans le « tiroir » de Kountsevo. Ariadna lui suffisait. Elle avait fait son choix. Une fois pour toutes.

Or, au début de février 1920, Ariadna souffre de dysenterie. Se souvenant de son neveu Aliocha, le fils d'Anastasie, emporté, trois ans auparavant, par la même infection, Marina, bouleversée, ne quitte plus le chevet de la malade. Soudain, alors qu'elle n'a qu'un souci en tête : la santé d'Alia, une nouvelle la terrasse net : la petite Irène est morte de consomption à la pension de Kountsevo. Immédiatement, elle se sent coupable d'avoir éloigné de la maison cette enfant fragile pour réserver ses soins à l'aînée, qui a toujours eu sa préférence. Saisie d'un remords tardif, elle confie son tourment dans une lettre à des amis : « Mes chers amis, il m'est arrivé un grand malheur : Irène est morte au pensionnat, le 3 février, il y a quatre jours. C'est ma faute. J'étais si absorbée par la maladie d'Alia (accès répétés de malaria), et j'avais si peur d'aller dans ce pensionnat (j'avais peur de ce qui est arrivé maintenant), que je m'en suis remise au destin. Je l'ai appris par hasard. [...] On m'a dit qu'elle était morte de faiblesse, sans maladie apparente. Je ne suis même pas allée à l'enterrement. Ce jour-là, Alia avait 40,7 ° et — vous dirai-je la vérité ? — *je ne pouvais pas.* Ah ! mes amis, on pourrait dire beaucoup de choses. Je dirai simplement que c'est un cauchemar, je n'arrive pas à y croire, je pense toujours que je vais me réveiller. Par moments, j'oublie tout, je me réjouis de ce qu'Alia ait moins de fièvre, ou qu'il fasse beau, et soudain — mon Dieu ! mon Dieu ! je n'arrive pas à y croire. Je vis la gorge serrée, au bord du gouffre. Je comprends beaucoup de choses maintenant : tout cela est dû à mon goût de l'aventure, à ma désinvolture face aux difficultés, enfin à ma propre santé, à ma monstrueuse résistance. Quand on n'a pas de difficultés soi-même, on ne peut pas croire que quelqu'un d'autre en a. Et puis, j'étais si seule ! Tout le monde a quelqu'un : un mari, un père, un frère. Moi, je n'avais qu'Alia, et Alia était malade ; alors, moi, je me suis entièrement dévouée à sa maladie, et voilà, Dieu m'a punie. [...] D'autres femmes négligent leurs enfants pour aller au bal, pour des toilettes, pour les fêtes de la vie. Ma fête, dans la vie, ce sont les vers. Mais ce n'est pas à cause d'eux que j'ai négligé Irène : en deux mois, je n'ai rien écrit. Et le pire, c'est que je ne l'oubliais pas, non je ne l'oubliais pas, j'étais tout le temps inquiète, je demandais constamment à Alia : "Qu'est-ce que tu en penses ?" Tous les jours je m'apprêtais à aller chercher Irène et je pensais sans cesse : "Voilà, dès qu'Alia sera guérie, je m'occuperai d'Irène." Et, maintenant, il est trop tard ! »

Après cette mort, Marina redouble de tendresse envers la seule fille qui lui reste. Tenaillée par la faim, transie de froid, elle chauffe le vieux poêle de la chambre avec les débris de quelques meubles en acajou et, pour inciter Alia convalescente à manger la maigre ration qui lui est allouée par l'Administration comme aux autres enfants nécessiteux, elle lui répète, les yeux dans les yeux : « Mange sans faire d'histoires ! Comprends bien que, de vous deux, je n'ai pu sauver que toi. Toutes les deux, c'était impossible ! Je t'ai choisie, toi. Tu as survécu à la place d'Irène[1]. »

Pour réagir contre son deuil et son découragement, Marina reparaît en public et récite des vers moyennant un cachet de quelques roubles. Lors d'une grande soirée organisée par Brioussov dans la salle du Musée polytechnique en l'honneur des poétesses russes, elle se présente sur scène vêtue d'une sorte de cache-poussière de couleur sombre, qui lui donne l'aspect d'une moniale fière et maléfique. Le menton haut, une sacoche de cuir en bandoulière et les doigts chargés de bagues, elle s'avance et défie d'un regard d'aigle l'assistance nombreuse et trop bien habillée. Brioussov ayant

---

1. Anastasie Tsvetaeva : *Souvenirs.*

dit, dans une allocution préliminaire, que les femmes ne se distinguent en poésie que quand elles parlent du sujet qu'elles connaissent le mieux, l'amour, Marina est décidée à lui prouver le contraire. Elle aurait pu choisir dans son abondante production un échantillon de pièces élégiaques, mais, selon son habitude, son premier réflexe est la provocation. Avec une audace stupéfiante, elle dit, devant les auditeurs médusés, quelques strophes, parmi les plus politiquement engagées, du *Camp des Cygnes*. « Me laissant aller à une telle folie, écrira-t-elle dans son récit autobiographique *Le Héros du travail*, j'ai voulu atteindre deux ou trois, et même quatre buts : 1- lire sept strophes écrites par une femme sans mentionner une seule fois ni l'amour ni ma propre personne ; 2- vérifier l'absurdité que représente la poésie pour le public ; 3- interpeller ne serait-ce qu'un seul être qui me comprenne, même si ce n'est qu'un étudiant ; 4- et surtout, ici, à Moscou, en 1921, régler une *dette d'honneur*. Et en dehors de tout honneur, comme cela, pour rien, en dehors de tout objectif ! Tout simplement : Pourquoi pas ? »

Estomaqué, le public réagit par des applaudissements polis. Les organisateurs sont embarrassés. On passe vite au numéro suivant. Ilya Ehrenbourg, évoquant cette étrange exhibition lors de la « Soirée des poétesses russes », décrira ainsi l'apparition de Marina Tsvetaeva : « Attitude orgueilleuse, front haut, cheveux coupés court mettant le visage entre parenthèses, tel un garnement effronté, telle une demoiselle vertueuse. [...] Les interdits, les tabous, les règles, les barrières électrisent la poésie. [...] De nos jours, les blasons ne sont pas de mise, et elle, elle les glorifie en un fougueux pathos, une insolence digne des plus grands hérétiques, philosophes, insurgés. [...] Pourtant, tout cela sera oublié. Les excellents vers de Tsvetaeva resteront, comme resteront la soif de vivre, l'envie de tout détruire, la lutte d'un seul contre tous et l'amour glorifié par la mort qui rôde[1]. » Cependant, tout en admirant Marina Tsvetaeva, Ilya Ehrenbourg ne la suit pas sur le terrain idéologique. Il a déjà compris que l'Armée blanche était condamnée à brève échéance et, contrairement à Marina, il n'a jamais aimé être du côté des vaincus. Quel que soit le régime en place, il songe d'abord à sa carrière. Marina, elle, n'écoute que son cœur. Si elle s'est entichée quelque temps du jeune peintre Nicolas Vycheslavtsev, c'est toujours au souvenir de Serge, ce mari virtuel, perdu dans l'immense espace russe, aussi muet qu'un mort, aussi présent qu'un vivant, qu'elle revient en pensée, par saccades. De loin en loin, un cri d'amour lui échappe, incoercible comme un sanglot :

J'écrivais sur un tableau d'ardoise
Et sur des feuillets d'éventail fanés,
Et sur les sables des rivières et des mers,
Avec des patins sur la glace, avec une bague sur du verre,
Et sur l'écorce des arbres centenaires,

---

1. Ilya Ehrenbourg : *Portraits d'écrivains russes*, cité par Maria Razoumovski : *Marina Tsvetaeva, mythe et réalité.*

Et enfin, pour que nul ne l'ignore,
Que tu es aimé ! aimé ! aimé ! aimé !
Et je signais ces mots d'un arc-en-ciel sur l'horizon.

Hélas ! en dépit de l'aide intermittente et circonspecte des Français et des Anglais qui voudraient
soutenir l'effort des volontaires du général Wran-
gel, sans toutefois s'engager à fond dans une guerre
qui ne les concerne pas directement, les ultimes
combats dans le sud de la Russie tournent à l'avantage des bolcheviks. En novembre 1920, l'Armée
rouge force le verrou de protection que les Blancs
ont installé dans l'isthme de Pérékop et déferle sur
toute la Crimée. C'est la fin du grand rêve pour
ceux qui ont longtemps cru à une défaite de la dictature prolétarienne. En hâte, les derniers navires
alliés embarquent, à destination de Constantinople,
les rescapés de cet étripage sans merci. À l'annonce
du sauve-qui-peut, Marina se demande si Serge est
à bord d'un de ces bateaux providentiels ou si son
corps gît là-bas, sans croix, sans inscription, dans
un charnier.

Déjà, sur la « Riviera russe », dans ces lieux riants
jadis réservés au plaisir, d'affreux règlements de
comptes commencent entre clans rivaux. On
espionne, on dénonce, on emprisonne, on fusille
sous le ciel tiède et bleu de la Crimée comme sous
le ciel gris et froid de Moscou. Le 17 décembre
1920, Marina s'arrange pour faire passer une lettre
à sa sœur qui habite, depuis trois ans, à Koktébel
et dont elle ne sait rien depuis le déclenchement de

la guerre civile. Elle l'appelle à Moscou, où elle lui jure qu'elles se tireront d'affaire, malgré l'inconfort et l'insuffisance du ravitaillement. Elle-même ne peut pas bouger, car, dit-elle, c'est, de toute évidence, à Moscou que Serge, s'il est encore vivant, cherchera à la joindre. « Je pense à lui jour et nuit, écrit-elle à Anastasie. Je n'aime que toi et lui. Je suis très seule, bien que je connaisse tout Moscou. Ce ne sont pas des êtres vivants. Crois-moi (ils sont fatigués, alors que moi je suis si explosive ; ce qui me gêne, moi, les laisse eux, perplexes). [...] Je n'ai absolument pas changé, sauf que je ne m'intéresse plus à la vie, que je n'aime plus rien, si ce n'est ce que j'ai au-dedans de ma poitrine. Indifférente aux livres, j'ai vendu tous mes ouvrages en français. Ce dont j'ai besoin, je peux l'écrire moi-même. »

Ignorant si cette lettre arrivera à destination, Marina retombe aussitôt après dans l'angoisse. Il lui semble qu'elle n'échappera jamais à ce balancement cruel, lancinant, nauséeux entre la crainte et l'espoir. Pour exprimer sa douleur, elle imagine la plainte de la légendaire princesse Iaroslavna pleurant la mort du prince Igor. Ce poème, elle le dédie au sublime sacrifice des volontaires blancs.

> *Poitrine lasse d'avoir tant gémi,*
> *Mon frère, mon prince, mon fils,*
> *Bonne année, jeune Russie,*
> *Par-delà le bleu de la mer*[1] *!*

---

1. Marina Tsvetaeva : « Les larmes de Iaroslavna », dans *Le Camp des Cygnes.*

Marina Tsvetaeva

Commentant la défaite des héros du *Camp des Cygnes*, elle veut croire que les survivants de cette épopée patriotique transporteront par-delà les frontières leur foi en la vraie Russie, dont celle de Moscou et de Pétrograd n'est aujourd'hui qu'une caricature. Et cependant, cette caricature, elle en accepte les traits les plus grossiers, compte tenu du bonheur qu'elle éprouve à respirer encore l'air natal, à baigner encore dans le ronron de la langue maternelle. Au fond, ce qui lui permet de tout endurer, c'est la flamme purifiante de la création poétique. Sa philosophie de l'existence, elle l'exprime en quelques vers dans son dernier recueil, *Verstes II* :

Tout ce dont personne n'a besoin, apportez-le-moi,
Tout doit se consumer sur mon feu,
J'attire la vie et j'attire la mort
Pour les offrir, don léger, à mon feu.
La flamme aime les choses impondérables ;
Brindilles de l'an dernier, couronnes, mots perdus,
La flamme jaillit de semblables aliments
Et vous renaîtrez plus purs de la cendre.
Comme l'oiseau Phénix, je ne chante que dans le feu.
Soutenez fortement mon existence,
Je brûle clair et je brûle jusqu'à la cendre.
Alors la nuit pour vous sera transparente.
Feu de glace, fontaine de feu,
Je dresse haut ma silhouette,
Je porte haut ma dignité
D'interlocutrice et d'héritière !

Marina Tsvetaeva

Mais de qui Marina Tsvetaeva est-elle l'interlocutrice et de qui l'héritière ? En vérité, sa seule interlocutrice, c'est elle-même, et elle est aussi son unique héritière, car, si elle s'est nourrie, pour bâtir son œuvre, des grands écrivains du siècle dernier, à commencer par Pouchkine à qui elle a consacré un livre d'admiration et de gratitude, intitulé simplement *Mon Pouchkine*, elle a réinventé la poésie en jonglant avec des mots dont ses prédécesseurs n'avaient pas encore utilisé toutes les richesses phonétiques. Elle a créé sa musique personnelle, faite de brisures, d'enjambements, de chocs, qui enchantent les uns et déroutent les autres. Sans rechercher l'originalité à tout prix, elle s'est affirmée par l'audace formelle en littérature et par le mépris des conventions dans l'existence quotidienne. Vivant et écrivant à contre-courant, elle a donné de nouveaux accents à l'expression de la douleur, de l'amour, de l'amitié, de la nostalgie, de la mort, elle a réveillé le public de l'accoutumance torpide qui le menaçait.

VIII

LES SOVIETS PARTOUT !

En février 1921, Lénine prend enfin conscience d'avoir passé la mesure en soumettant le pays à un collectivisme intégral et, virant de bord pour éviter la catastrophe, assouplit partiellement sa doctrine. C'est le début de la N.E.P., la nouvelle politique économique, laquelle, tout en maintenant le principe du dirigisme socialiste, tolère, çà et là, de timides initiatives privées. Il en résulte fort peu d'améliorations pour les particuliers, mais un essor du marché noir et de la spéculation. Bien entendu, les écrivains, qui manquent, par définition, de sens pratique, ne bénéficient en aucune façon de ce desserrement de l'étau. Tenus à l'écart des magouilles commerciales, ils se contentent de gagner une poignée de roubles à la sauvette en lisant leurs œuvres dans des soirées littéraires payantes ou dans des « cafés artistiques », tel le fameux Domino, dont ils constituent la meilleure attraction. Là, un public où dominent les profiteurs et les dignitaires du régime

vient écouter les vers de quelques survivants famé-
liques de la poésie russe. Marina participe souvent
à ces exhibitions et prend plaisir à y être ovation-
née, fût-ce par des gens dont elle ne partage ni les
idées ni le mode de vie. En vérité, ce qu'elle apprécie quand elle se rend au Domino ou dans d'autres
établissements du même genre, c'est la possibilité
d'y rencontrer des confrères qui ont tous en
commun l'amour de l'art, la pauvreté endémique
et la peur du lendemain. Après s'être produits dans
leurs œuvres, ils échangent des propos désabusés
sur les difficultés du moment et l'avenir de la pensée libre en Union soviétique.

Une petite lueur d'espoir cependant : on parle
de la possibilité d'obtenir, dans des cas très rares,
un passeport pour des déplacements en Russie et
même à l'étranger. Au printemps de 1921, après
de longues démarches, Anastasie reçoit l'autorisation de quitter Féodossia pour venir, avec son fils,
à Moscou, où Marina les attend. Leurs retrouvailles sont une explosion de bonheur et de larmes.
Longtemps séparée de sa sœur, Anastasie a
quelque peine à la reconnaître dans cette femme
amaigrie, hagarde, aux vêtements de mendiante,
qui se nourrit de fayots et de semoule de millet,
s'abreuve de café noir, fume nerveusement cigarette sur cigarette et vit avec une indifférence royale
dans le froid, le désordre et la poussière d'un taudis. Un jour qu'elle se trouve seule à la maison,
Anastasie décide de faire le ménage et empoigne le
balai, la brosse, le torchon. Au retour de Marina,

elle s'attend à des compliments. Mais, à la vue de son intérieur nettoyé et rangé, Marina se renfrogne. « Je te remercie, dit-elle. Tu t'es donné tant de mal ! Mais je n'ai absolument pas besoin de cela. Ne gaspille pas tes forces pour moi ! » À ces mots, Anastasie comprend que sa sœur n'a pas changé et que rien ne compte pour elle hormis l'écriture.

D'abord dépaysée, déconcertée, Anastasie se ressaisit et s'efforce de remonter la pente. Elle commence par trouver un emploi — fort mal payé — dans une administration et poursuit ses démarches avec la conviction que, tôt ou tard, elle « s'en sortira ». Si elle ne se plaint pas trop de la pénurie, elle regrette de ne plus partager les intérêts et les goûts de sa sœur. Les turbulences sentimentales de Marina lui paraissent incompréhensibles. Après une courte toquade pour un jeune soldat soviétique, Boris Bessarabov, aux joues rouges et aux yeux bleus, voici qu'elle tombe sous le charme du vieux prince Serge Volkonski, un sexagénaire froid et distingué, qui avoue n'être guère attiré par les femmes. Ancien directeur des théâtres impériaux, cet aristocrate a un esprit orné et des manières élégantes qui tranchent avec le laisser-aller en usage dans la République des camarades. Sans doute est-ce par réaction contre la vogue du populisme qui sévit en Russie que Marina est subjuguée par ce revenant de l'époque tsariste. En outre, le fait qu'il ait presque le double de son âge et qu'il soit homosexuel la rassure dans sa solitude de fausse veuve. Plus il se montre distant dans leurs rapports, plus elle multiplie ses prévenances et ses sourires. Pour achever de le séduire, elle s'offre spontanément à recopier ses Mémoires. Elle n'a pas l'impression de déchoir en passant de l'état de poète à celui de secrétaire bénévole. La tactique réussit au-delà de ses espérances. Elle fait tant et si bien que le prince finit par être ému de son dévouement. Du coup, une amitié tendre succède entre eux à la circonspection. Marina analysera son sentiment dans une lettre au critique littéraire Alexandre Bakhrakh[1] : « J'aimais le prince Volkonski qui n'était pas porté sur les femmes. Je lui étais attachée sans réserve aucune. Je l'ai aimé jusqu'à ce qu'il tombe pour toujours en mon pouvoir. C'est l'obstination de l'amour qui m'a permis de le conquérir. Il n'a pas appris à aimer les femmes, mais il a appris à aimer l'amour[2]. » Elle va même jusqu'à lui dédier une suite de poèmes, *Le Disciple*, qui célèbre cette passion désincarnée.

Lui, cependant, ne témoigne jamais d'une admiration débordante pour la poésie de Tsvetaeva. Mais, s'il est dérouté par l'audace du style, il se déclare envoûté par la forte personnalité de l'auteur. Quelques années plus tard, il lui dédiera l'Introduction de son livre *La Vie quotidienne et la Vie de l'Esprit*. C'est avec émotion et gratitude qu'il évoquera le capharnaüm où vivait Marina, son insouciance, ses foucades, les visites domiciliaires

---

1. Il prendra plus tard le pseudonyme d'Alexandre Bachérac.
2. Lettre du 10 janvier 1924.

de la police dans le logis de la rue Boris-et-Gleb et l'anxiété qui dominait leurs innocentes rencontres : « Vous souvenez-vous de l'insolence en chapka faisant irruption dans l'appartement ? écrira-t-il à Marina. Vous souvenez-vous des exigences arrogantes, des questions outrageantes ? Vous souvenez-vous des coups effrayants frappés à la porte, des fouilles abominables, des vexations de la part des "camarades" ? Vous souvenez-vous de la voiture qui passe sous la fenêtre : s'arrêtera-t-elle ou ne s'arrêtera-t-elle pas ? Oh ! ces nuits ! Ceux qui n'ont pas vécu cela ne peuvent pas comprendre. [...] Vous souvenez-vous de tout cela ? Cela, c'était la vie quotidienne soviétique. [...] Quelle force il y avait dans notre refus de soumission et comme notre intransigeance était grande[1]. »

C'est dans ce climat d'amitié équivoque, de misère orgueilleuse et d'angoisse du lendemain que Marina compose les poèmes de son nouveau recueil : *Le Métier*. Dans ce livre de maturité, elle reprend les thèmes douloureux de la révolution russe, du combat sans espoir des volontaires blancs et de sa solitude glacée, alors qu'autour d'elle le monde bouge dans les convulsions de l'enfantement. Cette fois, il semble que Marina Tsvetaeva a trouvé définitivement son langage et sa respiration. À ses débuts, elle écrivait dans un style régu-

---

1. Prince Serge Volkonski : *La Vie quotidienne et la Vie de l'Esprit*, cité par Maria Razoumovski : *Marina Tsvetaeva, mythe et réalité*.

lier et presque traditionnel. Son admiration sans bornes pour Pouchkine l'incitait à l'aisance, à l'harmonie, à la clarté. Puis, peu à peu, la fréquentation des poètes de la nouvelle génération, tels Blok, Biély, Maïakovski, l'a éloignée de la limpidité pouchkinienne pour l'attirer vers un mode d'expression plus tendu, plus surprenant, plus élaboré, plus abscons. Il y a désormais la même différence entre l'art de Pouchkine et celui de Tsvetaeva qu'entre le cours puissant et tranquille d'un fleuve en pays de plaine et les remous, les tourbillons, les soubresauts d'un torrent de montagne. Dans le chant de Pouchkine, on admire la simplicité et le naturel, dans celui de Tsvetaeva la recherche, le travail, la provocation. En lisant Pouchkine, on a l'impression qu'il était impossible de mieux traduire, et avec les mots les plus usuels, la pensée intime de l'auteur ; en lisant Tsvetaeva on songe d'abord à l'acrobatie verbale qu'elle s'est imposée pour évoquer ses sentiments. Chacun des vers de Marina est une gageure. Elle recherche les termes bizarres, voire archaïques, accouple et oppose des mots assonancés mais aux significations différentes, pour que de leur choc naisse une métaphore qu'on n'oubliera pas. Cette quête de l'étrangeté dans le vocabulaire frise le calembour poétique. Elle bouscule la syntaxe et la prosodie, transforme la musique en une succession de clameurs. Souvent, elle supprime le verbe dans ses phrases, ce qui leur donne l'allure haletante d'un appel au secours ou d'une confession publique. Sans doute aussi est-ce en constatant la similitude entre deux mots russes qu'elle les fait se répondre, rimer, éclater et que leur confrontation lui suggère une image à laquelle elle n'aurait pas songé autrement ? Par exemple, observant que le mot *riéka* (au pluriel *riéki*), la rivière, ressemble au mot *rouka* (au pluriel *rouki*), les mains, elle joue à les heurter dans un même thème, et associe les mains *(rouki)*, tordues par la douleur, aux célestes rivières *(riéki)* et aux terres azurées où le bien-aimé attend qu'elle le rejoigne [1]. Ou bien, exploitant les sonorités voisines du mot *iédok*, le mangeur, et du mot *iézdok*, le cavalier, elle évoque, dans un autre poème, un coursier en flammes, à l'appétit dévorant *(iédok)*, chevauché par un cavalier de feu *(iézdok)* lui-même jamais rassasié [2]. Dans de pareils cas, ce sont les surprises de la phonétique qui fouettent l'inspiration de Marina. Il en résulte une poésie à la fois concise, brusque, incantatoire, pleine d'ellipses, d'exclamations, de ruptures, dont il est aussi difficile parfois de saisir le sens que de s'évader. On pourrait dire que Tsvetaeva, dans ses poèmes, ne parle pas : elle crie. Elle crie de douleur, d'angoisse, d'amour, d'indignation et de peur devant la menace intermittente de la mort. Des années plus tard, invité à donner son opinion sur Tsvetaeva qu'il a bien connue, le poète Joseph Brodsky confiera à son interlocuteur que, au milieu du

---

1. Poèmes du recueil *Le Métier.*
2. Poème du recueil *Verstes II.*

concert des meilleurs poètes, la voix « perçante » de Marina était celle d'une éternelle insurgée. Elle était, selon lui, un personnage biblique, dont la mission consistait à dénoncer l'injustice de la condition humaine, une sorte de « Job en jupons » assise sur son fumier. Il prétendait même que, portée par son amour de la langue, elle se laissait griser par l'entrechoquement des cadences et la sonorité des mots et que son art inimitable se ramenait, en fait, à un « tic-tac, tic-tac » obsédant[1].

Alors que Marina achève de corriger ses deux recueils *Verstes I* et *Verstes II*, Ilya Ehrenbourg, qui a su se montrer favorable aux autorités soviétiques, obtient un passeport, avec ordre de mission pour l'étranger. Avant de partir, il promet à Marina de mener une enquête discrète, au-delà des frontières, sur le sort de son mari. Elle n'espère pas grand-chose de ces investigations trop tardives. Or, au mois de juillet 1921, un écrivain qu'elle a déjà eu l'occasion de rencontrer dans des soirées littéraires se présente, sans s'être annoncé, à la porte de son appartement. C'est Boris Pasternak. Stupeur : il apporte une lettre d'Ilya Ehrenbourg ! Celui-ci écrit à Marina que Serge Efron est vivant, qu'il est en bonne santé et qu'il habite Prague. Suffoquée de bonheur, Marina remercie ce visiteur inattendu en qui elle voit non seulement un messager du monde de l'émigration, mais un envoyé du ciel.

---

1. Joseph Brodsky : *À propos de Tsvetaeva, dialogue avec Salomon Volka.*

Marina Tsvetaeva

Après avoir si longtemps redouté que son mari ait quitté cette terre, elle exulte à l'idée qu'il a seulement quitté son pays. Afin de célébrer cette révélation, elle écrit pour elle-même ou pour la postérité, elle ne sait plus au juste :

> *D'en haut une alouette*
> *A laissé tomber la nouvelle :*
> *Au-delà des mers, tu es vivant,*
> *Au-delà des nuages, tu es absent*[1].

À partir de cette minute, elle n'a plus qu'une obsession : rejoindre son mari à l'étranger. Mais le moment est mal choisi. Une vague de suspicion vient de s'abattre sur les milieux intellectuels. Tout ce qui pense, tout ce qui rêve, excite la méfiance de la Tchéka. Accusé de sympathies monarchistes, le poète Nicolas Goumilev, ancien mari d'Anna Akhmatova, est arrêté le 21 août et fusillé le 24 du même mois. On chuchote que son ex-femme, Anna Akhmatova, risque la prison. Certains vont même jusqu'à affirmer qu'elle est déjà morte, « liquidée » par la police secrète. Marina est au désespoir. Il n'y a jamais eu chez elle la moindre jalousie confraternelle. Son admiration pour Anna Akhmatova est si sincère qu'elle ne se considère pas comme sa rivale ; plutôt comme son alliée au service de la poésie ; et même parfois comme sa débitrice, sa suivante. Heureusement, il s'agit d'une

---

1. Marina Tsvetaeva : « L'heureuse nouvelle » *(Le Métier)*.

fausse nouvelle. Dès que l'information est démentie, Marina écrit à Anna Akhmatova : « Tous ces jours-ci, de sombres rumeurs ont circulé à votre sujet, d'heure en heure plus opiniâtres et plus irréfutables. [...] D'après moi, je vous dirai que votre seul ami (ami actif), parmi tous les poètes, s'est révélé être Maïakovski. Il errait, tel un taureau frappé à mort, devant le "Café des Poètes" (fou de douleur ! Il avait vraiment cet air-là). C'est également lui qui, par l'intermédiaire d'amis, a envoyé un télégramme pour s'enquérir de votre sort. Et c'est à lui que je suis redevable des bonnes nouvelles vous concernant. [...] Pour comprendre ma soirée d'hier..., il aurait fallu savoir ce qu'ont été les trois jours précédents — indescriptibles[1]. »

Peu après l'arrestation de Goumilev, et peu avant son exécution, un autre « grand », Alexandre Blok, était mort dans le dénuement et l'abandon. Depuis longtemps malade, il avait demandé l'autorisation d'aller se soigner à l'étranger. Le prétexte avait paru fallacieux aux autorités. Visa refusé. Quelques jours plus tard, le poète succombait mystérieusement. Aussitôt, Marina écrit à Akhmatova : « La mort de Blok ! Je n'y comprends rien. Et sans doute n'y comprendrai-je jamais rien [...] L'étonnant n'est pas qu'il soit mort, mais qu'il ait été vivant. » Quant à André Biély, pourtant bien vu au Kremlin, il ose dénoncer publiquement l'acharnement du pouvoir contre les écrivains qu'on laisse

---

1. Lettre du 31 août 1921.

croupir dans la misère et s'éteindre, l'un après l'autre, faute d'une vraie politique culturelle. Par miracle, il n'est pas poursuivi pour cette prise de position « antibolchevique ».

Par miracle aussi, Marina Tsvetaeva, qui avait sollicité, à tout hasard, la permission de quitter l'Union soviétique avec sa fille Ariadna, reçoit, après de longues démarches, le passeport sur lequel elle ne comptait plus. Aussitôt, elle prépare ses bagages, triant les objets qu'elle voudrait emporter et ceux qu'elle se résigne à laisser. Son humeur oscille entre une gaieté fiévreuse et le regret d'abandonner Moscou. À la joie de fuir les horreurs du régime soviétique et de revoir son mari après une séparation de quatre ans s'oppose en elle la tristesse de tourner le dos à la terre russe, aux souvenirs russes et peut-être, qui sait ?, à la littérature russe. Tandis qu'Ariadna, qui a neuf ans, rôde dans les pièces en ruminant des regrets de petite fille dont on veut confisquer les jouets, Marina tente de se persuader qu'une nouvelle vie se dessine pour elle et qu'elle va non seulement retrouver Serge mais, en quelque sorte, l'épouser une seconde fois. Au mariage moscovite succédera un mariage étranger, à la carrière en Russie une carrière dans l'émigration. Haut les cœurs ! Parfois, Ariadna, marchant sur les pas de sa mère, avise une photographie qui traîne sur le plancher. Elle veut la ramasser, mais Marina l'en empêche avec une amertume résignée. « Non, non, ce n'est pas la peine ! Demain matin, on brûlera tout dans la cheminée. »

La date du départ a été arrêtée : ce sera le 11 mai 1922. Ce soir-là, un ami de la famille, Tchabrov, vient aider Marina aux derniers préparatifs. Quand les valises sont bouclées et les paquets ficelés on s'assied, selon l'usage russe, pour se recueillir, le temps d'une courte prière, avant de quitter la maison. Puis Marina se lève, se signe et s'écrie : « À la grâce de Dieu ! » On descend dans la cour. Un fiacre, prévenu par Tchabrov, attend là. De nouveau, c'est Marina qui donne l'ordre : « En route ! » Lorsque la voiture passe devant la petite église blanche de Boris-et-Gleb, Marina dit à sa fille : « Fais le signe de croix ! » Ariadna obéit. À la demande de sa mère, elle répétera ce geste pieux devant toutes les églises qui jalonnent le trajet jusqu'à la gare. On ne prend jamais trop de précautions quand on se lance dans un voyage de cette importance !

Sur le quai, la mère et la fille s'affairent autour des bagages. N'a-t-on rien oublié rue Boris-et-Gleb ? Leur wagon ne comporte pas de couchettes. C'est assises l'une en face de l'autre qu'elles attendent avec impatience le départ du train. À la troisième sonnerie réglementaire, le convoi s'ébranle et Marina ferme les yeux comme si elle voulait se jeter dans le vide. Ariadna l'observe avec anxiété. Derrière la vitre du compartiment, la lune brille dans un ciel noir, sans nuages. La locomotive se traîne. On s'arrête dans toutes les gares. On les a prévenues de tenir leur langue : « Dans votre compartiment, il y aura, à coup sûr, un membre de la Tchéka. Ne parlez pas à tort et à travers. » Le voyage jusqu'à Berlin durera quatre jours ! À chaque station, la fillette colle son nez à la fenêtre pour apercevoir des gens, des maisons, des arbres, qui ne sont plus russes. Marina, elle, ne bronche pas. Les dents serrées, elle songe avec mélancolie qu'elle n'a pas encore trente ans et que, son prochain anniversaire, elle ne le fêtera pas à Moscou mais à Berlin, ou quelque part ailleurs, en tout cas loin de la patrie. Doit-elle s'en réjouir ou s'en affliger ? De temps à autre, elle lève les yeux vers le filet à bagages. La valise contenant ses manuscrits est là, à portée de sa main. Donc, elle n'a pas tout à fait quitté la Russie.

Le 15 mai 1922, par une journée éblouissante de soleil, le train venu de Moscou entre en gare de Berlin. Désormais, Marina Tsvetaeva est une émigrée.

IX

D'UN EXIL À L'AUTRE :
ALLEMAGNE, TCHÉCOSLOVAQUIE

En découvrant les rues de Berlin, Ariadna est surprise par l'aspect propre et discipliné de la ville, qui tranche avec le bariolage et l'agitation bon enfant de Moscou ; tout au contraire, sa mère n'a même pas le temps de s'apercevoir qu'elle est à l'étranger. C'est encore la Russie qui, dès son arrivée, l'accueille au cœur de l'Allemagne. Toujours aussi prévenant, Ilya Ehrenbourg lui a réservé une chambre dans la pension de famille Trautenau-Haus, 9 Trautenaustrasse, où il loge avec sa femme. Sans lui laisser le temps de souffler il l'introduit dans la colonie des réfugiés russes de la capitale, où d'anciens officiers de l'Armée blanche voisinent avec des intellectuels ayant fui les persécutions soviétiques et avec des « touristes » hésitants, qui ne savent trop encore quelle est la couleur de leurs opinions. Unis dans le même malheur et la même nostalgie, les sociaux-révolutionnaires, les monarchistes, les anarchistes et les opportunistes profitent de la désorganisation de l'économie allemande, après l'armistice de 1918, pour vivre à peu de frais dans un pays ruiné par l'inflation. L'afflux de ces transfuges est tel que de nombreuses maisons d'édition russes, des typographies russes, des journaux russes y ouvrent leurs portes. Tout ce qui s'imprime ici trouve une clientèle avide d'informations. Les exilés férus de littérature ont leur quartier de prédilection : c'est la Prager Platz et ses cafés, dont le plus célèbre est le Prager Diele. D'une table à l'autre, dans la fumée du tabac et l'odeur de la bière, on parle de la Russie d'hier, de celle d'aujourd'hui, de celle de demain, avec une liberté qui, à Moscou et à Pétrograd, vous conduirait droit en prison ou devant le peloton d'exécution. En pénétrant sur les pas d'Ilya Ehrenbourg dans cette atmosphère surchauffée, Marina se sent immédiatement chez elle. Tout le monde, à Berlin, la connaît et l'admire. Pour saluer son entrée dans l'univers des réfugiés politiques, deux de ses recueils : *Séparation* et les *Poèmes à Blok*, ont été publiés coup sur coup avec un grand succès. Les « connaisseurs » la placent aux côtés d'Anna Akhmatova. Certains même la trouvent plus émouvante, plus originale et plus « moderne » que la grande poétesse restée en Russie. Pendant qu'Ariadna, grisée, découvre le plaisir de manger une orange et de boire de la bière fraîche et mousseuse, Marina constate que tous ceux qui l'entourent semblent désireux de lui faciliter la découverte de l'Occident.

Le jeune Abraham Vichniak, qui dirige la petite maison d'édition Hélikon, lui voue même d'emblée un tel culte que, par reconnaissance, elle tombe amoureuse de ce sémillant zélateur. En attendant Serge, qui, à Prague, se morfond et échafaude des plans problématiques pour la rejoindre, elle envoie à Abraham une série de lettres enflammées (elle les réunira plus tard en volume sous le titre : *Les Nuits florentines*), puis des poèmes composés pour d'autres, mais dont elle a changé, d'un trait de plume, le dédicataire. Son attirance physique pour ce nouveau venu est telle qu'elle lui écrit sans la moindre pudeur : « Vous libérez en moi mon être féminin, mon être le plus obscur et le plus enfoui. Je n'en suis pas moins clairvoyante. Toute ma clairvoyance est intacte, avec, en plus, le droit à une aveugle béatitude. » Ariadna surveille le manège sentimental de sa mère avec un mélange de jalousie enfantine et d'agacement féminin. Ce qui rassure la fillette, c'est qu'elle a vite décelé en Abraham Vichniak un caractère malléable, influençable, alors que sa mère représente pour elle le sommet de l'énergie et de la lucidité. « Ma mère, note-t-elle dans ses Souvenirs, a une manière de vous bercer qui verserait un bébé hors de son berceau. Des bercements pareils, certains ne s'en remettraient jamais. » Et Ariadna précise sa pensée : « J'ai vu à quel point il [Abraham Vichniak] était fasciné par Marina ; on eût dit qu'il était attiré par le soleil, telle une toute petite tige fanée. Marina est la rigueur même et garde les dents serrées, tandis que lui est souple et tendre comme une pousse de petit pois. »

D'ailleurs, cette idylle littéraire ne fera pas long feu. La plupart des passions de Marina sont aussi éblouissantes que brèves. Avec Ilya Ehrenbourg également, ses relations, très cordiales au début, se détériorent vite. Si la poésie les unit, la politique les divise. Ehrenbourg, qui n'a jamais condamné vraiment l'accession des bolcheviks au pouvoir, déconseille à Tsvetaeva de publier *Le Camp des Cygnes*, dont les vers lui semblent inspirés par un fâcheux archaïsme monarchique. Irritée et troublée à la fois par cette critique, elle promet de retarder la sortie de cet ouvrage, conçu jadis en hommage à l'héroïsme des compagnons d'armes de son mari. En revanche, quand André Biély débarque à Berlin, elle l'accueille comme un ami de toujours, alors qu'en Russie elle n'était pas très proche de lui. Il a fait le voyage pour rejoindre son ancienne femme, dont il a été séparé pendant six ans. Le souci de ce rabibochage conjugal ne l'empêche pas de suivre de près l'actualité littéraire. Il vient de lire *Séparation* et ne tarit pas d'éloges sur cet ouvrage qui évoque la douleur de l'absence, l'élan quotidien vers une improbable rencontre, et la certitude que tout obstacle aux retrouvailles avec l'être aimé permet une fusion plus grande encore dans l'espace et dans le temps. Cette opinion chaleureuse sur le talent de Tsvetaeva est partagée par un autre poète émigré, le jeune Marc Slonim qui, dans le journal praguois *La Liberté de Russie*, estime que le dernier livre de Marina est un événement artistique d'une importance capitale. Elle est d'autant plus émue par ce compliment d'un inconnu que l'auteur habite Prague et que l'idée de se transporter elle-même dans cette ville ne lui déplaît pas. En effet, puisque Serge y réside et qu'il y poursuit même ses études à l'université, elle n'a aucun motif de continuer à vivre ailleurs. On affirme, du reste, que la Tchécoslovaquie, sous la présidence de Masaryk, est très favorable aux réfugiés, qu'on y reçoit généreusement tous ceux qui ont fui la dictature bolchevique, et que le gouvernement de ce pays frère accorde même des subsides officiels aux intellectuels qui lui demandent l'hospitalité.

Ces informations seront d'ailleurs confirmées à Marina par Serge Efron, lequel, ayant enfin obtenu l'autorisation de quitter Prague, annonce sa prochaine arrivée à Berlin. Mère et fille se préparent à une grande fête. Au jour dit, elles se précipitent à la gare. Mais Marina, qui est « une tête en l'air », a dû se tromper d'heure. Quand elles se présentent sur le quai, le train n'est plus là. Il fait une chaleur torride. Décontenancée, ne sachant où aller ni auprès de qui se renseigner, elle piétine et allume cigarette sur cigarette. À ce moment, une voix familière l'interpelle : « Marina ! Marinotchka ! » « De l'autre côté de la place, agitant les bras, un homme courait vers nous, grand, mince, racontera Ariadna. Je savais que c'était papa, mais je ne le reconnaissais pas, parce que j'étais toute petite quand nous nous étions quittés. [...] Serge courut vers nous, le visage bouleversé de bonheur, et enlaça Marina. [...] Longtemps, ils demeurèrent ainsi embrassés, dans une étreinte forte comme dans la mort, puis ils commencèrent à s'essuyer, l'un à l'autre, avec la paume de la main, leurs joues mouillées de larmes [1]. »

Passé la première joie, Ariadna constate que son père lui parle peu, que le regard qu'il pose sur elle est toujours pensif et qu'il aime lui caresser la tête, d'un geste machinal, tantôt dans le sens de la coiffure, tantôt à rebrousse-poil. Le soir même, pour égayer l'atmosphère, Marina ouvre une bouteille de champagne qu'elle a achetée nonobstant la dépense, exorbitante dans leur situation. Le verre à la main, Serge surmonte son engourdissement mélancolique. À vingt-huit ans, il ressemble, selon sa fille, à un gamin convalescent, encore amaigri et pâli par une longue maladie. « Il avait pour Marina, assise à côté de lui, des regards d'orphelin, notera Ariadna. Elle, en revanche, paraissait plus âgée que lui — une fois pour toutes ! — avec les fils d'argent qui brillaient dans ses cheveux. »

Pendant les quelques jours qu'il passe à Berlin, Serge achève de convaincre Marina que leur avenir, à tous trois, est en Tchécoslovaquie, où les esprits sont particulièrement bien disposés envers les amis slaves. Il doit retourner à l'université de

---

1. Ariadna Efron : *Pages de mes Souvenirs*.

Prague s'il veut achever ses études supérieures.
Quant à Ariadna, elle trouvera sur place d'excel-
lentes écoles russes. Non, vraiment, nulle part ils
ne seront mieux traités que dans ce pays libre et
hospitalier. Bien qu'elle éprouve une tendresse,
déjà ancienne, pour l'Allemagne, berceau du
romantisme, patrie de Goethe, de Schiller, de
Heine, Marina se laisse entraîner. Une ultime satisfaction d'amour-propre lui est donnée à Berlin
lorsqu'elle reçoit une lettre de Boris Pasternak, qui
exprime, lui aussi, son enthousiasme à la lecture de
Séparation. Elle en est touchée mais, fidèle à ses
habitudes de franchise, elle lui avoue qu'elle
connaît peu l'œuvre poétique de son correspondant. Aussitôt, il lui fait parvenir son recueil : *Ma
sœur la vie*. Le livre à peine ouvert, elle éprouve le
choc d'une révélation. Pasternak — elle en est sûre
maintenant — est son jumeau par le caractère et le
génie. Elle regrette de l'avoir si peu fréquenté en
Russie. Elle aimerait le rencontrer ici. Justement, il
annonce sa prochaine visite en Allemagne. Cette
perspective devrait la réjouir. Or, elle en est terrorisée. Le risque d'une déception la glace. Sera-t-il
« lui-même » dans l'atmosphère enfumée et
bruyante des consommateurs russes du café Prager
Diele ? Pour continuer à l'avoir tout à elle, en
secret, il faut qu'elle le fuie. Alors qu'elle a une
envie folle de rester, elle hâte les préparatifs du
départ, aidée de Serge qui ne se doute de rien.

En vérité, quand elle fait le bilan de ces quelques
semaines à Berlin, elle constate que, prise dans

l'engrenage des amitiés russes, elle ne s'est guère intéressée à la vie de la cité : elle n'est jamais allée au théâtre, au concert, n'a visité aucun monument, aucun musée, n'a rencontré aucun écrivain allemand ; son bonheur, à Berlin comme ailleurs, a été d'écrire et de bavarder à tort et à travers. Néanmoins, elle décide d'offrir une fête à Ariadna pour leur dernière journée berlinoise. Ce sera une expédition au jardin zoologique, et une autre à Luna Park. La fillette observe sa mère, assise, le visage sévère, sur le cheval de bois d'un manège. Marina ne se déride pas davantage en passant devant les glaces déformantes de la « chambre des rires » et regarde avec ennui les jongleurs et les acrobates forains. Au sortir de ces divertissements populaires, elles se rendent toutes deux dans un jardin public, au bord du lac, et Marina, en s'allongeant sur l'herbe, soupire : « Je pense qu'au moment de mourir j'aurai la même sensation que sur ce rivage. Tristesse ? Triomphe ? Tout le bruit, tout le tourbillon est derrière moi. Mais c'est justement ça, le repos ! » Puis elle s'ébroue. Vite, on fait le tour des amis, on serre des mains, on échange des baisers, des promesses, on règle quelques questions d'intendance, et, le 31 juillet 1922, Marina, sa fille, son mari partent pour la Tchécoslovaquie.

Étrange pays : ce n'est plus la Russie et ce n'est pas l'Europe. Les émigrés y sont reçus comme des parents dont la maison aurait été détruite dans un incendie. Des savants russes donnent des cours en russe à l'université de Prague ; les étudiants russes sont logés dans les anciens bâtiments réservés aux prisonniers de guerre allemands ; certains écrivains russes reçoivent une pension de l'État leur permettant de continuer leurs travaux ; une organisation privée « Jednota », dirigée par Anna Teskova, femme de lettres tchèque originaire de Saint-Pétersbourg, s'emploie à rapprocher les intellectuels de Tchécoslovaquie et ceux de Russie ; l'Église orthodoxe, sous l'égide de l'évêque Serge Korolev, s'efforce de maintenir la foi de tous les malheureux qui ont dû fuir leur patrie. Tout, à Prague, proclame l'affinité de l'esprit russe et de l'esprit tchécoslovaque par-dessus les frontières et avec l'approbation du gouvernement. À croire que, sur cette terre bénie, le cœur parle plus haut que la raison. Parmi les exilés, ceux qui, tout en maudissant le régime soviétique, professent des idées de gauche, se sont regroupés en association et publient un journal, *La Liberté de Russie*, tandis que ceux qui sont restés fidèles à la monarchie considèrent d'un mauvais œil ces trublions impénitents, mais évitent de les provoquer. Chez les uns et les autres, la voix du sang est, pour l'instant, plus forte que la voix de la politique. On est d'une même race sans être du même parti.

Étant, à présent, chargé de famille, Serge ne peut plus loger dans l'ancienne caserne avec les autres étudiants russes. Or, les loyers, à Prague, sont si élevés qu'il faut se rabattre, de l'autre côté du fleuve Berounka, sur un petit village proche de la capitale où nombre d'émigrés ont déjà élu domicile, Mokropsy. Les Efron s'y installent dans une isba, non loin de la forêt. Chaque jour ou presque, Serge quitte la maison, tôt le matin, pour aller suivre des cours à l'université de Prague. Restée seule avec sa fille, Marina tue les heures en flânant dans la campagne, en chauffant le grand poêle de faïence, en préparant les repas, en écrivant et en rêvant. Excédée par les tâches ménagères, elle devine en outre qu'Ariadna, après avoir été, malgré son jeune âge, son alliée, sa confidente, sa copie conforme, se détache d'elle, peu à peu, découvre l'absurde plaisir de jouer à la poupée et menace de devenir — ô horreur ! — une enfant pareille aux autres. Elle constate également avec amertume que la vie commune avec Serge, qu'elle avait idéalisée durant leurs longues années de séparation, est difficile à supporter pour une femme habituée à l'indépendance et à la solitude. La guerre civile, les privations, la maladie ont transformé le charmant compagnon d'autrefois en un homme brisé, inquiet, qui doute de lui-même et des autres. Alors que Marina continue de l'admirer pour son dévouement à l'Armée des volontaires, il se demande s'il ne s'est pas trompé de camp, s'il n'est pas monté dans « le mauvais train ». Après tout, songe-t-il, il y a eu autant de bravoure, d'abnégation et de cruauté du côté des Rouges que du côté des Blancs. Et, au moins, les bolcheviks sont chez eux maintenant, tandis que leurs adversaires, champions d'une cause perdue, végètent tels des parias à l'étranger. Il faut beaucoup de courage à Serge pour continuer des études de philosophie qui, sans doute, ne le mèneront à rien. Trente ans l'année prochaine, plus de patrie, et un avenir bouché. Comment vivre avec ce fardeau sur les épaules ? Marina elle-même est de plus en plus anxieuse. Cependant, elle feint la bonne humeur pour remonter le moral de ses proches. Consciente de cette humble vaillance dans l'existence quotidienne, Ariadna se rappellera avec gratitude certains moments d'intimité familiale dans l'isba de Mokropsy : « Quel bonheur il y avait dans les soirées que nous passions tous trois autour de la table débarrassée des plats et de la vaisselle, gaiement essuyés d'un coup de torchon humide, sous la lampe à pétrole au verre scintillant qui nous versait une lumière triomphale. [...] Serge nous lisait les livres qu'il avait apportés de Prague, Marina et moi écoutions en raccommodant, en réparant, en rapiéçant[1]. »

Même quand le trio abandonne Mokropsy pour s'installer provisoirement dans quelque autre village de la banlieue de Prague, les conversations animées et tendres, le soir, autour de la table desservie, se répéteront pour la plus grande joie de l'enfant. Cependant, tout en maniant, de temps à autre, le torchon et le balai, Marina ne s'est pas transformée en femme d'intérieur. Si elle accepte par nécessité les corvées ménagères, l'écriture demeure sa raison

---

1. Ariadna Efron : *Pages de mes Souvenirs.*

d'être, sa consolation, sa drogue. À la moindre occasion, elle se rend à Prague, où Marc Slonim est toujours heureux de la recevoir dans les locaux de *La Liberté de Russie*. Leurs bavardages, commencés au bureau du journal, se poursuivent au café Slavia, ou sur les quais de la Vltava, rendez-vous favori des intellectuels. Ce qui rapproche Marina de Slonim, c'est, bien sûr, leur passion commune pour la poésie, mais aussi le goût des sentiments extrêmes, des aventures dangereuses, qu'il s'agisse de l'âme ou du corps. Slonim admire non seulement les vers de Tsvetaeva mais son intelligence fulgurante et le brio de ses répliques. Il parle à cet égard de « tennis verbal ». « Il fallait, écrira-t-il, être tout le temps sur ses gardes et rendre métaphore pour métaphore, citation et aphorisme pour citation et aphorisme, deviner de quoi il retournait par allusions, par bribes... Ce qui comptait le plus pour elle, c'était la repartie foudroyante, la sienne ou celle des autres, sinon le jeu n'en valait pas la chandelle... Je me sentais souvent fatigué après deux ou trois heures d'une telle tension et, du fait de ma jeunesse, j'en éprouvais une sorte de complexe d'infériorité que je dissimulais. »

Grâce à Slonim, les lecteurs socialisants de *La Liberté de Russie* prennent connaissance des dernières œuvres de Tsvetaeva qui, souvent, les déroutent par leur modernité agressive. Certains ne comprennent pas qu'une feuille de gauche s'obstine à insérer les vers d'une femme notoirement compromise par ses sympathies envers l'Armée blanche. Durant les premiers temps de son séjour en Tchécoslovaquie, Marina publie le cycle poétique des *Arbres*, dédié à sa nouvelle amie tchèque Anna Teskova. Puis elle se lance dans la composition d'un poème épique, *Le Gars*. Un autre de ses poèmes, *La Vierge-tsar*, tranche sur les précédents par son inspiration folklorique. La critique, plutôt bienveillante, y décèle un accent national sincère, un beau reflet de l'âme russe, un écho précieux du passé. Ces éloges agacent Marina. Ce qui est important dans sa dernière œuvre, estime-t-elle, ce n'est pas l'évocation pittoresque de l'ancienne Russie, mais le message d'angoisse et d'amour qu'elle transmet aux lecteurs de la nouvelle génération.

Ce message, décrète-t-elle, un seul homme, aujourd'hui, est capable de le comprendre : c'est Pasternak. Il est arrivé entre-temps à Berlin. A-t-elle eu raison de fuir cette ville afin d'échapper à la tentation de le revoir ? Pour justifier cette dérobade héroïque, elle se répète que leur rencontre risquerait de détruire la mystérieuse communion spirituelle qui s'est établie entre eux par lettres. La distance qui les sépare est la meilleure façon de préserver ce qu'il faut bien appeler leur amour. Elle le lui écrit. Ils échangent des missives passionnées où l'admiration et le désir jouent à cache-cache. En recevant le recueil de Pasternak *Thèmes et variations*, Marina frémit de la tête aux pieds comme sous l'effet d'une caresse intime : « Votre livre a été pour moi une brûlure, lui avoue-t-elle. Je m'y suis brûlée et me voici en flammes. Il n'y a plus ni sommeil ni veille. » Elle ose encore cet aveu : « Vous voir m'aurait certainement délivrée de vous en vous [...]. Dans un soupir de soulagement, je me serais libérée de vous en vous, donc assouvie. » Et elle affirme que leur correspondance les unit dans « la plus sûre des étreintes terrestres ». Lorsqu'elle apprend, le 9 mars 1923, que Pasternak a décidé de rompre avec les milieux de l'émigration et de retourner à Moscou, elle est consternée. Il voudrait la voir avant de partir et la supplie de faire un saut à Berlin où ils auraient une dernière rencontre. Or, elle manque d'argent pour prendre le train, sa fille, son mari ont besoin d'elle, les soucis domestiques dévorent son temps et elle n'est pas sûre de pouvoir obtenir son visa dans un délai raisonnable. Bref, trente-six motifs, plus ou moins pertinents, s'opposent à son voyage. Elle préfère y renoncer et l'explique, tant bien que mal, à son irremplaçable ami : « Je ne peux pas venir parce que je suis impuissante, parce que c'est mon destin : l'échec. J'ai devant moi des nuits sans sommeil, des printemps, des étés. Je me connais : chaque arbre que mes yeux admireront sera vous. J'ai une peur affreuse pour vous. [...] Ma rencontre avec vous aurait été pour moi une sorte de libération de vous, légale, vous comprenez ? Une porte de sortie ! Je me serais comme évaporée hors de vous. Ne vous fâchez surtout pas. Ce ne sont pas là des mots excessifs, ce sont mes sentiments qui sont démesurés, des sentiments hors de proportion[1]. »

Inconsolable de cette fuite du « grand frère », elle lui dédie successivement deux cycles de poèmes : *Les Ondes* et *Les Poètes*. Dans un des morceaux du premier cycle, jouant sur la similitude phonétique entre les mots *provody*, les adieux, et *provoda*, les fils télégraphiques, elle écrit :

> *Au-delà de quelles mers et de quelles villes*
> *Dois-je te chercher, toi l'invisible, toi l'aveugle ?*
> *Je m'en remets pour les adieux aux fils télégraphiques*
> *Et, appuyée au poteau qui les supporte, je pleure.*

Dans le recueil *Les Poètes*, elle se demande, par ailleurs, avec une ironie amère :

> *Que dois-je faire de ma démesure*
> *Dans un monde où tout n'est que mesure ?*

Alors qu'elle aurait tant besoin de réconfort, la plupart des éditeurs, craignant sans doute la réaction soviétique, hésitent à publier ses souvenirs sur la révolution telle qu'elle l'a vécue à Moscou. Même chez Hélikon, si bien disposé à son égard, on redoute le caractère « engagé » de ses « journaux intimes ». Aussitôt, elle s'indigne et écrit à Roman Goul, journaliste russe émigré à Berlin : « Il n'y a pas de politique dans mon livre, seulement la vérité

---

1. Lettre du 9 mars 1923, citée par Maria Razoumovski : *Marina Tsvetaeva, mythe et réalité.*

tragique, la vérité *tragique* du froid, de la faim, de la colère de cette année-là ! Ma fille cadette est morte de faim dans un orphelinat. Ça aussi, c'est de la politique (l'orphelinat bolchevique)[1]. » Malgré cette protestation, le livre, dans son intégralité, restera longtemps inédit[2].

En revanche, le recueil *Métier* remporte un vif succès auprès du public et de la critique. La chroniqueuse Véra Lourié le porte aux nues : « En dépit de toute son audace, de toute sa rudesse quasi masculine, Tsvetaeva possède en elle quelque chose d'infiniment féminin ; ses aspirations au sacrifice, à l'action d'éclat, sont purement féminines. [...] Comme la féminité d'Anna Akhmatova est pâle comparée aux élans amoureux de Tsvetaeva ! Elle [Tsvetaeva] est riche de promesses. De tout cœur, et avec un tendre et sincère amour, on a envie de dire avec sa muse : Protège-la, Seigneur ! » La réaction du jeune Alexandre Bakhrakh, dans la gazette *Jours*, n'est pas moins louangeuse. Émue par cette avalanche de compliments, Marina répond à l'auteur de l'article de *Jours* pour le remercier. Et la voici emportée dans une nouvelle correspondance poético-amoureuse. Cette fois, son adulateur a vingt ans. Le 14 juillet 1923, elle lui écrit : « Vous êtes pour moi l'étranger, mais je vous ai fait entrer dans ma vie. Vous êtes avec moi quand je marche le long de la chaussée poussiéreuse du village ou

---

1. Lettre du 5 mars 1923.
2. Des extraits de ce texte paraîtront dans des journaux de l'émigration en 1924 et 1925.

dans les rues de Prague. Je veux, je veux que vous grandissiez, que vous deveniez parfait. [...] Je vous demande un miracle, un miracle de confiance, un miracle de compréhension, de renoncement. Je veux que vous, avec vos vingt ans, soyez un vieillard de soixante-dix ans et, en même temps, un petit garçon de sept ans. Je refuse l'âge, le calcul, la lutte, les barrières. » Et, onze jours plus tard : « Je vous veux sans reproche, c'est-à-dire fier et libre, suffisamment pour aller au-devant des reproches comme un soldat va au feu. » Sans doute effrayé par cette ardeur possessive, Bakhrakh juge plus prudent de faire le mort. À plusieurs reprises, Marina, offensée par son silence, monte sur ses grands chevaux : « J'ai eu mon compte de souffrances, ce mois-ci, lui signifie-t-elle le 27 août. Aucune de mes lettres n'a reçu de réponse. [...] Ami, je ne suis pas une petite fille (bien que quelque part je n'aie pas grandi), j'ai brûlé, je me suis brûlée, j'étais en feu, j'ai souffert ! » Et elle précise : « Je me suis détachée de vous comme je me serais décrochée d'un rocher. » Enfin, elle lui apprend qu'elle va quitter le village où elle habite pour s'installer à Prague, car il est indispensable qu'Ariadna entre au gymnase pour continuer ses études. Elle a noté, au jour le jour, les étapes de sa déception dans un texte intitulé : *Compte rendu de maladie*. Cependant, elle espère toujours une lettre de mise au point et de résipiscence. La pensée de cette lettre est même si obsédante que, dès le

11 août 1923, elle a transposé son impatience et son angoisse dans un poème :

> *On n'attend pas ainsi des lettres,*
> *Mais une lettre,*
> *Un lambeau de chiffon,*
> *Avec de la colle autour.*
> *Au-dedans, un seul mot,*
> *Et c'est le bonheur. Et c'est tout !*
> *On n'attend pas ainsi le bonheur,*
> *On attend ainsi la mort.*
> *Un salut militaire*
> *Et du plomb dans la poitrine.*
> *Trois balles et c'est tout [...]*
> *Le carré d'une lettre.*
> *Encre et magie.*
> *Pour le sommeil de la mort*
> *Personne n'est trop vieux.*
> *Le carré d'une lettre.*

Le 28 août 1923, elle adresse encore au pusillanime Bakhrakh un message d'adieu : « Terminé ! Je suis à la veille d'une nouvelle grande ville (peut-être à la veille d'un nouveau grand chagrin), et d'une nouvelle grande vie, à la veille d'une nouvelle moi[1]. » Puis, philosophiquement, elle se remet à faire ses valises, à nouer ses balluchons, en s'efforçant de cacher à son mari et à sa fille qu'elle est au comble de l'humiliation et du désespoir.

---

1. Lettre citée par Maria Razoumovski : *Marina Tsvetaeva, mythe et réalité.*

X

AMOURS ILLÉGITIMES ET NAISSANCE
LÉGITIME

De retour à Prague, Marina trouve à se loger,
avec son mari, dans un minuscule appartement, au
numéro 1373 de la rue Svedska. Pour régler le
loyer, la nourriture et les menus frais quotidiens,
elle compte sans vergogne sur l'aide des organisa-
tions charitables de l'émigration, sur les subsides
officiels de l'administration tchèque, sur la générosité de quelques amis compatissants et sur les piges
maigrichonnes des journaux locaux. Son premier
soin est d'inscrire Ariadna dans un pensionnat
russe, à Moravska Trebova, une petite ville cor-
recte et policée, proche de la frontière allemande.
En se séparant de sa fille, elle craint que celle-ci ne
refuse de s'intégrer à un milieu scolaire classique.
Or, la gamine se déclare d'emblée très heureuse
parmi des compagnes de son âge, toujours prêtes
à s'amuser, à flairer le vent et à rêver d'aventures
romanesques. Ce conformisme, chez une enfant

167

qu'elle aurait voulue exceptionnelle, déçoit la mère dans ses ambitions. Incapable de dissimuler ses sentiments, elle se plaint à Alexandre Bakhrakh de sa déconvenue : « Elle [Ariadna] est très jolie, très indépendante, pas une seconde elle ne s'est sentie embarrassée, c'est l'incarnation de la liberté. Elle sera aimée, car elle n'a besoin de personne. Toute ma vie, j'ai aimé en solitaire, et plus encore, j'ai haï toute seule. Mon enfance a été difficile et mon adolescence lugubre. Je ne vois rien de tel chez Alia ; ce que je sais, c'est qu'elle sera heureuse. Je n'ai jamais désiré cela pour moi. Et voilà dix ans de mon existence qui viennent de s'écouler comme effacés par un coup d'éponge. [...] Je recommence ma vie. »

Peu de temps après, ayant rendu visite à sa fille dans son pensionnat, elle lui demande à brûle-pourpoint : « Tu te plais ici ? — Oui ! s'écrie Ariadna. — Tu as tort, réplique sa mère, soudain irritée et comme vexée. On pourrait étouffer au milieu de tout cela. Tout, ici, n'est que copie de je ne sais quoi — en tout cas des voisins ! Une parodie des bonnes mœurs. L'esprit bourgeois allemand[1] ! » Comment sa fille, qui a pourtant de qui tenir, éprouve-t-elle du plaisir à ressembler aux autres ? Cette réaction, si naturelle chez une enfant de onze ans, renforce en Marina l'idée que son destin personnel est singulier, exemplaire, tragique. Harcelée d'interrogations et de prémonitions, elle

---

1. Ariadna Efron : *À propos de Marina Tsvetaeva*.

se raccroche à Bakhrakh et, une fois de plus, lui ouvre son âme, sans grand espoir d'être entendue : « Je ne suis pas faite pour cette vie, lui écrit-elle. Je ne suis qu'un brasier. Je peux avoir dix relations à la fois (drôles de relations !) et affirmer, du plus profond de moi-même, que chacune d'elles est unique. Je ne supporte pas le moindre éloignement de moi, vous comprenez ? Je suis une écorchée vive et vous êtes blindé. Tous, vous avez pour vous l'art, la sociabilité, l'amitié, les distractions, la famille, le sens du devoir, tandis que moi, au tréfonds de moi-même, je n'ai RIEN. Tout se défait comme une peau qui tombe, et dessous il y a la chair à vif ou le feu. Moi, je suis Psyché. Je n'entre dans aucun moule, même pas dans le plus simple de mes vers. Je ne suis pas comme les autres. Je ne peux vivre qu'en rêve [1]. »

Sans doute, en lisant ce message éploré, Bakhrakh se demande-t-il où Marina veut en venir avec lui, lorsqu'elle multiplie ses gémissements et ses exigences. Il appréhende l'arrivée en coup de vent, à Berlin, de la poétesse dont il a eu l'imprudence d'encourager, un moment, les ardeurs. Or, le 20 septembre, dix jours après la réception de ce lamento, le facteur lui apporte une lettre de rupture victorieuse et abrupte. Est-ce la même femme qui se désespérait, hier, de n'être pas aimée de lui comme elle le méritait et qui lui écrit, à présent,

---

1. Lettre du 10 septembre 1923, citée par Maria Razoumovski : *Marina Tsvetaeva, mythe et réalité.*

d'une plume acérée : « Mon cher ami, soyez coura-
geux et écoutez-moi : quelque chose est terminé !
Le plus dur est fait. Écoutez-moi encore : j'en aime
un autre. On ne peut être plus brutal ni plus franc.
Ai-je cessé de vous aimer ? Non ! vous n'avez pas
changé et je n'ai pas changé. Ce qui a changé, c'est
mon attachement maladif envers vous. Vous n'avez
pas cessé d'exister en moi, j'ai cessé d'exister en
Vous. Mon heure avec vous est passée, il reste mon
éternité avec vous. [...] Comment cela est-il arrivé ?
Oh ! Ami, comment cela arrive-t-il ? J'étais pleine
de nostalgie ; quelqu'un m'a répondu ; j'ai entendu
de grandes paroles, il n'y en a pas de plus simples ;
peut-être les ai-je entendues pour la première fois
de ma vie... Qu'adviendra-t-il de tout cela, je
l'ignore. Tout ce que je sais, c'est que je souffre,
j'avance vers la douleur. »

Cette coupure, d'une netteté chirurgicale, soulage certes Bakhrakh, qui, tout en admirant Marina
Tsvetaeva pour son talent, était terrorisé à l'idée
de prolonger ses relations avec une créature aussi
imprévisible et aussi envahissante. Elle, de son
côté, est fière d'avoir repoussé son soupirant avant
qu'il ne l'ait repoussée. Elle l'a gagné de vitesse.
L'honneur est sauf. Mais y a-t-il jamais eu la
moindre parcelle d'honneur dans une passion
amoureuse ?

Le remplaçant de Bakhrakh est un certain
Constantin Rodzévitch. Âgé de vingt-neuf ans, il a
été officier dans l'Armée blanche, puis, ayant émigré à Prague, s'est inscrit à l'université où il est

devenu un condisciple de Serge Efron. Sans doute
est-ce par son mari que Marina a fait la connaissance de cet homme affable, sérieux, effacé, et
aussi peu « poétique » que possible. Exactement le
contraire de ce qu'elle a toujours cherché. Qu'importe ! Il s'est trouvé sur son chemin au moment
où elle éprouvait le besoin d'une présence virile à
ses côtés. Elle s'est jetée sur lui comme une assoif-
fée sur un verre d'eau fraîche. Et automatiquement
cet élan vers une vérité désaltérante lui a inspiré
des poèmes. Elle estime que Rodzévitch ressemble,
trait pour trait, à la statue érigée dans la ville sur le
pont Charles et lui dédie les vers lyriques du
Chevalier de Prague, ce « gardien du fleuve » qui,
depuis des siècles, entend les serments et les adieux
des amants. D'autres poèmes suivent, dominés par
la passion de Marina pour l'ex-officier tsariste, l'actuel camarade d'études de son mari. Elle le hisse
sur un nuage ; elle compare son chagrin, dans
Poème sur la Montagne, à un sommet qui masque-
rait l'horizon ; elle chante, dans *Poème de la Fin*, la
faillite inéluctable de toutes les amours humaines.
Ces invocations désespérées traduisent la pres-
cience qu'elle a du déclin, à brève échéance, de son
roman avec Rodzévitch. Après quelques semaines
d'une liaison cahoteuse, elle considère qu'elle a fait
fausse route et signifie son congé à celui qui n'a su
que profiter de son corps sans remuer son âme.

À qui confier le récit de ce fiasco sentimental ?
À Bakhrakh parbleu ! Bien qu'elle l'ait éconduit
sans crier gare, elle estime qu'il est mieux désigné

que quiconque pour la comprendre. « Mon ami, lui écrit-elle, je suis très malheureuse. Je me suis séparée de l'autre en l'aimant et en étant aimée de lui, au beau milieu de l'amour ; séparée — non : je me suis arrachée à l'amour ! À l'instant du plein épanouissement de l'amour, sans espoir de le revoir ! Après avoir brisé sa vie et la mienne !... De toute mon existence, c'est la première vraie séparation, parce que, tout en m'aimant véritablement, il a voulu tout avoir, c'est-à-dire avoir la vie, une simple vie commune, précisément ce que jamais personne, parmi tous ceux qui m'ont aimée, n'avait eu l'idée de désirer : Sois mienne ! Ma réponse a été : Hélas ! »

Quoique Serge ait été tenu à l'écart de cet imbroglio, il n'a pu en ignorer les péripéties. Mais, comme d'habitude, il ne laisse rien paraître de ses sentiments, encaisse les coups et continue de suivre sa femme dans toutes les réunions littéraires où elle choisit de se produire. Au cours de ces derniers mois, elle rencontre de nombreux écrivains russes de passage à Prague. Tour à tour, Maxime Gorki, Ivan Bounine, Vladislav Khodassévitch, Nina Berberova, Vladimir Nabokov lui font l'hommage de leur attention, voire de leur sympathie. Quand Serge se trouve avec Marina « en société », il sait se montrer éloquent, amusant, alors qu'il souffre du dérèglement de sa vie conjugale. S'il sourit en public, il n'hésite pas à confier son tourment dans une longue lettre de 1924, à son ami Maximilien Volochine : « Ma faiblesse, l'impuissance et l'aveu-

glement de Marina, la peine que j'éprouve pour
elle, la conscience qu'elle a de se trouver dans une
impasse, mon incapacité de l'aider avec fermeté et
décision, l'impossibilité de trouver une issue, tout
cela a abouti à la situation actuelle : un point mort.
[...] Marina est une créature de passion. [...] Se
jeter, la tête la première, dans l'ouragan est devenu
pour elle une nécessité. [...] Aujourd'hui, c'est la
désolation, demain, l'enthousiasme, l'amour et, à
nouveau, elle se précipite, âme et corps. Puis, le
jour suivant, c'est encore le désespoir. Et tout cela
en présence d'une intelligence aiguë, froide (j'allais
dire cyniquement voltairienne). Les passions
déchaînées d'hier sont raillées aujourd'hui avec
beaucoup d'esprit, de cruauté (et presque toujours
avec raison), et tout cela est transposé dans un
livre. [...] J'ai annoncé à Marina mon intention de
la quitter. Pendant deux semaines, elle a été dans
un état de véritable folie [...]. Elle ne dormait pas
la nuit, elle avait maigri, c'était la première fois que
je la voyais dans un tel désespoir. Pour finir, elle
m'a déclaré qu'elle ne pouvait pas me quitter, car
de me savoir seul ne lui laisserait pas une minute
de tranquillité, encore moins de bonheur. »

Une fois de plus, bouleversé par le désarroi de
cette femme qui l'aime en le trompant, il capitule.
« Vis-à-vis de moi, elle est complètement aveugle,
poursuit-il. Elle ne sait quelle attitude adopter, s'ir-
rite, se met en colère. Je suis une bouée de sauvetage et, en même temps, un poids mort à son cou.
On ne peut la libérer de ce poids sans lui arracher

le dernier fétu de paille auquel elle se raccroche. Mon existence est une torture permanente. Je suis dans le brouillard. Je ne sais à quoi me résoudre. [...] Marina est devenue si étroitement une part inhérente de moi-même qu'actuellement, alors que je travaille à notre séparation, je suis constamment dévasté, déchiré, j'essaie de vivre les paupières serrées pour ne rien voir[1]. »

Serge se plaint également à sa sœur, restée à Moscou : « Je ne suis pas bien du tout à Prague. Je vis ici comme sous un capuchon. Parmi les Russes, je ne connais pas grand monde et d'ailleurs bien peu de mes compatriotes m'intéressent. En général, je ne suis guère attiré par les gens. » Et aussi : « Personne ne m'écrit. J'ai l'impression que tous les Moscovites m'ont oublié. [...] Je sais que je suis seul coupable de cet état de choses. Mais j'ai mal ! »

Luttant contre vents et marées, Serge reste rivé à sa femme. La passion créatrice de Marina se traduit à présent par la rédaction d'une œuvre dramatique sur le thème de Thésée et des trois femmes qui ont successivement marqué son destin : Ariane, Phèdre et Hélène. Elle est tellement prise par son travail qu'elle néglige allègrement les soins domestiques. Ayant retiré sa fille de la pension, elle la charge de tenir la maison à sa place. Bientôt d'ailleurs, la famille déménage pour s'installer à Vsénory, une banlieue de Prague. Levé de bon matin,

---

1. Lettre citée dans l'article de Irma Koudrova : *La Maison sur la montagne,* reprise par Véronique Lossky dans : *Marina Tsvetaeva, un itinéraire poétique.*

Serge poursuit avec ponctualité et obstination ses
études à l'université. Il s'occupe également de la
publication d'une revue d'étudiants, orientée à
gauche, *Par nos propres voies*, et milite dans l'association des écrivains russes de Tchécoslovaquie.
Marina, de son côté, collabore au journal *La Liberté
de Russie*. On la paie mal pour ses articles et ses
poèmes, mais au moins n'a-t-elle pas l'impression
de s'échiner en pure perte. Recluse dans la maison-
nette de Vsénory, elle peste à longueur de journée
contre le manque d'argent, la solitude et les corvées
ménagères. Tout en pourchassant mollement la
poussière, elle se répète que l'arme d'une femme
d'esprit ne doit pas être le plumeau mais la plume.
Cet esclavage ancillaire lui est d'autant plus pénible
qu'elle est de nouveau enceinte. L'accouchement
est prévu pour le mois de février 1925. Garçon ou
fille ? Serge préférerait un garçon. Elle aussi. Pour
changer ! Pauvre Serge ! elle lui doit bien ça ! En
attendant, elle suppute les soucis que lui causera
cette bouche supplémentaire à nourrir. Elle tricote,
compte les jours et s'efforce d'écrire encore. Mais
l'enfant qui grandit dans son ventre l'empêche de
se consacrer au poème qui grandit dans sa tête.
Lequel est le plus important ? Pour une fois, elle
décide que la création d'une vie doit prévaloir sur la
création d'une œuvre. Elle s'attendrit de constater
qu'Ariadna, loin d'être jalouse à l'idée de cette prochaine naissance, en est visiblement émue : « Alia
témoigne d'une délicatesse merveilleuse, note-t-elle
dans son cahier. Elle dit en parlant du futur bébé :

"Votre fils", et non : "Mon frère", définissant ainsi l'état du nouveau-né, sa place dans notre vie. »

À mesure que la date de l'accouchement approche, Marina, qui est pourtant d'un naturel sauvage, découvre le réconfort des amitiés féminines. Touchée par son dénuement et son inexpérience, Anna Teskova l'entoure d'une affection de grande sœur. D'autres voisines lui viennent en aide pour assurer la marche de la maison. Un moment, elle espère un retour de flamme de la part de Marc Slonim. Elle a besoin, dit-elle, d'une épaule solide, de préférence masculine, pour se blottir contre elle après sa rupture avec Rodzévitch. Hélas ! tout en se montrant plein de compassion pour cette femme déformée par la grossesse et désireuse d'être aimée encore, Slonim a un mouvement de recul. Il notera : « Elle exigeait avant tout de ses proches une soumission sans partage, un anéantissement sans retour, allant jusqu'au sacrifice qui lui serait apporté non par un être faible, mais par une forte personnalité. Le faible n'aurait mérité que son mépris. » Il est d'autant plus sincère en écrivant cela qu'il se trouve accaparé par une autre femme. Il aime ailleurs. Et il n'a nulle envie de réchauffer les sentiments d'autrefois. Quand elle s'aperçoit qu'elle a une rivale, Marina oublie qu'elle est enceinte, donne libre cours à sa fureur et envoie à l'« ingrat » un poème vengeur intitulé *Tentative de jalousie* :

> *Comment ça va, la vie avec une autre ?*
> *Plus simple, n'est-ce pas ?*

Très vite pourtant, la perspective des prochaines douleurs de l'enfantement efface chez elle les blessures d'amour-propre. Elle décide d'appartenir tout entière au fils qu'elle va mettre au monde. Au fait, qui est le père ? Serge ? Rodzévitch ? Pasternak ? Elle ne le sait pas au juste et ne s'en soucie guère. Ce qui compte pour une femme, pense-t-elle, c'est le fœtus qu'elle porte dans son sein, non l'identité de l'homme qui l'a fécondée. Puisqu'il faut un géniteur officiel, Serge est tout désigné pour assumer ce rôle. De même qu'il a été un volontaire dans l'Armée blanche sans grande conviction politique, de même il sera un père sans l'avoir vraiment voulu. Il y a chez lui une secrète inclination à être la doublure, le prête-nom, l'homme de paille. Marina lui sait gré de ne pas faire d'histoires pour une simple « formalité ».

Cependant, un détail heurte Serge dans le scénario imaginé par sa femme. Elle souhaiterait donner à son fils — car il ne peut s'agir que d'un fils ! — le beau prénom de Boris, en hommage à Pasternak. Elle a d'ailleurs écrit, l'année précédente, à ce dernier : « Faites-moi don de votre nom magnifique : Boris (nom princier !), afin que je le répète sur tous les tons, à tous les arbres et à tous les vents. Je n'en abuserai pas. » Malgré l'insistance de Marina, Serge exige, en sa qualité de père déclaré, que le nouveau-né porte un autre prénom que celui de Pasternak. On consulte le calendrier orthodoxe et, après d'âpres discussions, Marina finit par accepter « Georges » comme pis-aller. Pourquoi Georges ?

Peut-être parce qu'à la connaissance de Serge aucun des hommes dont sa femme s'est entichée, ces derniers temps, ne s'appelait ainsi. D'ailleurs, le bébé aura, dans sa lignée, de nombreux héros légendaires russes et d'abord le saint pourfendeur du dragon. C'est tout de même une garantie !

Cette question étant réglée, Marina n'a plus qu'à prendre patience. L'événement tant attendu se produit le dimanche 1er février 1925, deux semaines avant la date prévue. Dès les premières contractions, des voisines entourent la jeune femme et l'exhortent au courage et à l'effort. Elles sont bientôt sept à s'affairer dans la chambre, qui devient un gynécée plein d'une agitation charitable. Par un ultime réflexe d'orgueil, Marina serre les dents et refuse de crier. L'arrivée du docteur Altschuler réconforte autant la parturiente que les sages-femmes improvisées. L'enfant naît à midi. Marina est à la fois exténuée et radieuse. La nuit suivante, elle ne peut dormir et répète dans un délire de joie : « Mon fils ! Mon fils ! » Dès qu'elle a la force de tenir une plume, elle écrit : « Si je devais mourir à l'instant, je plaindrais farouchement le petit garçon que j'aime d'un amour mélancolique, attendri et reconnaissant. Quant à Alia, je la plaindrais autrement et pour autre chose. Alia ne m'oublierait jamais, le petit garçon, lui, ne se souviendrait jamais de moi. Je vais l'aimer quel qu'il soit, non pour sa beauté, non pour son talent, non pour sa ressemblance avec moi, mais pour lui-même. » Un peu plus loin, cette remarque : « Il faut gâter les petits garçons, car ils seront peut-être obligés de partir pour la guerre. »

Tout en adorant son poupon, Marina regrette de l'avoir appelé Georges et non Boris comme elle le souhaitait. « Dommage ! confie-t-elle à Olga Tchernova, une jeune émigrée qu'elle a connue à Prague et qui est très vite devenue son amie. Il ne m'est pas dévolu de vivre avec B.P. [Boris Pasternak], cela pour la même raison, pour les deux mêmes raisons qui ont fait qu'il n'est pas devenu Boris, mais Georges. La première de ces raisons, c'est l'impossibilité tragique pour moi de quitter Serge ; la seconde, tout aussi tragique, c'est l'impossibilité de transformer l'Amour en vie quotidienne, l'Éternité en journées. Je ne peux pas vivre avec B.P., mais je veux un fils de lui, qui vive en lui, à travers moi. Si cela ne se fait pas, ma vie n'aura pas été accomplie[1]. »

Incapable de dissimuler plus longtemps ses élans de mère frustrée, elle se confie imprudemment, le 14 février 1925, dans une lettre à Pasternak même. « Boris, durant toutes ces années, j'ai vécu avec vous, avec votre âme », lui écrit-elle. Et elle note, pour elle seule, dans son cahier de brouillon : « Mon petit Boris, je n'ai encore jamais tutoyé les hommes que j'aimais. Mais, quand il s'agit de vous, de Toi, ce tutoiement me monte irrésistiblement aux lèvres. Tu es mon grand frère [...]. Boris Pasternak, cette appellation est aussi vraie que celle du

---

1. Lettre du 10 février 1925.

mont Blanc et de l'Elbrous. Tu es comme eux, iné-branlable [...]. Tout peut s'expliquer par la nature. Même toi, même moi [...]. Mon existence est une perpétuelle conversation avec toi. »

Tandis que le père putatif, Boris Pasternak, poursuit sa vie d'écrivain soviétique à Moscou et que le père officiel, Serge Efron, subit examen sur examen à l'université de Prague, des voisines, des amies, aussi bien tchèques que russes, se relaient auprès de Marina encore alitée. C'est Ariadna qui, âgée de treize ans, assume la plus lourde part des besognes ménagères. Elle a abandonné ses études et joue à la maman autour du berceau. Le 12 juin 1925, le petit Georges est enfin baptisé à Vsénory. La marraine est Olga Tchernova, divorcée du dernier président du parti social-révolutionnaire russe, le parrain est l'écrivain russe de haute renommée Alexis Rémizov, dont Marina a fait la connaissance à Prague. En dépit de la solennité du sacrement orthodoxe, Marina se refuse à appeler son fils Georges, dans l'intimité. Elle lui donne le surnom affectueux de Mour en souvenir du chat du conte d'Hoffmann, *Kater Murr*. Toute sa vie durant il sera pour elle ce matou légendaire.

Une fois sur pied, Marina se plie aux obligations traditionnelles de la maternité en promenant Mour, dans son landau, au hasard des rues défoncées de Vsénory. Les soins au bébé, l'allaitement et les caresses entre deux vagissements ne la détournent pas longtemps du grand poème ésotérique et satirique qu'elle a entrepris d'écrire : *Le Charmeur de*

Marina et
Serge Efron,
le jour de
leur mariage,
en 1912.

Marina Tsvetaeva.

Serge Efron à sa
sortie de l'école des
officiers en 1917.

Marina Tsvetaeva et
sa sœur Anastasie
avec leurs enfants.
Debout derrière elles
Serge Efron et
Mavriki Minz.

La maison de vacances appartenant à la famille Tsvetaev,
à Taroussa.

Marina avec sa fille Ariadna.

Marina et son fils Mour.
La Flavière, 1935.

Marina et Mour.
Clamart, 1933.

Ariadna devant Notre-Dame en 1930.

Marina Tsvetaeva.

La maison où Marina s'est suicidée.

rats. Afin de se venger des habitants sans cœur d'une ville imaginaire, un jeune musicien, chargé de les débarrasser des rats qui les infestent, entraîne tous les enfants de l'endroit, au son de sa flûte magique, pour les noyer dans la rivière. C'est une occasion pour l'auteur de fustiger, à travers les citoyens riches et égoïstes de cette cité mythique, les bourgeois allemands que Marina a observés au cours de ses premières années d'exil. Quant aux rats, ils symbolisent, dans son esprit, le grouillement des bolcheviks au-delà des frontières. Il semble à Marina que, sans eux, incorrigibles prédateurs, tout serait simple et lumineux dans sa vie. Serrant son enfant contre sa poitrine, elle lui répète avec une rage désolée : « Tu es un émigré, mon fils, un fils d'émigré ! Tes papiers ne valent rien ! » Tandis qu'elle travaille au *Charmeur de rats*, elle apprend la mort, en Russie, de son ancien adversaire idéologique, Brioussov. Cette disparition ne l'attriste nullement, mais lui inspire un article, intitulé *Le Héros du Travail*, dans lequel elle exprime son hostilité aux doctrines communistes. Sa prise de position lui vaut la réprobation de la presse soviétique. Bien qu'émigrée, elle était considérée, jusqu'en U.R.S.S., comme un auteur de qualité. Désormais, son œuvre est maudite. Dans le même temps, son mari est violemment attaqué dans un des plus grands journaux russes de Paris, *La Renaissance*. On lui reproche la publication, dans la petite gazette d'étudiants qu'il dirige à Prague, de quelques lignes jugées scandaleusement probolche-

viques. Outrée par cette accusation sans fonde-
ment, Marina prend fait et cause pour Serge et
réplique par une pamphlet virulent contre la presse
russe de Paris. Elle aggrave son cas en répondant
à une enquête lancée dans *Par nos propres voies* sur
ce que pensent les émigrés de la Russie actuelle.
Sans se soucier des répercussions de son témoi-
gnage, elle écrit : « La patrie n'est pas seulement un
territoire délimité, mais l'immuabilité du souvenir
et du sang. Seul celui qui craint de ne pas se retrouver en Russie ou de l'oublier ne la porte pas en soi.
Celui qui la porte en soi ne la perdra que le jour de
sa mort. Il est préférable pour les poètes, les penseurs, les conteurs de considérer la Russie de loin,
tout entière, du prince Igor à Lénine, plutôt que
de la voir bouillonner dans le chaudron douteux et
aveugle du présent. [...] On ne peut que s'étonner
de l'héroïque instinct de survie manifesté par les
écrivains dits soviétiques, qui écrivent en dépit de
tout, des barreaux des prisons et de la persécution
qui ne cesse de croître. Si jamais je rentre en Russie, ce ne sera pas comme vestige toléré, mais
comme hôte de marque attendu et désiré. » Par
cette déclaration orgueilleuse Marina affirme
qu'elle est contre tout nationalisme étroit, que son
amour de la Russie se moque des frontières et que
sa poésie, malgré des racines moscovites, est
universelle.

Or, le climat, en Europe occidentale, n'est guère
favorable à ce genre de subtilités. En France
comme en Tchécoslovaquie, les émigrés, encore

endoloris par les séquelles de la révolution russe, acceptent difficilement qu'une poétesse ayant fui son pays et un ancien officier de l'Armée blanche se refusent à condamner en bloc les partisans du bolchevisme. On les soupçonne tous deux de « flirter » avec les agents de Lénine. On décèle des signes de « trahison » derrière leurs moindres propos. Est-ce le refroidissement des amitiés autour de Marina qui l'incite à chercher ailleurs un refuge plus accueillant ? Tout au long de l'année 1925, elle rêve d'une évasion. « Je ne veux pas passer un autre hiver ici, écrit-elle à Olga Tchernova. Ce serait néfaste pour tous, à tous les points de vue. Alia s'abrutit. [...] Je m'abrutis également ; et le pauvre Mour, je ne peux pas l'imaginer dans toute cette crasse, dans toute cette humidité, dans toute cette laideur. Élever un enfant dans une cave revient à en faire un petit bolchevik ou, au mieux, un terroriste. Et il en aurait le droit[1] ! »

Cependant, elle est encore paralysée à l'idée des difficultés qu'il lui faudra affronter si elle s'avise de changer de pays. Paris l'attire, parce que la France, qui est sortie victorieuse de la guerre, doit être maintenant, de l'avis unanime, tournée vers la quête du bonheur et la construction de l'avenir. Tout le monde raconte qu'il y fait bon vivre. Et Marina compte beaucoup d'amis parmi les écrivains qui se sont blottis à l'ombre de la tour Eiffel.

Ils l'aideront, c'est certain. D'ailleurs, elle parle

---

1. Lettre du 14 août 1925.

couramment le français depuis son enfance. C'est un atout primordial dans son jeu. Mais, une fois là-bas, saura-t-elle organiser ses journées dans le climat parisien ? « Je pars avec Alia et Mour, écrit-elle à Anna Teskova. Comment ? Je n'en sais rien. Je suis affolée. Je n'ai pas l'habitude... Je ne sais pas, par exemple, préparer les repas du petit Georges. Il mange quatre fois par jour et tous ses aliments doivent être réchauffés. Comment dois-je m'y prendre ? Je ne sais même pas allumer un réchaud à alcool ! »

Heureusement, des amis charitables et débrouillards se chargent des formalités administratives. Slonim, qui connaît bien le consul de France, entreprend les démarches nécessaires à l'obtention des visas. Marina et ses deux enfants partiront d'abord. Serge les suivra, à quelques jours d'intervalle. Slonim négocie également auprès du gouvernement tchèque le maintien provisoire des subsides accordés aux écrivains russes et reçoit de *La Liberté de Russie* la promesse d'une avance sur les futures productions de Marina Tsvetaeva. Enfin Olga Tchernova, l'amie indéfectible des mauvais jours, assure Marina qu'elle lui cédera une partie de l'appartement dont elle dispose à Paris.

Anna Andreieva, la femme de l'écrivain Léonid Andreiev, sera du voyage. Et Serge a juré qu'il ne resterait pas longtemps séparé de sa famille. Tous les obstacles sont aplanis. Rien ne s'oppose plus au départ. Cependant, le 31 octobre 1925, en montant dans le train avec Ariadna et Mour, Marina a soudain l'impression de trahir Prague qu'elle a tant aimée et de s'éloigner encore un peu plus de Moscou. La Tchécoslovaquie, c'était, en quelque sorte, la banlieue de la Russie ; la France, c'est un autre univers, c'est l'étranger, c'est le dépaysement absolu. Lorsque le convoi s'ébranle, elle tressaille, saisie d'une crainte prémonitoire. Il lui semble que l'espoir d'un retour au pays natal s'amenuise à chaque tour de roues, que le provisoire deviendra bientôt définitif et que, ayant quitté un gîte d'étape, elle s'achemine inexorablement vers le « terminus ».

XI

PARIS

Le Paris que Marina découvre en arrivant, le jour de la Toussaint 1925, n'est pas — hélas ! — celui dont elle a rêvé en Tchécoslovaquie, ni même celui qu'elle a connu lors de son premier séjour en France, à dix-sept ans. Grâce à l'hospitalité de son amie Olga Tchernova, elle est logée dans l'appartement de trois pièces que celle-ci occupe rue Rouvet, dans le XIXᵉ arrondissement, près du canal Saint-Denis. Une chambre est réservée pour elle, Ariadna et le petit Mour. Les deux autres sont habitées par Olga Tchernova et ses trois filles. Tassées côte à côte, les deux familles s'efforcent d'accepter avec bonne humeur les inconvénients de la promiscuité. Mais, tout en reconnaissant qu'elle a beaucoup de chance d'avoir un toit au-dessus de sa tête, Marina souffre de manquer de place et d'être tellement prise par les soins du ménage qu'elle a à peine le temps de mettre le nez dehors. Les bruits que font ses hôtes, si gentils par ailleurs, leur va-et-vient derrière la cloison, le sentiment même de leur amitié, toujours efficace et toujours pesante, la gênent pour écrire. C'est avec difficulté qu'elle achève son poème du *Charmeur de rats*. N'y a-t-il pas un de ces rats qui rôde dans le quartier ouvrier où elle a échoué, faute de mieux ? Le charmeur n'entraînera-t-il pas les enfants, au son de sa flûte, vers les eaux du canal tout proche ? Elle pense aussi avec angoisse à ce qui lui arrivera si son inspiration tarit dans cette atmosphère confinée. Le 7 décembre 1925, elle écrit à Anna Teskova, à Prague, pour se plaindre de son emprisonnement parisien. « Cela fait cinq semaines que je suis à Paris et je n'ai pas encore vu Notre-Dame. Jusqu'au 4 décembre (nous sommes le 7), j'ai écrit et recopié un poème. À part cela, comme à Vsénory, il faut préparer la bouillie pour Mourka [diminutif de Mour], l'habiller, le déshabiller, le promener, le baigner. [...] Le quartier que nous habitons est horrible. On se croirait dans un roman de mœurs : *Les Taudis de Londres*. Un canal pourri, on ne voit pas le ciel à cause des cheminées d'usine, tout n'est que suie et fracas de camions. Il n'y a nulle part où se promener, pas même un petit buisson en vue. Il y a un parc [les Buttes-Chaumont], mais c'est à quarante minutes de marche, impossible par ce froid. C'est ainsi que nous faisons les cent pas le long du canal pourri [canal Saint-Denis ou canal de l'Ourcq]. »

Quelques jours plus tard, elle exhale sa fureur dans un poème :

Marina Tsvetaeva

Silence, la flatterie !
Ne tapez pas les portes.
La gloire, c'est un coin de table
Et le coude appuyé dessus. [...]
Si je pouvais m'emmitoufler,
Sans personne autour !
Les robinets fuient,
Les chaises raclent,
Les bouches parlent,
Pleines de bouillie,
Et remercient à la ronde
Pour tant de beauté !

Peu à peu cependant, elle organise son emploi du temps, s'évade pour de brèves « sorties » et prend contact avec les milieux de l'émigration. Elle y est accueillie avec bienveillance et estime. On admire son talent, on est tout prêt à lui ouvrir les colonnes des journaux de Paris. Très vite, Marina apprend à connaître les courants d'opinion qui régissent l'activité de ses compatriotes en exil. Ils forment une petite société de l'infortune et du souvenir qui vit en marge de la société française. Les intellectuels dominent dans cette colonie jalouse de sa singularité. Ils s'efforcent de gagner leur pain sans abdiquer ni leurs habitudes ni leur attachement au passé. Déchus de leur grandeur, de leur fortune, de leurs espérances russes, ils acceptent sans rechigner d'être ouvriers chez Renault, chauffeurs de taxi (mais il faut d'abord se taper la liste des rues de Paris, un véritable casse-tête !), plongeurs dans des restaurants, serveurs dans des cabarets, tenancières de toilettes publiques, couturières, lingères, modistes, bonnes d'enfants, gouvernantes... Des médecins russes en renom s'imposent de préparer et de passer des examens en France, tels de simples étudiants, pour pouvoir exercer légalement leur métier. D'anciens officiers de l'Armée blanche s'engagent comme soldats dans la Légion étrangère. Des professeurs d'université, qui dispensaient leurs cours à Saint-Pétersbourg ou à Moscou, sont heureux de donner des leçons particulières aux enfants, à domicile, ou dans les rares gymnases russes fondés, après la Révolution, grâce à l'initiative de quelques généreux donateurs. Dans presque toutes les familles, on tente de préserver l'identité nationale en apprenant aux jeunes transplantés la langue et la culture de leur terre d'origine. Parmi les réfugiés, ceux qui ont de l'esprit et une plume alerte cherchent à placer des articles — hélas ! fort mal payés — dans les journaux de la diaspora. Mais l'obsession de tous est d'obtenir un permis de travail en règle. La plupart du temps, les demandeurs se heurtent au mur des complications administratives, grognent contre les heures d'attente dans les couloirs de la Préfecture et finissent par se décourager devant le nombre de « papiers » qu'on leur réclame, alors que, coupés de leur patrie, ils ne peuvent même pas obtenir un certificat de naissance. Leur seule garantie est le passeport Nansen, délivré aux émigrés russes sous les auspices de la Société des Nations et leur permettant, en principe, de résider dans un pays d'accueil. À eux de se débrouiller ensuite pour dénicher du travail et un gîte. Cependant, tout en maudissant ces tracasseries, ils sont si heureux d'être tolérés par une nation favorablement disposée à leur égard qu'il ne leur viendrait pas à l'idée de protester contre d'éventuelles injustices des autorités. Il leur arrive même d'ironiser sur la difficulté de leurs compatriotes à s'adapter aux habitudes françaises. Les auteurs préférés du grand public russe de France sont des écrivains satiriques, tels Teffi ou Don Aminado, qui se moquent aimablement du dépaysement et des défauts de leurs semblables. Rire de soi leur paraît encore le plus sûr moyen de conserver leur vraie nature. Ils estiment que leur premier devoir est de tenter l'impossible pour que les frontières de leur âme ne soient pas plus perméables que les frontières géographiques qui leur interdisent de rentrer chez eux. Repliés sur leur passé et se suffisant à eux-mêmes, tous ces étrangers vivent en autarcie. Ils ne fréquentent guère les Français, se retrouvent chaque dimanche à l'église orthodoxe de la rue Daru, ne lisent que des journaux russes, ne s'intéressent qu'à la politique russe et, s'ils tombent malades, appellent un médecin russe à leur chevet.

Plongée dans la foule des proscrits, Tsvetaeva, toujours encline à admirer les victimes, commence par s'enorgueillir de partager leur misère physique et morale. Elle se sent de telles affinités avec eux qu'elle entonne un hymne à la gloire de ces « sublimes ratés ».

Marina Tsvetaeva

Qui sommes-nous ? [...]
Fossoyeurs, chasseurs de punaises,
Ça nous va, nous sommes à l'aise,
Nous avons lancé le mot :
Tout est bien, tout est beau[1] !

Analysant la déchéance et la grandeur de l'émigration russe, Merejkovski écrivait, dès 1926, en écho à Tsvetaeva : « Notre émigration, c'est notre voie vers la Russie. [...] Notre souffrance est semblable à la cécité. La lumière de nos yeux nous a été ravie. [...] Nous avons perdu la vue extérieure, mais nous avons ouvert les yeux intérieurs et nous avons vu la Russie invisible, la Terre sainte promise. [...] Il faut être privé de la terre pour la voir d'un amour qui n'est pas terrestre. »

En l'absence des paysages familiers d'autrefois, le patriotisme des exilés devient funèbre et sacramentel. Écrire, parler le russe entre eux est désormais leur seule façon de se prouver que, malgré les racines arrachées et les sanctuaires profanés, l'homme transplanté existe encore. Avec un entêtement maniaque, ceux qui ont tout perdu s'efforcent de croire qu'il leur reste l'essentiel : la foi en l'avenir et le culte du passé. Ces deux passions antinomiques se fondent en un même mirage qui les aide à survivre, zombies extasiés, dans un monde qui ne veut plus d'eux. S'il peut être agréable parfois de se trouver invité dans une

---

1. Traduction de Nikita Struve dans : *Soixante-dix ans d'émigration russe.*

maison amie, il est toujours douloureux de constater que, malgré les sourires, on y est un intrus. L'exil, c'est cela, la sensation de n'être nulle part à sa place dans un univers dont la langue, les souvenirs, les traditions, les légendes, la cuisine, n'ont pas nourri notre enfance. C'est être saisi, en pleine escalade, par l'appel du vide. C'est chercher à tâtons un point d'appui pour ne pas basculer dans l'abîme. C'est refuser d'admettre que votre identité vous a été volée en même temps que votre pays. Ainsi, Tsvetaeva et ses semblables s'évertuent à créer un ersatz de Russie sous le ciel parisien. Cet effort collectif ne signifie nullement que le malheur unit les émigrés dans une fraternité idéologique. Bien qu'étant tous hostiles au gouvernement soviétique, ils le sont chacun à sa façon : aux nostalgiques du régime tsariste s'opposent les sociaux-révolutionnaires — qui, s'ils condamnent les bolcheviks, ne veulent surtout pas entendre parler d'une restauration monarchique —, les anarchistes plus ou moins déclarés — qui rêvent d'un changement violent, sans préciser lequel —, et les opportunistes — qui se contentent de subsister au jour le jour en ressassant les images de leur ancienne splendeur. Plusieurs tentatives de conciliation entre les diverses aspirations politiques de l'émigration ont échoué. À Paris, un congrès, tenu à l'hôtel Majestic, en avril 1926, s'est soldé par un fiasco retentissant. Les délégués, après d'interminables discutailleries, n'ont pu que constater l'impossibilité de rapprocher les positions de la gauche, de la droite et du centre sur un programme commun. Les journaux russes de Paris reflètent ces différentes tendances. Alors que *Les Dernières Nouvelles*, dont le rédacteur en chef est l'ancien ministre du Gouvernement provisoire Paul Milioukov, se présentent sous une étiquette modérée, *La Renaissance*, placée résolument à droite, s'enorgueillit d'accueillir des écrivains de haute valeur, tels Bounine, Chmelev, Zaïtsev, et *Les Notes contemporaines* rassemblent, sous la bannière d'un socialisme raisonnable, les signatures de Chestov, de Berdiaïev, de Zénaïde Hippius et du père Serge Boulgakov.

C'est à cette dernière publication que Marina Tsvetaeva réserve quelques-unes de ses œuvres inédites. Nombre de lecteurs la découvrent à cette occasion. On s'étonne des hardiesses de sa prosodie. On se demande si la poésie russe ne va pas sombrer dans le charabia par excès d'acrobaties verbales. Consciente des malentendus que suscite son talent, Marina fait front et se rend de plus en plus souvent dans les cafés de Montparnasse, tels le Napoli, le Select, la Rotonde, le Dôme, la Coupole, où les intellectuels exilés tiennent leurs assises parmi des artistes français, mais sans se mêler à eux. Le chef de file des critiques de l'émigration est le redoutable Georges Adamovitch. Grand admirateur d'Akhmatova, de Goumilev, de Mandelstam, il déteste l'art brutal et la personnalité provocante de Tsvetaeva et le proclame à tous les échos. Elle a un autre adversaire de taille en la personne de la poétesse et essayiste Zénaïde Hippius, femme de

Dimitri Merejkovski, qui tient un salon littéraire et dont les sarcasmes font immédiatement le tour de Paris. Marina supporte mal ces coups d'épingle entre confrères. Son humeur est si chatouilleuse qu'elle finit même par se brouiller avec Alexis Rémizov, le parrain de Mour, à cause d'une innocente plaisanterie de l'écrivain. De même, elle laisse éclater son indignation en apprenant que, lors du concours littéraire organisé à Noël, en 1925, par la revue *Le Maillon*, son poème, envoyé anonymement, ainsi que l'exigeait le règlement, n'a même pas été sélectionné. Comme par hasard, le jury comprenait Georges Adamovitch et Zénaïde Hippius. Il n'en faut pas plus pour que Marina se persuade qu'il s'agit d'une compétition truquée. Au lieu de ravaler sa rancœur, elle écrit à la direction du *Maillon* pour dénoncer la manœuvre dont elle a été la victime. Cette accusation se retourne contre elle. Beaucoup de ses confrères déplorent qu'un aussi grand talent soit déparé par un aussi mauvais caractère. Des années plus tard, Georges Adamovitch avouera : « Tout cela ne nous plaisait pas ! Par ailleurs, il y avait visiblement en elle quelque chose de très amer ; malheureusement, nous n'avons jamais pu le déterminer[1]. »

Même l'arrivée à Paris de son ancien flirt, Alexandre Bakhrakh, ne la réconcilie pas avec les intrigues et les médisances de l'émigration russe.

---

1. Georges Adamovitch : *Commentaires*, cité par Maria Razoumovski : *Marina Tsvetaeva, mythe et réalité.*

En revoyant l'homme qu'elle avait cru aimer en 1923, elle se sent en porte à faux, non seulement avec la femme qu'elle est aujourd'hui, mais avec celle qu'elle était hier au plus fort de sa prétendue passion. Le face-à-face entre les amants d'autrefois est décevant pour l'un comme pour l'autre. Quand il se sépare de Marina, ce jour-là, Bakhrakh éprouve un regret mélancolique. Il lui a suffi d'échanger quelques mots avec elle pour deviner qu'en toute occasion son instinct la pousse à la négation, à la cassure, au défi. Ce défi, elle le lance d'ailleurs aussi bien aux autres qu'à elle-même. Étudiant avec lucidité sa position de poète au milieu de ses contemporains incompréhensifs, elle écrira, au début de 1926, dans un essai important, *Le Poète et la Critique* : « Un poète est un être humain qui grandit au-delà des limites de son âme [...] J'obéis sans cesse à quelque chose qui résonne en moi d'une façon irrégulière ; tantôt je reçois une indication, tantôt une intimation. Lorsque c'est une indication, je débats, lorsque c'est une intimation, je me soumets. » Après avoir ainsi posé le principe de l'expression poétique résultant d'une « dictée » irrationnelle, elle dénonce l'aveuglement de certains chroniqueurs littéraires enfermés dans le carcan de la tradition. Pour faire bonne mesure, elle accompagne son texte d'un *Florilège* dans lequel elle reproduit les jugements absurdes et contradictoires de Georges Adamovitch sur quelques écrivains de valeur. Heureusement pour Marina, ce camouflet humoristique n'a pas encore été publié lorsqu'elle se produit, le 6 février 1926, dans une salle louée, 79 rue Denfert, pour une lecture de ses œuvres. Elle s'attend à un accueil glacial. Or, c'est une apothéose. Cela grâce, évidemment, aux poèmes du *Camp des Cygnes* qu'elle déclame d'une voix vibrante, et qui constituent un hymne à l'Armée blanche.

Cette conjoncture est d'autant plus surprenante pour elle qu'au même moment son mari, Serge, ex-officier loyaliste, se trouvant encore à Prague, lui avoue qu'il doute de plus en plus de ses convictions monarchiques. Au fil des mois, il s'est dit qu'on ne pouvait s'opposer, au nom de la mémoire dynastique, aux aspirations de tout un peuple qui rêve d'une république socialiste. Ses idées correspondent maintenant à celles de la nouvelle organisation parisienne des « Eurasiens ». Ce mouvement politique, né dans l'émigration, invite tous les Russes, qu'ils soient citoyens soviétiques ou exilés avec un passeport Nansen dans leur poche, à rompre avec la culture déliquescente de l'Occident pour se rassembler dans la vocation orientale de leurs lointains ancêtres. Enthousiasmé par ce retour aux sources, par cette « réinvention » de la Russie, Serge rêve de se rendre à Paris pour y rencontrer les dirigeants de la « croisade panslave », et d'abord le prince Dimitri Sviatopolk-Mirski, fils de l'ancien ministre de l'Intérieur. Avec lui, il compte préparer la sortie d'une revue « eurasienne », qui serait ouverte aux écrivains réfugiés en France comme à ceux vivant en U.R.S.S. Un rapprochement des hommes de lettres en prélude à celui des hommes d'action. Marina ne voit aucun inconvénient à l'embrigadement de son mari dans une entreprise de salut national, placée sous le signe de la réconciliation entre l'histoire et l'orthodoxie.

En 1926, le prince Sviatopolk-Mirski en personne prend contact avec elle et l'invite, pour deux semaines, à Londres. Professeur à l'Institut slave, au King's College, c'est un homme cultivé, raffiné et sensible qu'elle écoute avec plaisir disserter sur la nécessaire union de ses compatriotes dans un élan de nationalisme religieux. Elle sympathise également avec le jeune prince Dimitri Schakhovskoy, qui dirige la revue *Le Bien intentionné* où doit paraître incessamment son essai sur *Le Poète et la Critique*. Elle attend avec impatience l'effet de cette bombe littéraire sur des lecteurs prêts à se laisser engourdir par le ronron de la poésie d'autrefois.

De retour à Paris, elle quitte la rue Rouvet, avec Ariadna et le petit Mour. Toujours flanquée d'Olga Tchernova et de ses filles, elle va s'installer en Vendée, dans le gros village de Saint-Gilles-Croix-de-Vie, près des Sables-d'Olonne. Le choix de la Vendée correspond, chez elle, à une sympathie pour la révolte des minorités. En posant le pied sur la terre chouanne, elle a le sentiment d'honorer une population qui osa, dans le passé, se soulever contre le pouvoir central de Paris, capitale de la Révolution, du mensonge et de la guillotine. Venant de Prague, Serge la rejoint dans sa retraite provinciale. Alors qu'elle se laisse bercer par les légendes héroïques du Bocage vendéen, il est, lui, tout embrasé par l'idée des prochains combats pour la cause eurasienne. Or, à peine ont-ils déposé leur maigre bagage à Saint-Gilles-Croix-de-Vie qu'un séisme secoue Paris : l'essai de Marina Tsvetaeva sur *Le Poète et la Critique* vient de voir le jour dans *Le Bien intentionné*, et une colère unanime salue cette apostasie. L'indignation des émigrés est encore attisée par la publication du premier numéro de la revue eurasienne *Verstes* (titre emprunté à un poème de Tsvetaeva) dont le sommaire comprend quelques signatures célèbres, entre autres celles de Rémizov, de Chestov, de Pasternak. Autour du nouvel organe des « Eurasiens », la clameur s'amplifie. Les auteurs, dit-on, sont des bolcheviks déguisés ; leur feuille immonde est payée par Moscou ; il faut barrer la route à leur entreprise de démoralisation et de subversion. Zénaïde Hippius déclare la guerre au quatuor Schakhovskoy, Sviatopolk-Mirski, Tsvetaeva et Serge Efron. Selon l'historien Mstislav Chakhmatov, vouloir transformer la Russie en Eurasie, c'est « biffer toute l'histoire russe et reculer jusqu'au XIe siècle ». D'autres, dont le chroniqueur de *La Renaissance*, Pierre Struve, voient dans cette campagne une manœuvre inspirée par des ambitions personnelles et dont le résultat serait catastrophique pour la colonie russe en France.

Attaquée de tous côtés, tant dans les idées politiques de son mari que dans son œuvre personnelle, Marina se console en pensant que ces remous finiront par s'apaiser et que l'essentiel, pour un écrivain, n'est pas l'opinion d'un public ignare et volage, mais celle de quelques esprits distingués qui continuent de l'estimer, malgré la fluctuation des modes littéraires et artistiques. Parmi ces êtres d'exception, elle range Pasternak, avec qui elle entretient une correspondance abondante et ardente. Pasternak n'est plus sûr de sa vocation de poète et Marina de sa vocation de femme. Multipliant les plaintes, les conseils, les projets et les serments de tendresse à distance, ils déversent, l'un devant l'autre, le trop-plein de leurs sentiments. De plus, Pasternak vient d'apprendre par son père, résidant à Munich, que le très grand et très fameux Rainer Maria Rilke admire ses vers. Du coup, il décide d'écrire à ce laudateur inattendu. Une sympathie réciproque naît de cet échange de compliments. Le Russe et l'Autrichien découvrent qu'ils sont frères par la pensée. D'autre part, Boris Pasternak est surpris de déceler une certaine similitude entre la personnalité de Rainer Maria Rilke et celle de Tsvetaeva. Il signale cette communion d'esprit à ses deux amis. Et aussitôt, Marina, sollicitée au nom de l'universalité de la poésie, entre dans le jeu des confessions épistolaires. Elle admire Rilke, Rilke l'admire, et tous deux admirent Pasternak. Une telle harmonie tient du miracle. Les lettres volent de Moscou à Saint-Gilles-Croix-de-Vie et de Saint-Gilles-Croix-de-Vie à Val-Mont, par Glion, en Suisse, où Rilke est hospitalisé. Rilke a cinquante et un ans ; tuberculeux, il se sait proche de la mort et rêve d'approfondir ses relations avec l'au-delà. Pasternak ne peut se résoudre à subir plus longtemps l'étouffante contrainte du régime soviétique, mais recule devant l'épreuve d'un exil prolongé. Marina souffre d'avoir perdu sa patrie « nourricière » mais n'a nulle envie d'y retourner. Elle confie à Rilke : « Rainer Maria Rilke, puis-je vous appeler ainsi ? Vous, la poésie personnifiée, vous ne pouvez savoir que votre nom à lui seul est un poème. [...] Votre baptême a été le prélude à vous tout entier et le prêtre qui vous a baptisé ne savait vraiment pas ce qu'il faisait. Vous n'êtes pas mon poète le plus aimé, vous êtes un phénomène naturel qui ne peut être mien. » Peu après, elle passe au tutoiement. « Ce que j'attends de toi, Rainer ? Rien. Tout. Que tu m'accordes à tout instant de ma vie de lever les yeux vers toi comme vers une montagne qui me protège, comme vers un ange gardien de pierre[1]. » Touché par cet hommage d'une invisible et inaccessible adulatrice, Rilke répond sur le même ton : « Marina, je t'ai reçue dans mon cœur, dans ma conscience tout entière, frémissant de toi, de ta venue, comme si ton grand compagnon de lecture, l'océan, avait roulé vers moi, avec toi, tel un flot du cœur. Tu as plongé tes mains, Marina, tour à tour offrantes et jointes, tu as plongé tes mains dans mon cœur, dans le bassin d'une fontaine ruisselante [...]. Poétesse, sens-tu à quel point tu m'as subjugué ?...

---

1. Lettre du 10 mai 1926.

Une force de la nature, ô chère, qui se tient derrière le cinquième élément pour l'exciter, l'amasser. » Ils échangent leurs œuvres et s'émerveillent des mystérieuses résonances qu'ils constatent entre elles, malgré la différence des deux langues. Quand Marina lit les poèmes de Rilke, étendue sur la plage, face à l'océan, elle a l'impression que le déferlement des vagues se prolonge en elle. Quand elle les lit, le soir, blottie sous ses couvertures, elle croit quitter la terre pour une ascension sans fin. « Que te dire de ton livre ? lui écrit-elle après avoir reçu par la poste les *Élégies de Duino*. Le degré suprême. Mon lit changé en nuage[1]. »

Quelques jours plus tard, le 13 juin 1926, elle apprend qu'à Paris, dans la petite église orthodoxe de la rue de Crimée, a eu lieu le mariage de son ex-bien-aimé, Constantin Rodzévitch, avec Marie Boulgakov[2]. Bien que Marina ait rompu avec lui, elle se sent trahie. Honteuse et fière à la fois de l'instinct possessif qui l'anime, elle avoue le lendemain à Rilke : « Écoute-moi, Rainer, que d'emblée tu le saches. Je suis mauvaise. Boris [Pasternak] est bon. Et à cause de ma mauvaiseté, je me suis tue... Oh ! Je suis mauvaise, Rainer, je ne veux pas de confident, serait-il Dieu lui-même. »

Cette correspondance à trois, avec ses élans, ses doutes, ses prémonitions, ses crises de jalousie, ses retours de flamme et son désespoir métaphysique,

---

1. Lettre datée du jour de l'Ascension 1926.
2. Fille du prêtre et philosophe Serge Boulgakov.

est rédigée en allemand ou en russe suivant la nationalité du destinataire. Le triangle sentimental ainsi établi par-dessus les frontières se révèle d'autant plus étrange que Pasternak, cloué à Moscou, marié et père de famille, n'a vu Marina qu'incidemment et brièvement, que Marina n'a jamais rencontré Rilke, qu'elle ne songe pas à faire sa connaissance, et que Rilke, réfugié en Suisse, dépérit lentement et trompe son attente de la mort en imaginant des amours éthérées. Mais c'est justement ce jeu de miroirs, cette excitation dans le vide, ce défi à tout ce qui est palpable, respirable, dégustable, qui tourne la tête à Marina. Une phrase de Rilke chante dans sa mémoire : « Nous nous touchons comment ? Par des coups d'aile. »

Et soudain, d'une manière absurde, la femme, en elle, prend le pas sur la poétesse. Après s'être réjouie de n'avoir jamais eu l'occasion de se trouver face à face avec Rilke, elle est visitée par un désir si naturel, si commun, qu'elle en est étonnée. « Rainer, ne m'en veux pas, lui écrit-elle le 2 août 1926. C'est moi la *mauvaise*. Je veux dormir avec toi, m'endormir et dormir avec toi. Cette merveilleuse expression populaire, comme elle est vraie, profonde, sans équivoque, comme elle dit bien ce qu'elle dit ! Simplement dormir. Dormir, rien de plus. Si, pourtant, enfouir ma tête dans ton épaule gauche, passer mon bras sur ton épaule droite — rien de plus ! Si, pourtant, savoir jusqu'au plus profond du sommeil que c'est toi. Et encore : comment ton cœur sonne. Et baiser ton cœur. »

Avec délectation, elle insiste : « Si tu me prenais contre toi [...], tout ce qui ne dort jamais en moi voudrait rattraper son sommeil dans tes bras. Jusqu'au fond de l'âme, de la gorge. Tel serait mon baiser. Pas un incendie : un abîme. Je ne plaide pas ma cause ; je plaide la cause du plus absolu des baisers. » Enfin, pour lui permettre de mieux l'imaginer dans son attente fiévreuse, elle plante le décor : « Rainer, le soir tombe ; je t'aime. Un train hurle. Les trains sont des loups, les loups sont la Russie. Ce n'est pas un train, c'est toute la Russie qui hurle après toi. »

Comme il tarde à répondre, elle craint qu'il n'ait pas reçu sa lettre ou qu'il ne l'ait mal comprise, et précise la nature de son désir : « Rainer, cet hiver, il faut que nous nous retrouvions quelque part dans la Savoie française, tout près de la Suisse, quelque part où tu n'es jamais allé. [...] Aussi longtemps, aussi peu de temps que tu voudras. Je t'écris cela très simplement, parce que je sais que non seulement tu m'aimes beaucoup, mais que je te donnerai beaucoup de *joie* (la joie peut être un attrait pour toi aussi). Ou cet automne, Rainer. Ou au printemps. Dis oui, pour qu'à partir d'aujourd'hui j'aie à moi une grande joie, quelque chose vers quoi tourner mes regards (me retourner) [1]. »

En lui faisant part d'une envie si « terre à terre », elle oublie qu'il est très malade. Maintenant, il se soigne dans une ville d'eaux, en Suisse, à Ragaz.

---

1. Lettre du 14 août 1926.

Enfin, le 19 août 1926, rassemblant ses forces, il lui écrit : « Oui, oui et oui, Marina, tous les oui à ce que tu veux et à ce que tu es, aussi grands, tous ensemble, que le *oui* dit à la vie même..., mais celui-là contient aussi les dix mille non, ceux qu'on ne peut prévoir. [...] L'angoisse me prend devant les nombreux jours qui m'en séparent, avec toutes leurs redites, l'angoisse (soudain) devant les hasards dont l'ignorance où ils sont de tout cela est irrémédiable... Pas jusqu'à l'hiver !... » Puis, pendant quelques jours, c'est de nouveau le silence. Alarmée, Marina se demande si Rilke n'a pas pris peur devant sa brusque exigence d'un amour tout physique. Ne cherche-t-il pas à rompre avec elle par hantise de la désillusion ou simplement de l'accoutumance ? Elle lui adresse un ultime appel : « Cher Rainer, m'aimes-tu encore ? » Toujours rien. Pour s'étourdir, elle continue à travailler sur la seconde partie de sa trilogie de *Thésée* (*Phèdre*), compose un poème à l'intention de Pasternak, *Envoyé de la mer*, se lance dans une rêverie lyrique, *Tentative de la chambre*, à travers laquelle elle évoque une chambre idéale, hors de l'espace et hors du temps, la seule digne de loger son amour.

L'été tire à sa fin. La maison de Saint-Gilles-Croix-de-Vie n'est louée que jusqu'au 1er octobre 1926. Ne vaudrait-il pas mieux renoncer à la France et retourner à Prague ? Mais Serge veut, à toute force, regagner Paris afin d'y poursuivre son « combat eurasien ». Plus que jamais, il se croit investi d'une mission de réconciliation entre les trois Russie, celle du passé, celle du présent et celle de l'avenir. Émue par une si noble conviction, Marina finit par céder. Toutefois, Paris étant jugé trop cher, ils choisissent un appartement à Bellevue, 31 boulevard de Verdun, qui fera l'affaire. Seul inconvénient, il faudra le partager avec d'autres occupants.

Marina a pris l'habitude des cohabitations à la russe. Toute la petite famille se transporte dans cette bourgade de Seine-et-Oise, proche de Meudon. Serge est plus occupé que jamais sans avoir d'emploi défini. Il ne fait que de rares apparitions à la maison, pour manger, pour dormir, pour ranger des papiers. Le reste du temps, il continue sa propagande en faveur d'Eurasie et prend des leçons de français. Toujours sans nouvelles de Rilke, Marina doit essuyer encore un affront de la revue *Notes contemporaines* qui, jusque-là, avait régulièrement publié ses œuvres. Soudain, la direction l'informe du mécontentement de ses lecteurs qui protestent contre l'hermétisme et l'agressivité des dernières productions de Tsvetaeva. Quel plaisir éprouve-t-elle à choquer les gens en leur offrant des vers qui ressemblent à une série d'onomatopées et qu'il faut relire à dix reprises pour en saisir le sens ? On lui demande de revenir au style plus sage, plus accessible de ses débuts : « Vous, une poétesse bénie de Dieu, lui écrit-on, ou bien vous vous défigurez consciemment, ou bien alors vous voulez tourmenter vos lecteurs. » En communiquant le texte de cette admonestation à son amie

Anna Teskova, Marina, ulcérée, ajoute : «Je conserve cette lettre. Le summum du laisser-aller. L'auteur, Roudnev, est un ancien gouverneur de Moscou[1].»

Néanmoins, à la fin de l'année, encore mal remise de sa blessure d'amour-propre, elle se prépare à des heures de joie. De façon très inattendue, le compagnon des mauvais jours, Marc Slonim, lui annonce sa visite à Bellevue. Il revient d'un bref séjour aux États-Unis. Elle a tant de choses à lui dire ! Or, il se présente à elle avec un visage embarrassé. Et, tout de go, il lui avoue qu'il est porteur d'une triste nouvelle : Rainer Maria Rilke vient de mourir. Elle tressaille sous le choc. Il lui semble qu'elle vient de perdre, en cette minute, un proche parent, son fils, son père, son mari, son amant. Les quatre ensemble peut-être. Pour la détourner de son chagrin, Slonim lui propose de l'accompagner chez des amis communs pour fêter le Nouvel An. Elle refuse net, et, dès qu'il est parti, se précipite sur sa plume pour avertir Pasternak. « Boris, Rainer Maria Rilke est mort. Je ne sais pas la date, il y a trois jours environ. On est venu m'inviter à un réveillon et, en même temps, on m'a appris la nouvelle[2]. » Puis elle se met en devoir d'évoquer la signification ésotérique de ce décès dans un poème à Rilke *(Lettre du Nouvel An)* :

---

1. Lettre du 24 septembre 1926.
2. Lettre du 31 décembre 1926.

Marina Tsvetaeva

Comment l'ai-je appris ?
Ni déluge, ni tremblement de terre.

Aussitôt après, craignant de n'avoir pas été assez explicite dans ses vers, elle revient à l'événement et écrit, en prose cette fois, une méditation intitulée *La Mort*. Elle y compare la disparition de l'immense poète autichien à celles, insignifiantes en apparence, mais aussi graves peut-être, de l'institutrice d'Ariadna et d'un enfant russe anonyme. Dans ce triptyque funèbre, elle tente de nier l'importance de la destinée charnelle d'un être, puisque, par la pensée, il continue de régner sur ceux qui l'ont connu et aimé. Jamais peut-être cette femme, croyante mais peu pratiquante, n'a fait preuve d'autant de mysticisme que dans cette analyse des rapports entre la réalité et le néant. Ce sentiment de l'ineptie et du scandale de la mort, elle l'a déjà exprimé lors de la disparition, quatre ans auparavant, du poète Blok. Elle y revient aujourd'hui avec force dans une adresse à l'ombre légère de Rilke. « Que dirai-je de ta mort ? écrit-elle au défunt. Je te dirai et je me dirai à moi-même que, dans ma vie, elle n'a pas existé du tout, car, dans ma vie, Rainer [...] tu n'as pas existé non plus. » C'est parce que Rilke n'a pas existé pour elle, parce qu'elle ne l'a pas rencontré, parce qu'elle n'a pas eu de contact physique avec lui qu'il vivra en elle jusqu'à ce qu'elle meure elle-même, et, sans doute, au-delà de son dernier soupir. Il lui semble qu'en perdant Rilke elle l'a définitivement conquis. Personne ne peut plus le lui disputer. Désormais, elle n'écrira qu'avec le souffle de Rilke sur la nuque. Peu lui importe qu'autour d'elle son mari, sa fille s'étonnent de son exaltation posthume. Ils ont l'habitude de ces orages intempestifs, suivis de béates éclaircies. Dans le petit appartement de Bellevue, tout le monde essaie de vivre comme si Rainer Maria Rilke n'était pas mort.

XII

EN PORTE À FAUX DANS L'ÉMIGRATION

Les causes désespérées sont les plus difficiles à quitter. Par bravade autant que par conviction, Marina continue d'irriter ses compatriotes avec sa poésie et sa conduite, qu'ils jugent également incompréhensibles. De son côté, Serge s'obstine à mener en faveur de l'Eurasie une propagande qui lui vaut d'être accusé de trahison. Cependant, de rares fidèles leur témoignent encore, à l'un et à l'autre, une affection nuancée de pitié. Tout en déplorant leur refus de se plier à l'avis du grand nombre, ces bonnes âmes les plaignent pour leur isolement et leur indigence. On s'efforce de leur venir en aide sans les blesser, on crée autour d'eux une sorte d'association pour le sauvetage des naufragés de la politique. À la tête des amis du couple figurent le prince Dimitri Sviatopolk-Mirski, Salomé Halpern-Andronikova et Hélène Izvolskaïa, fille de l'ex-ministre des Affaires étrangères. Cette dernière, qui gagne sa vie en France comme

211

traductrice, prend l'initiative d'une campagne de générosité en faveur des Efron, qui sont sans appuis et sans ressources. À son appel, quelques réfugiés russes, mieux lotis que leurs congénères, se cotisent pour louer et meubler un appartement où la poétesse maudite et son époux égaré pourront trouver refuge. Trois pièces, avec cuisine, salle de bains et radiateurs chauffés au gaz, au numéro 2 de l'avenue Jeanne-d'Arc, à Meudon. Le quartier regorge d'émigrés. On entend parler autant russe que français dans les rues. Les locataires se rendent visite d'un étage à l'autre. Les portes ne sont jamais fermées à clef. D'ailleurs, Constantin Rodzévitch et sa jeune épouse habitent dans le coin. Ce n'est pas une raison pour les fréquenter, tout au contraire. Marina lit ses vers chez des voisins en ayant soin, par une prudence inhabituelle de sa part, de choisir, parmi ses poèmes, ceux qui risquent le moins de les surprendre. Mais, bien qu'elle se réjouisse d'être si entourée, elle souffre de plus en plus du bruit et du mouvement de l'immeuble. Comment veut-on qu'elle se concentre sur son manuscrit alors qu'il lui faut, chaque jour, lever son fils, le débarbouiller, courir au marché, rentrer à temps pour faire la cuisine, épousseter, ranger, calculer, prévoir ?... Brochant sur le tout, les agressions répétées de la presse russe de Paris lui ôtent le sommeil. Tantôt c'est sa collaboration à *Verstes* qu'on lui reproche, tantôt les opinions de son mari « eurasien », tantôt les étrangetés de sa poésie, devenue une « poésie de Komsomol soviétique ».

« Avez-vous lu toutes ces attaques lancées contre les Eurasiens dans *La Renaissance*, *La Liberté de Russie*, *Les Jours* ? écrit-elle à Anna Teskova. D'après ces journaux qui ont des "informations précises", les Eurasiens reçoivent d'énormes sommes d'argent des bolcheviks. Il n'y a évidemment pas de preuves (elles n'existent pas !). Ceux qui écrivent cela connaissent bien la mentalité de l'émigration russe. Il faudra apporter un démenti. C'est impératif, si pénible qu'il soit de polémiquer avec ces calomniateurs. Quant à moi, je me tiens loin de tout cela, mais mon objectivité a été sérieusement ébranlée. C'est exactement comme si on m'avait accusée, *moi*, de toucher de l'argent des bolcheviks. C'est aussi intelligent et aussi vraisemblable. Serge Iakovlévitch [Serge Efron] est, bien entendu, moralement abattu, sa santé en subit les conséquences. Quant à son gagne-pain, quel est-il ? De cinq heures et demie du matin à sept heures du soir, il travaille comme figurant dans un film, travail pour lequel il est payé quarante francs par jour, et dont il faut soustraire cinq francs pour les transports et sept francs pour le repas ; bénéfice, vingt-huit francs. Des journées comme celle-là, il n'y en a pas beaucoup, tout au plus deux par semaine. Les voilà, les fonds bolcheviques[1]. »

La très secourable Hélène Izvolskaïa note dans ses Souvenirs : « J'ai rarement été témoin d'une telle misère parmi les réfugiés russes. Voisins de

---

1. Lettre datée du « troisième jour de Pâques 1927 ».

Marina, nous partagions ses soucis d'autant plus que nous lui rendions visite souvent. Elle nous a donné plus que nous ne pourrions jamais lui donner [1]. » Ce n'est certes pas avec ses cachets de figurant de cinéma et de collaborateur dans une revue confidentielle que Serge serait à même de renflouer le ménage. Et les quelques dizaines de francs que Marina touche lors de ses lectures publiques suffisent à peine à assurer la pitance de la famille. En vérité, Tsvetaeva vit de la charité de ses compatriotes, mais elle ne s'en formalise pas outre mesure. À ses yeux, la fidélité à une vocation exceptionnelle dispense les poètes de chercher à améliorer leurs conditions d'existence. De même qu'elle a le devoir moral de se consacrer à son œuvre, de même le devoir moral de ceux qui croient en elle est de l'aider à subsister dans une société uniquement tournée vers les soucis et les plaisirs matériels. Dans son cas, juge-t-elle, ce n'est pas à elle-même qu'on fait un cadeau mais à l'art qu'elle incarne. Conscients de leurs obligations d'admirateurs, les amis de Marina réunissent à grand-peine la somme nécessaire à l'impression de son dernier recueil de vers : *Après la Russie*. Mais la concurrence est rude, à cette époque, dans le Paris de l'émigration, entre les écrivains russes chevronnés et les nouveaux venus aux dents longues. Les premiers sont impatients de prouver que leur talent n'a pas faibli, les seconds qu'ils ont, eux

---

1. Hélène Izvolskaïa : *L'Ombre sur les murs*.

aussi, quelque chose à dire. Aux anciennes gloires, tels Merejkovski, Khodassévitch, Chmelev, Chestov, Bounine, s'ajoutent déjà des noms de débutants remarquables, tels Vladimir Nabokov, Nina Berberova, Vladimir Varchavski. Face à cette montée d'étoiles, l'excellent poète Khodassévitch, au faîte de sa carrière, et le critique grimaçant Adamovitch, se demandent si une vraie littérature russe est concevable hors de Russie. À cette question, Tsvetaeva répond sans hésiter par l'affirmative. Pour elle, la Russie n'est pas là où on la situe dans les manuels de géographie, mais là où se perpétuent la culture et la tradition nationales. En fuyant la Russie, elle estime l'avoir emportée tout entière dans ses bagages. Elle ne serait pas étonnée si elle apprenait que la poésie se meurt à Moscou et à Léningrad[1] parce que ses vrais serviteurs sont à Paris.

Pourtant, le recueil de Tsvetaeva, *Après la Russie* — modestement tiré à mille exemplaires —, est boudé par le public et par la presse. Adamovitch, non sans avoir reconnu la sincérité de l'inspiration qui anime ces vers, déplore leur défaut d'harmonie et leur obscurité. Or cette complainte inarticulée, cette concision télégraphique ne sont pas calculées chez Marina. Elle utilise une musique de saccades et d'interjections comme on obéit à l'instinct qui vous fait crier dans la douleur, la surprise ou la joie. Ce n'est pas volontairement qu'elle hache ses

---

1. Pétrograd a été rebaptisé Léningrad en 1924.

phrases, recherche les mots brefs, multiplie les allitérations. Cette cadence, ces choix phonétiques lui sont imposés par sa nature même, comme le rythme de la respiration à un sportif. Il n'en reste pas moins que l'échec d'*Après la Russie* la décourage. Si elle consacre ensuite un hymne, *Le Poème de l'Air*, à Lindbergh, qui vient de franchir l'Atlantique en avion, c'est parce qu'elle s'identifie au pilote solitaire qui s'évade de la pesanteur et plane dans le ciel nocturne. Cette indépendance surnaturelle évoque celle du mourant qui rompt, peu à peu, ses derniers liens avec la terre. Rilke a dû connaître, croit-elle, au moment d'expirer dans un sanatorium de Ragaz, la légèreté grisante d'un Lindbergh survolant l'océan.

Mais un événement d'une autre importance accapare bientôt l'esprit de Marina. En septembre 1927, elle est partagée entre le bonheur et l'anxiété en apprenant que sa sœur, Anastasie, qui s'est rendue en Italie à l'invitation de Gorki, va venir la voir, à Meudon, après sa visite à l'écrivain soviétique. Celui-ci, tout en condamnant le capitalisme au nom de la doctrine du Parti, se goberge en villégiature, à Sorrente. À preuve qu'on peut cracher dans la soupe et la manger ensuite avec appétit. Marina appréhende sa rencontre avec Anastasie comme si elle devait être confrontée soudain avec son passé, comme si elle risquait d'avoir à se justifier devant une autre elle-même, comme si on allait l'accuser d'avoir gâché ses chances par négligence ou par entêtement. Elles ont sûrement changé, l'une et

l'autre, en cinq ans de séparation ! Vont-elles seulement se reconnaître ?

Pour une fois, Marina a tort de s'inquiéter. Les
retrouvailles entre les deux sœurs se déroulent dans
la joie, la tendresse et le déballage des souvenirs.
Anastasie est frappée par l'air fatigué, usé de
Marina et par son indulgence épanouie devant le
petit Mour (deux ans), à qui elle passe tous ses
caprices. Elle qui était si fière, jadis, d'élever sa fille
à la dure, en mère stoïcienne, la voici devenue une
mère poule. Et elle s'en flatte. « Marina a changé,
racontera Anastasie dans ses *Souvenirs*. Il est difficile de dire en quoi ; elle est plus âgée, certes : elle
va avoir trente-cinq ans. Sur ses joues, la couleur
jaunâtre de ses années difficiles a disparu. Mais son
teint reste légèrement basané. Elle ressemble toujours à un adolescent romain. Le front est haut, le
nez busqué ; le contour de la bouche est ferme.
Autour de ses yeux vert clair, la peau est plus fon-
cée, ce qui avive leur couleur. Elle fume comme
autrefois et plisse encore un peu les yeux, mais, à
la place de son manteau moscovite ou koktébélien
(une sorte de pelisse serrée à la taille par un ceintu-
ron) et de son sac de facteur porté en bandoulière
qui lui valait d'être poursuivie par les gamins de la
rue Boris-et-Gleb qu'elle foudroyait des éclairs de
son regard méprisant, elle arbore maintenant,
quand elle sort de la cuisine, sa cafetière à la main,
un simple tablier de cretonne, et c'est de la poche
de ce tablier qu'elle tire ses cigarettes. » Le soir,
allongée sur le divan qui lui sert de lit, Marina énu-

mère ses chagrins et ses soucis devant sa sœur qui l'écoute : « Comprends-moi, dit-elle : comment pourrais-je écrire quand, dès le matin, je dois aller au marché acheter de la nourriture, choisir, calculer, afin qu'il y en ait assez pour nous tous — nous n'achetons que ce qui est bon marché, bien sûr ! — puis, ayant trouvé ce que je voulais, je me traîne avec mon sac à provisions, sachant que ma matinée est perdue et qu'il va falloir maintenant éplucher et cuire (pendant ce temps, Alia promène Mour). Enfin, quand tout le monde a été nourri, quand tout a été rangé, je m'allonge, comme à présent, fourbue et sans avoir tracé une seule ligne. À l'aube, je me rue vers ma table de travail... Et il en est ainsi de jour en jour. »

De son côté, Serge se plaint d'être obligé d'accepter des tâches humiliantes afin d'arrondir ses fins de mois. Mais voici qu'après une série de figurations furtives il est engagé par le metteur en scène danois Carl Dreyer pour camper une « silhouette » dans un film à gros budget, *La Passion de Jeanne d'Arc*, dont la vedette est la célèbre actrice italienne Falconetti. Perdu dans la foule, il s'acquitte ponctuellement de son petit rôle. Cette rentrée d'argent le réjouit et il écrit à sa sœur Élisabeth Efron. « Ces derniers temps enfin, notre vie s'est à peu près organisée. L'été s'est révélé très dur sur le plan matériel. C'est à l'automne que nos affaires se sont légèrement arrangées. J'ai tourné près de dix fois dans un film sur Jeanne d'Arc [...]. La plus dégradante de mes besognes ! Mais les prises de vues sont mieux payées que toute autre activité. Après le tournage, je rentre chaque fois à la maison vidé et furieux. » Quelques jours plus tard, il donne d'autres nouvelles de la famille. « Marina va et vient [...]. Alia fréquente une école de dessin [...]. C'est elle qui est la plus émue par l'approche des fêtes de Noël [...]. Elle attend l'arrivée du sapin comme nous à son âge. Pour le petit Mour, ce sera le premier arbre de Noël de sa vie. Je vais acheter un masque avec une barbe blanche. »

Malgré ces signes de fausse gaieté, Anastasie continue d'observer sa sœur avec sollicitude. Incontestablement, tout en affichant un courage arrogant, Marina souffre, en secret, de l'attitude des émigrés à son égard. Certains ont incontestablement une dent contre elle depuis le début. Elle met dans le même sac Merejkovski, Bounine, Zénaïde Hippius, qui, victimes d'un aveuglement anachronique, rêvent d'un retour à la Russie d'autrefois. « Ils se situent, dit-elle, parmi ceux qui, aujourd'hui encore, débattent pour savoir quel est le grand-duc qui montera sur le trône, Cyrille ou un autre, et cela alors qu'il est impossible d'envisager un nouveau monarque. Ils se tiennent à l'écart de tous et se gonflent de vanité. Ils ne me supportent pas. Je ne les salue plus. »

Pour comble de malchance, voici que Mour attrape la scarlatine. Peu après, Ariadna et sa mère sont touchées par la contagion. Pendant quelques jours, Marina lutte contre la maladie. Dès qu'elle va mieux, elle reprend ses conversations nocturnes avec Anastasie. Pendant que les enfants sont encore alités, elle confie à sa « sœur soviétique », entre deux bouffées de cigarette : « J'étouffe parmi les amis de Serge. Je voudrais être libre, libre de tout. Être seule et écrire. Matin et soir. [...] Alia n'étudie plus pour pouvoir s'occuper de Mour. De cela aussi, je me sens incapable. Mais je ne peux faire plus que je ne fais. Serge travaille comme il peut et où il peut. Dans l'édition. Il se crève. Il a été malade tous ces temps-ci. C'est un cercle vicieux[1]. » Un jour, émue par le désarroi de Marina, Anastasie suggère : « Peut-être serais-tu plus heureuse en Russie ? — Je n'ai plus la force d'y aller ! répond Marina. Je ne peux pas tout recommencer ! Je hais la platitude de la vie capitaliste ! Je voudrais aller au-delà de tout cela. Sur une quelconque île de Pâques ! » Anastasie, en revanche, ne voit aucune raison de continuer à vivre loin de sa patrie. Elle se prépare à ce nouveau voyage sans enthousiasme, mais sans regret.

Au sortir d'une de ces confessions désenchantées, Anastasie rend visite, à Paris, à son amie d'enfance Gala, l'épouse du poète français Paul Éluard. Elle rencontre également Ilya Ehrenbourg, devenu correspondant en France d'un journal soviétique. Mais Marina ne juge pas opportun de participer à ces mondanités d'arrière-saison. D'ailleurs, elle n'est encore qu'à moitié remise de sa maladie. Sa faiblesse est extrême. Elle évite de quitter la maison

---

1. Anastasie Tsvetaeva : *Souvenirs.*

par crainte d'une chute dans la rue. Quand Anastasie décide de repartir pour Moscou, c'est Serge qui
l'accompagne jusqu'à la gare. Au moment où le
train va s'ébranler, un messager inattendu arrive,
tout essoufflé, sur le quai : Constantin Rodzévitch.
Il apporte un paquet et une lettre que Marina l'a
chargé de remettre à Anastasie. Le paquet contient
des oranges « pour le voyage ». Une folle dépense
vu le maigre budget des Efron. Ouvrant la lettre,
Anastasie lit, tandis que le convoi tressaute sur les
premiers aiguillages : « Chère Assia, ces lignes dansent devant mes yeux. Quand vous êtes partis
[Anastasie et Serge], je suis restée longtemps
debout près de la fenêtre, j'attendais de te voir
tourner le coin de la rue. Mais vous avez dû
prendre un autre chemin. J'ai erré dans la maison
en versant de pauvres larmes de vieillesse. » Ce billet de désolation renfonce Anastasie dans l'opinion
que Marina sera malheureuse tant qu'elle n'aura
pas retrouvé la chaleur et l'odeur du bercail russe.

De retour à Moscou, où elle est presque aussitôt
employée au musée des Beaux-Arts fondé jadis par
son père, Anastasie se met en rapport avec Pasternak
et tous deux se concertent sur le meilleur moyen de
convaincre Marina de rentrer en Russie. Pour eux, il
est clair qu'en réintégrant sa patrie elle résoudrait
tous ses problèmes. Leur premier soin est de
gagner à cette idée Maxime Gorki, l'écrivain chéri
du pouvoir, dont la recommandation auprès des
autorités peut être décisive. Ils l'assurent que la
présence de Tsvetaeva à Moscou rehausserait le

prestige de la littérature soviétique dans le monde. Gorki ne partage pas leur dévotion pour le talent de Marina. Il estime que l'art de cette poétesse est « criard », et même « hystérique », et qu'elle maîtrise mal le sens des mots dont elle use à tort et à travers.

Or, tandis que ce champion de la littérature socialiste la condamne de loin, Tsvetaeva est tentée (est-ce pour le narguer ?) de revenir à son admiration de jadis envers les héros de l'Armée blanche. Utilisant les notes de guerre de Serge pour raconter les cent jours de la défense de l'isthme de Pérékop assiégé par les Rouges, elle voudrait donner, à travers son poème, une signification symbolique à toutes les tentatives dictées par l'oubli de soi. Mais Serge, après lui avoir confié ses carnets, les lui reprend subitement. Sans doute craint-il qu'une fois de plus elle ne déclenche une catastrophe par excès de zèle. Décontenancée, Marina renonce à poursuivre son œuvre. « Nul n'en a besoin, écrira-t-elle. Ici, elle ne touchera personne à cause de son gauchisme "de forme" [...] ; là-bas, elle ne parviendra pas physiquement, comme tous mes livres. » Ayant rangé le manuscrit de *Pérékop* dans un tiroir, elle se consacre à un texte d'inspiration voisine : *Poème sur la Famille du tsar*. L'empereur, l'impératrice et leurs enfants ont été assassinés dans la nuit du 16 au 17 juillet 1918, à Iékatérinbourg. N'ont-ils pas droit, eux aussi, à l'hommage posthume de celle qui a toujours volé au secours des vaincus ? En août 1936, Marina assiste, coup sur coup, à Paris, à deux conférences de l'ancien chef du Gouvernement provisoire de Russie, l'avocat et politicien Alexandre Kerenski, lequel, avec des trémolos dans la voix, évoque le sort horrible des derniers Romanov. Il affirme que, s'il a éloigné Nicolas II de sa paisible résidence de Tsarskoïe-Selo pour l'expédier, avec les siens, au fond de la Sibérie, c'est pour soustraire le monarque à la vindicte du peuple de Saint-Pétersbourg. Conquise par la dialectique de l'orateur, Marina se figure que, comme elle, Kerenski ne se console pas d'un massacre dont la Russie aura à rougir jusqu'à la fin des temps. Mais, d'abord excitée par le sujet, elle arrête son ode funèbre en cours de route, comme si l'enjeu politique de cette prise de position la dépassait. Seul un fragment intitulé *Sibérie* subsiste de ce projet audacieux. Dans un dernier réflexe de fidélité au passé, elle inscrira en sous-titre, sur le manuscrit inachevé de *Pérékop*, une dédicace au très cher Serge : « À mon éternel et bien-aimé volontaire. »

Ce tribut payé à un héroïsme dont nul sans doute ne se souviendra dans quelques années se double, chez Marina, d'un brusque élan de ferveur pour un jeune poète, Nicolas Gronski, rédacteur aux *Dernières Nouvelles*. La fraîcheur, le talent, l'enthousiasme de ce garçon qu'elle vient de rencontrer la revigorent. Elle lui donne des leçons de prosodie et, pour la remercier, il l'entraîne dans de longues promenades à pied. Deux jours après avoir fait sa connaissance, elle part avec lui pour une randonnée de quinze kilomètres jusqu'à Versailles. « Quel bonheur ! confie-t-elle à Anna Teskova. Mon compagnon de promenade, un chiot de dix-huit ans, m'apprend tout ce qu'on vient de lui enseigner au lycée (beaucoup de choses) et moi je lui enseigne tout ce qui entre dans mon cahier (l'écriture, c'est un apprentissage ; ce n'est pas dans la vie qu'on l'apprend). Nous faisons l'échange de nos scolarités ; il n'y a que moi qui suis autodidacte, mais tous les deux nous sommes de parfaits marcheurs[1]. »

Séduite par ce fringant admirateur qui débute à la fois dans la littérature et dans l'amour, elle lui propose de venir la rejoindre, l'été prochain, à Pontaillac, en Charente-Maritime, au bord de l'océan Atlantique. Il promet d'être à ses côtés, au mois de septembre, pour de lyriques excursions sur la plage. D'avance, elle savoure le plaisir de ces tête-à-tête à la fois innocents et pervers. Mais, à la dernière minute, Gronski se décommande. Peut-être n'est-ce que partie remise ? Hélas, non ! le motif de ce faux bond est d'une banalité affligeante : Gronski est tombé amoureux d'une jeune fille de dix-huit ans. Comme n'importe quel homme dénué d'imagination, il délaisse la femme mûrissante et géniale pour une pécore qui a les joues lisses et l'haleine fraîche. Marina accepte cette trahison comme elle accepte de se voir vieillir, année après année, devant le miroir de sa chambre.

Déçue par la vie, elle retourne à l'écriture, la seule drogue qui lui réussisse. Mais, alors qu'elle

---

1. Lettre du 10 avril 1928.

vient d'abandonner *Pérékop* et que *Les Dernières Nouvelles* commencent à publier *Le Camp des Cygnes* en feuilleton, elle doit affronter une nouvelle épreuve. L'incident qui en est la cause s'est produit en novembre 1928, lors du passage à Paris de Vladimir Maïakovski. À peine arrivé de Moscou, il a été invité à lire ses poèmes dans une soirée littéraire. La salle est comble. Marina, qui est une fervente admiratrice du poète soviétique, assiste à la séance. Elle en ressort transportée et, le lendemain, confie à la nouvelle revue de son mari, *Eurasie*, le texte d'un hommage confraternel à cet hôte de marque. Rapprochant ses souvenirs les plus anciens de ses souvenirs d'hier, elle écrit : « Le 28 avril 1922, la veille de mon départ de Russie, j'ai croisé Maïakovski, très tôt, le matin, sur le pont des Maréchaux, totalement désert : "Alors, Maïakovski, que dois-je transmettre de votre part à l'Europe ? — Que la vérité est ici !" Le 7 novembre 1928, tard dans la soirée, comme je sors du café Voltaire, après la soirée de Maïakovski, on me pose la question : "Alors, que dites-vous à la Russie après avoir entendu Maïakovski ?" Sans hésiter, je réponds : "Que la force est là-bas !" » Cette déclaration frondeuse, imprimée dans une revue que l'on prétend vendue aux bolcheviks, soulève l'indignation de tous les émigrés bien-pensants. Pour éviter un élargissement du scandale, *Les Dernières Nouvelles* suspendent la publication du *Camp des Cygnes*. Tous les journaux rejettent cette poétesse insolite et insolente, qui d'un côté chante la gloire de l'Armée blanche et, de l'autre, collabore à une revue favorable aux Soviets. En se prosternant devant un poète vendu aux autorités de Moscou, elle insulte tous ceux qui, à Paris, maudissent les excès de la dictature populaire. Certains de ses compatriotes lui tournent le dos. D'autres la plaignent, la condamnent ou l'ignorent. Elle n'a jamais été plus seule. Même Maïakovski, qui est à l'origine de ce petit drame parisien, n'a pour elle qu'une estime dédaigneuse. L'année suivante, à Moscou, lors d'un congrès des Écrivains prolétariens, il dira, parlant de Tsvetaeva : « Quant à moi, je considère que toute chose dirigée contre l'Union soviétique, contre nous, n'a pas droit à l'existence et que notre devoir est de la rendre la plus insignifiante possible et de ne pas la citer en exemple [1]. » Ni du côté russe ni du côté français de la frontière les esprits surexcités ne peuvent admettre que, chez Tsvetaeva, il ne s'agit nullement d'une manœuvre opportuniste, mais du refus de subordonner l'art à une théorie sociale. Quels que soient les déchirements idéologiques de ses congénères, ce qui importe, pour elle, ce n'est pas la façon dont ils sont gouvernés, mais la sincérité de leur attachement à la langue et à la culture russes. Son génie rend Marina daltonienne. Rouge ou blanc, l'horizon, à ses yeux, a la même couleur. Elle qui s'est si souvent laissé berner par la musique d'un discours sentimental demeure farouchement réfractaire aux

---

1. Cf. Maria Razoumovski : *Marina Tsvetaeva : mythe et réalité.*

professions de foi politiques. Plus l'éloquence d'un tribun est entraînante et plus elle s'en méfie. L'amour des mots vrais a tué en elle l'amour des grands mots.

XIII

CHANGEMENT DANS LA VIE DE SERGE

Depuis la reconnaissance officielle de l'U.R.S.S. par la France à l'initiative du président du Conseil, Édouard Herriot, en octobre 1924, les émigrés russes de Paris ont l'impression que leur pays d'adoption les renie. Aujourd'hui, l'infâme drapeau rouge flotte sur l'ambassade de la rue de Grenelle, dont les archives ont été enlevées et le personnel remplacé par des agents soviétiques. Des relations diplomatiques normales ayant été établies avec Moscou, les réfugiés sont devenus des apatrides, dont seul le fameux passeport Nansen atteste encore l'identité. Ils se croyaient aimés sur leur terre d'accueil ; ils doutent de l'être encore. Cette situation fausse exacerbe les rivalités au sein des différentes associations d'exilés. D'anciens compagnons de route en viennent à s'affronter dans des discussions de plus en plus stériles.

Les « Eurasiens » sont les premiers touchés par cette vague de contestations internes. Une scission s'opère entre les membres les plus « à gauche » et ceux qui se disent partisans d'une démocratie populaire, tout en rejetant l'hégémonie communiste. Certains, tel le prince Nicolas Troubetzkoï, un des fondateurs de *Verstes*, démissionnent avec éclat. Très affecté par cette série de querelles et de défections, Serge Efron n'en demeure pas moins attaché à la cause eurasienne.

Incapable de suivre son mari dans ses illusions, Marina s'abandonne à d'autres emballements et à d'autres rencontres. Tandis qu'il s'abouche avec des transfuges d'U.R.S.S. aux intentions douteuses, elle découvre avec enthousiasme les tableaux de Nathalie Gontcharova, artiste russe émigrée à Paris, qui est l'arrière-petite-nièce de la femme de Pouchkine. Le fait que Nathalie porte le même nom et le même prénom que son aïeule au destin fatal agit sur Marina comme un signe de l'au-delà. Elle n'en admire que plus les œuvres du peintre, homonyme de la trop célèbre épouse du poète. Elle rend de fréquentes visites à son atelier et entreprend une étude en prose sur la personnalité et le talent de sa nouvelle amie. Donnant, donnant, celle-ci accepte d'illustrer le poème de Tsvetaeva *Le Gars*, en vue d'une édition de luxe, et d'enseigner le dessin à Ariadna qui a des dispositions pour les arts graphiques. L'essai que Marina a consacré à Nathalie Gontcharova est, en réalité, moins une méditation sur la peinture d'avant-garde qu'un jugement sur l'étrange comportement de Mme Pouchkine, coupable de légèreté, et sur elle-même, face aux problèmes de la création. Le texte ne sera publié qu'en 1929, dans *La Liberté de Russie*.

Cette même année, la revue *Eurasie* disparaît, faute de moyens financiers et faute de lecteurs. Serge subit cet échec comme une faillite personnelle. « C'est un homme qui a toujours besoin d'un fardeau au-dessus de ses forces, écrit Marina à Anna Teskova. Son amour pour la Russie et l'espoir d'un renouveau sont toute sa vie. » Privée des maigres revenus d'*Eurasie*, elle implore ses amis de Prague d'obtenir du moins que le gouvernement tchécoslovaque continue à lui verser, quelque temps encore, la petite pension de cinq cents couronnes qui lui a été allouée jadis par charité. En outre, elle va proposer sa copie aux rares journaux russes de Paris. Elle y est de plus en plus mal reçue. Est-ce parce qu'on n'aime pas sa poésie ou parce qu'on n'aime pas son mari ? Or, elle ne peut ni écrire autrement ni changer les idées politiques de Serge. La situation est d'autant plus tragique qu'après le naufrage d'*Eurasie* la maladie de celui-ci s'est subitement aggravée. L'état de délabrement de ses poumons exigerait l'hospitalisation dans un sanatorium. Mais où trouver l'argent nécessaire ? L'appel au secours de Marina émeut quelques amis. Des émigrés, bien que fort démunis eux-mêmes, rassemblent un pécule suffisant pour que Serge Efron soit transporté au sanatorium russe du château d'Arcine, à Saint-Pierre-de-Rumilly, en Haute-Savoie.

En son absence, Marina se rapproche de la femme d'Ivan Bounine, Véra, sur qui elle déverse, lettre après lettre, son excès d'amertume : « La Croix-Rouge octroie trente francs par jour depuis deux mois, mais le sanatorium revient à cinquante francs par jour. Je suis donc obligée d'ajouter six cents francs par mois de ma poche. Par ailleurs, la bourse tchécoslovaque peut être supprimée d'un jour à l'autre, je n'ai aucune garantie. » Après tant d'autres, Véra Bounine verse son obole. Reprenant espoir, Marina se lance dans la traduction en français du *Gars*. Sa parfaite connaissance de la langue lui facilite la tâche. Elle s'ébroue avec autant d'aisance dans le vocabulaire français que dans le vocabulaire russe. Mais, pendant qu'elle s'applique à cette besogne, si inhabituelle dans ses activités, elle pense constamment à Maïakovski dont elle est sans nouvelles. S'est-il régénéré en retrouvant la mère patrie, ou le sol béni a-t-il cédé, dès le premier contact, sous le poids de son corps, si ce n'est de son âme ? En avril 1930, elle apprend que Maïakovski s'est suicidé. Pour quelle raison ? Déception amoureuse, lassitude d'artiste ou lente asphyxie politique ? Marina se perd en conjectures. Une chose est certaine : l'air du paradis communiste est malsain pour les poètes ! Sans s'arrêter à cette conclusion, elle décide, par fidélité à la mémoire du défunt, de composer un cycle de poèmes dont il sera le centre. Par-delà le tombeau, elle félicite Maïakovski, « le sphinx », d'avoir eu une « mort propre ». Peu importe qu'il soit citoyen soviétique, estime-t-elle, puisqu'il a bien servi la littérature russe. Tout le monde, autour d'elle, n'est pas de cet avis. Ayant proclamé son admiration envers Maïakovski, elle revient au *Gars*, dûment francisé. En le fignolant, elle se dit que, si cette adaptation est goûtée du public français, elle aura la possibilité de faire une carrière à Paris comme elle l'aurait faite à Moscou. En attendant cette consécration hypothétique, elle est tout heureuse de gagner quelques centaines de francs en participant à une soirée littéraire russe, dans la salle de la Société de Géographie. Cette rentrée d'argent lui permet de rejoindre Serge en Haute-Savoie et de séjourner dans un appartement loué, tout près du sanatorium où il poursuit sa convalescence.

En octobre 1930, tous deux rentrent à Meudon, où ils retrouvent leurs enfants et leurs soucis. Ariadna suit à présent des cours à l'École du Louvre. Mour traîne à longueur de journée, désœuvré et morose, dans les rues, et Serge, trop faible encore pour travailler régulièrement, se contente de prendre des leçons dans une école technique d'opérateurs de cinéma. Quant à Marina, ayant achevé, vaille que vaille, sa traduction française du *Gars*, elle en donne la primeur dans un salon parisien réputé pour son influence auprès des éditeurs. Son ange gardien, Hélène Izvolskaïa, l'accompagne dans cette épreuve. La présence de cette femme de cœur aux nombreuses relations ne suffit pas à détendre l'atmosphère. Les vers de Tsvetaeva passent au-dessus de la tête d'un auditoire mondain et blasé. « Elle a été écoutée dans le plus profond silence, dira Hélène Izvolskaïa. Hélas ! *Le Gars* russe n'a pas plu à l'assistance guindée de cette maison. Je pense que, dans d'autres milieux parisiens, il aurait été plus apprécié ; mais, après l'échec de cette soirée, Marina s'est repliée dans sa solitude [1]. »

Pour comble de malchance, au début de l'année suivante, la charmante Hélène Izvolskaïa, si attentive aux humeurs de Marina et si proche de ses intérêts, se marie. Pis que cela, le couple doit partir pour le Japon. Marina se sent trahie, dépouillée, volée. Consciente du chagrin qu'elle cause à son amie, la jeune épousée feint de la comprendre, mais une joie égoïste éclate dans son regard. Et Tsvetaeva en est doublement mortifiée. Cependant une autre nouvelle, venue de Moscou celle-là, l'affecte davantage. Pasternak est tombé amoureux d'une femme, hors mariage. « Des années j'ai rêvé de le revoir, écrit Marina. Maintenant, c'est le désert... Maintenant ma place est prise. »

En se retrouvant dans son isolement banlieusard avec, pour toute distraction, l'odieuse routine du ménage et, pour dernier confident, un mari souffreteux et ombrageux, Marina se demande pourquoi elle a choisi de vivre en France. D'ailleurs, il semble que tous les émigrés russes sont dans son cas. Une chape de plomb s'est abattue sur leurs

---

1. Hélène Izvolskaïa : *Le Poète condamné.* Cf. Maria Razoumovski : *Marina Tsvetaeva, mythe et réalité.*

épaules. Même ceux qui caressaient l'espoir d'un coup d'État au Kremlin ont fini par se convaincre de la solidité du régime en place. Certains lorgnent déjà du côté de Mussolini, dont le fascisme de style latin pourrait, croient-ils, inciter les successeurs de Lénine à plus de tolérance. D'autres se disent intéressés par le nationalisme farouche de la nouvelle idole des Allemands : Hitler. L'antisémitisme de cet aventurier de la politique, surgi dans l'ombre de Hindenburg, répond à la rancune que les nostalgiques du tsarisme nourrissent contre les intellectuels juifs, lesquels, selon eux, ont préparé et même déclenché la révolution bolchevique. Une association extrémiste, l'Union des jeunes Russes, les *Mladorossy*, rassemble, parmi les émigrés adolescents, les tenants d'une idéologie raciale, antidémocratique et volontariste. Leur porte-parole, Alexandre Kazem-Bek, ne cache pas ses ambitions putschistes. Enfin, un mouvement prosoviétique, celui des nationalistes maximalistes, voit le jour en France et vante aux réfugiés russes déboussolés les vertus de l'« homme nouveau » qui est en train de naître dans la Grande République socialiste. Déjà, un organisme intitulé l'« Union pour le Retour dans la Patrie » recrute des adeptes ensorcelés par la propagande venue du Nord. Si Marina reste sourde au chant de ces sirènes appointées par Moscou, Serge prête une oreille attentive à leurs moindres propos. Son passé de volontaire de l'Armée blanche ne lui paraît pas incompatible avec une allégeance raisonnée aux directives soviétiques.

Marina Tsvetaeva

Alors qu'il songe à la possibilité d'un retour de toute la famille Efron au pays natal, sa fille, Ariadna, l'approuve et l'encourage. Pour elle, qui va avoir vingt ans, la perspective de cette transplantation représente la promesse d'une seconde naissance. Il ne s'agira pas seulement, pense-t-elle, d'un changement d'horizon mais de la réalisation du rêve que tout Russe porte dans son cœur. Pourquoi attendre encore ? N'est-ce pas « maman » qui met des bâtons dans les roues ?

C'est au milieu de ces interrogations fiévreuses sur l'avenir de la famille qu'éclate une nouvelle stupéfiante : le 6 mai 1932, le président de la République, Paul Doumer, a été abattu à Paris, d'un coup de revolver, tandis qu'il inaugurait une vente de livres au profit de l'Association des Écrivains anciens combattants. Et le meurtrier est un réfugié russe, inconnu de tous, Paul Gorgouloff. Les journaux français titrent, avec colère : « La main d'un étranger a mis le drapeau français en berne. » La colonie russe de France est atterrée, terrorisée. On se demande si les Français ne vont pas exercer des représailles contre ces transfuges à qui ils ont offert l'hospitalité et qui les remercient en abattant le premier d'entre eux. La presse russe, de son côté, multiplie les enquêtes et les hypothèses sur le véritable motif de l'attentat, qui, de toute évidence, ne peut être que le geste d'un déséquilibré. Sans doute cet événement est-il commenté avec passion autour de la table, chez les Efron. Tous craignent que, après ce crime insensé, le peu de sympathie que les Français ont encore pour les Russes blancs ne se change en une suspicion systématique, voire en une haine ouverte. Raison de plus pour se dépêcher de partir ! Seule Marina renâcle encore. Pour elle, la Russie n'est pas une solution. Les jours suivants, d'ailleurs, semblent lui donner raison : malgré le deuil qui vient de frapper la nation, les Français restent calmes et résistent à la tentation de la xénophobie. Jugé et condamné à la peine capitale le 27 juillet 1932, Paul Gorgouloff est guillotiné peu après, dans l'indifférence de tous les bons citoyens.

À la suite de cette mise à mort exemplaire, Marina expose à l'écrivain Youri Ivask son point de vue sur l'aveuglement des hommes malades de politique. Quelles que soient leurs raisons et leur nationalité, les fanatiques, les violents sont, à ses yeux, impardonnables. Les assassins de Russie donnent la main aux assassins de France. « Quant aux exécutions, mon cher, tous sont bourreaux, tous sont frères, affirme-t-elle. La récente exécution de l'homme russe après un procès équitable et les larmes de l'avocat, ou la balle dans le dos à la Tchéka, tout cela c'est la même chose, je vous le jure. Quel que soit le nom que vous lui donniez, c'est une ignominie à laquelle je ne me soumettrai nulle part, tout comme je ne me soumettrai jamais à une contrainte organisée au nom de qui que ce soit ou de quoi que ce soit[1]. »

Malgré sa profonde connaissance du français et

---

1. Lettre du 4 avril 1933.

son admiration pour la littérature française, Marina reste imperméable à la vie intellectuelle de la France. Elle lit presque exclusivement les livres publiés en russe et ne cherche pas à rencontrer les écrivains représentatifs du pays où elle a choisi de vivre et où, après un exil de près de vingt ans, elle se sent toujours de passage. On dirait qu'elle n'a pas encore déposé ses bagages et qu'elle attend le signal d'un départ libérateur. Voyage vers la Russie ou voyage vers le néant ? Elle souhaite autant l'un que l'autre.

Parlant de l'isolement de ses compatriotes au centre de l'animation culturelle française, l'écrivain russe Teffi, observatrice impitoyable et caustique, pourra écrire, à l'époque : « Ils ne profitaient pas des fruits d'une culture qui leur était étrangère. Ils avaient leurs propres magasins. Rares étaient ceux qui visitaient les musées et les galeries. Pas le temps. À quoi bon ? Notre dénuement n'a que faire de ces boniments ! » Alors que Serge envisage de plus en plus sérieusement les conditions optima d'un retour à Moscou, Marina se contente de déplorer que l'émigration, *son* émigration, ait perdu, au fil des années, le sens de l'héroïsme et la foi en l'avenir. Magnifiant cette patrie inaccessible et désirée, elle en vient à dénigrer le Paris qu'elle a jadis adoré, et avoue dans son poème *La Petite Torche* :

> *Votre Paris nous semble*
> *Ennuyeux et laid.*

Marina Tsvetaeva

Russie, ma Russie,
Pourquoi nous illumines-tu d'un tel éclat ?

Cette nostalgie incurable est accentuée, chez elle comme chez nombre d'émigrés, par la crainte de voir ses enfants attirés par la langue et la culture françaises au point d'en oublier leurs origines. Si la nouvelle génération cède à l'attrait de son pays d'accueil, elle finira par devenir étrangère à la Russie sans s'être véritablement intégrée à la France. Ses fils, ses filles seront d'éternels bâtards, des orphelins, des laissés-pour-compte, ballottés entre l'opportunisme et le souvenir. Elle le dit, à mots couverts, dans *Poème à mon fils* :

> *Ne lutte pas avec ton frère,*
> *Ton affaire est claire et bouclée. [...]*
> *Vêtus de pèlerines d'orphelins*
> *Dès votre naissance,*
> *Cessez de pleurer*
> *L'Éden où vous n'avez jamais mis les pieds [...]*
> *Comprenez, aveugles,*
> *Que vous célébrez l'office des morts*
> *À la mémoire d'un peuple*
> *Qui a du pain et qui vous en donnera,*
> *Aussi vite qu'il faut pour se rendre de Meudon au*
> > *[Kouban :*
> *Notre querelle n'est pas votre querelle.*
> *Enfants, ne vous en prenez qu'à votre époque.*

En vérité, le conseil qu'elle donne aux jeunes de retourner en Russie pour échapper à l'enfer glacé des apatrides, elle est incapable de le suivre elle-même. Tout au plus se hasarde-t-elle à célébrer le talent des écrivains, ses confrères, qui sont restés en U.R.S.S. À la demande de Marc Slonim, elle rédige un article pour démontrer que les livres pour enfants publiés là-bas sont de meilleure qualité que partout ailleurs. Or, ce texte innocent est rejeté par le journal auquel il était destiné. Sans doute l'a-t-on jugé trop favorable aux « intellectuels bolcheviques ». « C'est le nœud de toute l'affaire, écrit Marina à Anna Teskova : mon article est refusé sous prétexte que, même en Russie, il existe de mauvais livres pour enfants. J'ai écrit pour rien (N.B. à propos de mon article, je n'y emploie pas une fois le terme de "soviétique", mais seulement le terme de "russe"). Il n'y a aucune allusion à la politique dans mon article. Le journal qui devait le publier est bien évidemment financé par des capitaux appartenant à l'émigration. C'est ainsi que je m'écarte avec hauteur et dans le silence. Ils me repoussent tous vers la Russie où je ne peux pas aller. Ici, je suis inutile, là-bas, je suis impossible. »

Cette dernière phrase résume l'atroce contradiction qui déchire Marina Tsvetaeva. Alors que les journaux de l'émigration sont de plus en plus hésitants à publier ses vers, elle constate que même le nombre de ses amis personnels a diminué. La plupart des humbles « mécènes » qui la soutenaient naguère se disent à présent au bout du rouleau. Il faut les supplier pour qu'ils se fendent d'un petit secours. « Je vis de mes dernières ressources (spiri-

tuelles) sans aucune impression extérieure ou intérieure, sans la moindre raison pour cette dernière,
confie-t-elle à la même Anna Teskova. En somme,
je vis comme un automate déréglé — mal —, avec
quelques bribes d'âme qui grippent la mécanique
[...]. Je mène l'existence d'une quelconque ména-
gère de Meudon ou de Vsénory : entre elle et moi,
il n'y a aucune différence. [...] Je manque de beaucoup de choses qu'elle possède, elle, et il y a aussi
beaucoup de choses que je ne sais pas faire. [...]
Tout ce qui est inachevé (des poèmes, une lettre
laissée sans réponse) me pèse et m'empoisonne. Je
n'arrive pas à écrire pendant des semaines (N.B.
pourtant, j'en ai toujours envie), simplement, je
n'arrive pas à m'asseoir [pour le faire]. »

Malgré les difficultés dont elle se plaint et le peu
d'intérêt que les journaux russes manifestent à
l'égard de ses dernières œuvres, elle se lance dans
un nouveau cycle de poèmes consacré à Pouchkine. À travers le sort de ce gigantesque poète dont
elle s'est inspirée tout au long de sa vie, elle
dénonce la responsabilité du pouvoir impérial qui
n'a cessé de le brimer, de l'étouffer sous les
contraintes et les vexations. Ce faisant, elle a
conscience de courir un danger, car ses vers risquent
d'être mal interprétés et considérés comme « révolutionnaires » par une partie de l'émigration. Et, en
effet, *Les Notes contemporaines* renoncent à les
publier. De même, seuls des fragments de son
étude critique *L'Art et la Lumière* paraissent dans
cette revue, l'une des rares à survivre dans le Paris

de l'exil. Cependant, une autre revue s'intéresse maintenant à Tsvetaeva : *La Ville nouvelle*, organe de tendance historico-religieuse, prônant l'alliance entre le christianisme traditionnel et les dogmes socialistes. Séduite par la hauteur spirituelle de l'entreprise, Marina y rejoint des penseurs de poids, tels Fedotov, Boulgakov, Berdiaïev... Est-ce dans cette perspective qu'elle rédige son traité d'esthétique, *Le Poète et son temps* ? Elle y développe l'idée qu'un poète doit vivre à contre-courant, hors du tohu-bohu de l'actualité, qu'il est, par définition même, un boutefeu et que sa mission n'est pas de plaire à une foule amorphe, mais d'être toujours et partout en avance sur son temps. Ni les lois sociales ni les lois morales ne méritent qu'on tienne compte de leurs interdits si on a reçu dans son berceau le don de poésie. Au passage, elle étrille les réfugiés russes qui passent leur temps à se manger le nez. Cette admonestation achève de lui aliéner la sympathie de ses compatriotes.

Irritée par l'incompréhension des Russes, Marina se rabat sur les Français et écrit en français un bref essai traitant de l'amour saphique : *Mon frère féminin*. Sous-titré *Lettres à l'Amazone*, l'ouvrage est une réponse au livre d'un écrivain français d'origine américaine, Natalie Clifford Barney, *Les Pensées d'une Amazone*, paru en 1918, et adressé à Remy de Gourmont qui s'était épris d'elle. Natalie Barney tient salon à Paris, dans son hôtel particulier du 20, rue Jacob. Marina est invitée à une de ses réceptions. En découvrant

242

l'étrange « poétesse russe » qu'on lui présente, Natalie Barney est d'emblée séduite par son non-conformisme et son charme garçonnier. Marina, de son côté, retrouve en Natalie Barney un écho lointain des sentiments qui l'ont jadis liée à Sophie Parnok et à Sonetchka Holliday. Mais, dans ses *Lettres à l'Amazone*, elle s'intéresse moins à l'attirance physique entre personnes du même sexe qu'à la tendresse maternelle, au désir de protéger, de bercer, qu'une femme peut éprouver pour une autre femme. Au terme de cette analyse, elle conclut que le seul obstacle aux amours homosexuelles est dû au besoin organique de la femme d'avoir des enfants. C'est parce que la femme est née pour procréer qu'elle recherche parfois la compagnie des hommes. Tout le reste n'est que littérature, décrète-t-elle.

Tandis que Marina médite sur l'épineux problème des couples « contre nature », il lui faut préparer un déménagement, nécessité, cette fois encore, par l'urgence des restrictions budgétaires. De Meudon, on se transporte à Clamart, où des amis ont déniché, pour la famille Efron, un petit logement moins cher, au 101 rue Condorcet. D'autres Russes habitent à proximité. Marina ne sera donc pas dépaysée. Mais, là aussi, elle est bientôt assaillie par des soucis d'argent. À peine installée, elle supplie Fedotov d'intervenir auprès de Fondaminski, éditeur de *La Ville nouvelle*, pour qu'il lui règle de toute urgence le prix de sa collaboration à la revue : « L'huissier est déjà venu à la maison, affirme-t-elle. C'est la première fois de notre vie. » Elle se plaint aussi du triste état de ses souliers, dont la semelle s'est détachée, la mettant dans l'impossibilité d'aller à ses rendez-vous. Tout en gémissant sur sa misère, elle n'oublie jamais sa mission d'écrivain. C'est ainsi qu'ayant lu un récit fantaisiste de Georges Ivanov[1] sur son ami de jeunesse Ossip Mandelstam, elle décide de rétablir la vérité et rédige un brillant article, « Histoire d'une dédicace ». De même, peu après la mort, en 1932, de son autre grand ami, Maximilien Volochine, elle lui consacre un cycle en prose traitant de leurs relations sentimentales et littéraires, *Paroles de vie sur un vivant*. Mais ces souvenirs, d'une émouvante simplicité, ne touchent personne, à l'époque. « J'ai écrit comme d'habitude, seule contre tous, confie-t-elle. Par chance, ce n'était que l'ensemble de la presse émigrée qui ne pouvait pardonner à Max Volochine son *absence de haine* pour la Russie soviétique, alors que, de cette Russie, il était le premier à souffrir puisqu'il ne l'a pas quittée. »

En passant des vers à la prose, Tsvetaeva n'a pas le sentiment de déchoir. Quel que soit son mode d'expression, il n'y a jamais, chez elle, ni relâchement ni complaisance. Qu'elle « raconte » ou qu'elle « chante », elle fait preuve d'une rigoureuse sévérité dans le choix des mots. Cependant, elle est bien obligée de constater que les revues sont plus inté-

---

1. Georges Ivanov, poète russe émigré en France (1894-1958), à ne pas confondre avec Viatcheslav Ivanov, poète russe (1866-1949), dont il est question dans le chapitre III.

ressées par ses souvenirs et ses essais que par ses poèmes. « C'est ainsi que la prose a commencé, confiera-t-elle à Véra Bounine. Je l'aime beaucoup, je ne me plains pas ; mais elle est tout de même un peu forcée ; comme si j'étais condamnée au verbe prosaïque. » Plus tard, elle reviendra sur cette idée dans une lettre à Anna Teskova : « L'émigration a fait de moi un prosateur. Bien sûr, la prose aussi est mienne, et ce qu'il y a de mieux au monde après les vers c'est la prose lyrique, mais *après* les vers, malgré tout. » Elle se demande incidemment si, à force de noircir du papier, elle n'a pas épuisé la source de son inspiration. Dans ce cas, juge-t-elle, il n'y aurait plus aucune raison pour elle de rester sur terre.

Ses proches ne se doutent pas des affres de la création qui la dévorent. Aussi bien Serge qu'Ariadna sont obnubilés par leurs propres soucis. Même quand ils sont à ses côtés, elle est seule au monde. Serge n'a plus en tête que le mirage moscovite. « Serge Iakovlévitch est complètement pris par l'Union soviétique, révèle Marina à Anna Teskova. Il ne voit rien d'autre et il n'y voit que ce qu'il veut bien voir [1]. » Au vrai, l'ancien volontaire de l'Armée blanche, Serge Efron, est devenu, entre-temps, membre de l'Union pour le Retour dans la Patrie. Depuis quelques mois, il fréquente des Russes de passage, qui sont peut-être des agents communistes, et se désintéresse des difficultés financières

---

1. Lettre du 16 octobre 1932.

du ménage. Il a d'ailleurs totalement subjugué sa fille, qui ne le quitte plus, bée d'admiration dès qu'il ouvre la bouche, et déclare à tout bout de champ qu'elle voudrait regagner son pays natal, car c'est de là-bas que viendra « la lumière ». En se rappelant la miraculeuse communion de pensée qui l'unissait jadis à Ariadna, Marina mesure la profondeur du fossé qui les sépare aujourd'hui. Alors qu'elle s'est si souvent émerveillée, dans le passé, de la similitude de leurs goûts et de leurs réactions, elle constate que sa petite Alia n'est plus ni son enfant ni son amie. Elle cherche en vain un écho de son tempérament exalté et de son mépris des conventions sociales dans cette jeune personne équilibrée, résolue et froide. « Ce n'est pas moi ! Ce n'est pas moi ! » écrit-elle avec dépit à Véra Bounine. Son fils ne saurait la consoler d'avoir « perdu » sa fille. Certes, Mour, qui n'a que sept ans, ne présente pas encore un caractère bien dessiné. Il est mollasson, capricieux et peu expansif. Par bonheur, à son âge, il ne s'intéresse guère à la politique. Pourtant, il se plaint que ses camarades de classe français se moquent de son accent et le traitent de « sale Russkoff ». Déjà, à l'exemple de son père et de sa sœur, il parle du retour en Russie comme d'une promesse de vacances sans fin. Au fait, n'est-ce pas le rapatriement que Marina souhaitait pour lui dans son *Poème à mon fils* ? Ne lui a-t-elle pas affirmé, dans ses vers imprudents, que la place des jeunes était dans cette patrie mythique « qui a du pain et qui vous en donnera » ?

Elle ne sait plus où elle en est de son destin de femme ni de son œuvre de poète ! Ah ! oublier la Russie soviétique, la famille, le loyer impayé, les tâches ménagères, les rebuffades des journaux parisiens, ne plus vivre que pour les rythmes et les rimes ! Toute son existence a été une ascèse. Recevra-t-elle un jour la récompense de tant de renoncement ? Elle ne l'espère même plus. Si elle continue d'écrire, c'est parce que nulle part et devant personne elle ne se sent aussi libre que devant son vieux bureau. Dans le poème *Trentième anniversaire*, elle s'adresse à sa table de travail dont le bois usé, fissuré lui rappelle son propre visage sillonné de rides. Dans un autre poème de la même série, elle remercie sa table de travail de l'avoir accompagnée « sur tous les chemins » et de n'avoir jamais plié sous le fardeau de ses rêves.

Observant la façon de travailler de sa mère, Ariadna notera : « Tôt le matin, la tête fraîche, le ventre creux, elle se versait une tasse de café noir brûlant et la posait sur le bureau vers lequel elle se rendait comme un ouvrier vers son établi, avec le sentiment de la responsabilité, du devoir et de l'impossibilité de faire autrement. Le front appuyé sur la paume, les doigts enfoncés dans les cheveux, elle se concentrait pendant un moment. Elle devenait aveugle et sourde à tout ce qui n'était pas son manuscrit, dans lequel elle plongeait par la pensée et par la plume. »

À l'instant où elle est prise par une idée neuve, par une mélodie originale, Marina cesse d'être seule. On la croit loin de tout et de tous, et elle existe plus intensément que lorsqu'elle discute et se meut dans l'espace des autres. L'art est pour elle une revanche sur la vie. Les objets, même quand elle parle à sa table de travail, la consolent des humains, qu'il s'agisse de son mari ou de ses enfants.

XIV

MENACES ALLEMANDES ET SÉDUCTIONS SOVIÉTIQUES

Devant les convulsions politiques de l'Europe, certains esprits inquiets se demandent, en France, qui de Staline ou d'Hitler est le plus à craindre. Le premier, ayant fait exclure du parti communiste les deux autres membres du triumvirat — Zinoviev et Kamenev —, avec lesquels il dirigeait l'U.R.S.S., accélère, en maître absolu, la chasse aux opposants, déporte des populations entières, désorganise et affame le pays par une collectivisation à outrance ; le second, après la victoire de ses partisans aux élections législatives, démantèle les syndicats, fait brûler sur la place publique les livres jugés subversifs, proclame la supériorité « scientifiquement démontrée » de la race aryenne sur toutes les autres, amplifie le boycott des magasins tenus par des Israélites, traque et emprisonne les Juifs, responsables, selon lui, de tous les malheurs de l'Allemagne et du monde. Entre l'horreur nazie et l'horreur soviétique, Marina préfère encore l'horreur soviétique. Au jeune poète russe Youri Ivask, qui lui écrit de Reval (Tallinn) pour l'interroger sur ses sentiments envers les nationaux-socialistes allemands, elle répond qu'elle a toujours éprouvé de l'affection et de l'admiration pour les Juifs, qu'elle hait le principe de la discrimination raciale et que, dès qu'elle entend prononcer le mot « youpin », elle explose de colère. À l'appui de ses dires, elle raconte que, dernièrement, elle a assisté à une conférence de Marc Slonim sur Staline et Hitler. À la fin du colloque, un groupe de *Mladorossy* nargue l'orateur. Un des nouveaux arrivants le traite de « youpin ». Cette insulte révolte Marina qui s'écrie d'une voix claironnante : « Goujat ! Mufle ! » Et, déchirant le tract que vient de lui remettre un des perturbateurs, elle répète : « Vous n'avez pas compris ? Ceux qui disent "youpin" au lieu de dire "juif" sont des goujats ! » Des grognements et des ricanements la menacent. Mais, fendant la foule, elle peut sortir sans avoir été molestée.

Cette fière attitude lui vaut l'estime de son correspondant, Ivask, mais aussi celle de son ancien adversaire, Khodassévitch. Après avoir longtemps dénoncé le « tarabiscotage » et l'« obscurité » de l'œuvre tsvétaévienne, le virulent critique fait amende honorable et reconnaît l'originalité et le talent de cette fonceuse. Étonnée par un tel revirement, Marina l'accepte avec gratitude et s'ouvre à l'amitié que lui témoigne à présent cet homme, dont naguère elle redoutait l'opinion et admirait la poésie.

Marina Tsvetaeva

En novembre 1933, une autre surprise l'attend dans le petit monde intellectuel de Paris. Ivan Bounine vient d'obtenir le prix Nobel de littérature. En lisant cette nouvelle dans le journal russe *La Renaissance*, Marina éprouve une émotion qui lui coupe le souffle et fait monter à ses yeux des larmes de vraie gratitude et de secret dépit. Certes, à travers Ivan Bounine, ce sont tous les écrivains russes émigrés qui ont été honorés dans leur solitude et leur misère. Bien qu'elle se réjouisse de cette distinction de portée internationale décernée à un compatriote, Marina regrette un peu que ce ne soit pas Maxime Gorki qui en ait été le bénéficiaire. Il a beau être « vendu » aux Soviets, elle le juge « plus grand » qu'Ivan Bounine. D'ailleurs, même Merejkovski, le mystique, aurait été, à son avis, un lauréat de meilleur aloi. Au fond de son cœur, elle déplore que le jury suédois n'ait pas pensé à elle, qui, dans son coin, discrètement, a servi la littérature russe avec plus de dévouement qu'aucun de ces as de la plume dont parlent les journaux. Mais, cela, elle n'ose le dire par crainte de passer pour une pécore vaniteuse. Le 24 novembre 1933, elle écrit à Anna Teskova : « Le 26, on va honorer Bounine sur une estrade. Je ne proteste pas contre ce choix, mais je ne suis pas d'accord, car incontestablement Gorki est plus humain, plus original que Bounine. Gorki représente son époque, Bounine représente la fin d'une époque. Mais la politique interdit au roi de Suède de décerner une décoration officielle au communiste Gorki. » Et Marina ajoute : « Je n'ai jamais vu Bounine. *Je ne l'aime pas.* C'est un homme froid, cruel, sûr de lui, un *barine*! Je ne l'aime pas : en revanche, j'aime beaucoup sa femme [Véra Bounine]. Ils vivent tous deux près de Grasse, au sommet d'un rocher. Maintenant, ils vont sans doute grimper plus haut encore. »

Passé les derniers échos de la consécration d'Ivan Bounine, Marina retourne, provisoirement regonflée, à son travail. Comme le public semble apprécier sa prose davantage que ses vers, elle compose, maintenant, des récits autobiographiques où la vérité se mêle à l'invention et la rêverie au détail pris sur le vif. Les journaux russes accueillent volontiers ce flot de souvenirs d'enfance et ces portraits d'écrivains enveloppés par la sympathie, l'estime et l'humour de l'auteur. Elle parle avec brio d'André Biély qui vient de mourir, de Pasternak, d'Akhmatova, de Blok, de Mandelstam... Mais, alors même qu'elle prend plaisir à les évoquer en prose, elle attend qu'un choc émotionnel lui redonne le goût de la poésie. Est-ce du ciel ou de la terre que viendra le déclic libérateur ?

En novembre 1934, la famille Efron déménage à nouveau pour se fixer à Vanves, 33 rue Jean-Baptiste-Potin. À peine Marina a-t-elle emménagé qu'un immense chagrin la foudroie. Nicolas Gronski, dont elle a cru être amoureuse — elle l'a sans doute été ! — en 1928, vient de se suicider en se jetant sous une rame de métro à la station Pasteur. Immédiatement, elle consacre un article posthume à ce poète plein de promesses, mais qui n'a pas eu l'occasion de s'épanouir. En même temps, comme réveillée par le retour d'une musique intérieure, elle le glorifie dans une série de poèmes intitulée *Épitaphe*.

> *Ton visage,*
> *Ta chaleur,*
> *Ton épaule,*
> *Où sont-ils ?*

Et aussi :

> *Il y a les bienheureux et les bienheureuses.*
> *Incapables de chanter,*
> *À eux de verser des larmes. Doux torrent*
> *Qui submerge le chagrin.*
> *Pour que quelque chose tressaille sous la pierre,*
> *Ma vocation s'abat sur moi tel un fouet,*
> *Au milieu des gémissements funèbres,*
> *Mon devoir m'ordonne de chanter.*

L'inspiration poétique lui est-elle définitivement revenue à la mort du gentil Gronski ? Pourvu que les absurdités de la politique ne coupent pas cet élan ! Plus inquiète pour l'avenir de son travail littéraire que pour l'avenir de l'Europe, elle écrit à Véra Bounine : « Les événements, les guerres, les Hitler, les Herriot, les Balbo, les Rossi, etc... etc... Voilà ce qui pique les gens au vif ; le journal me fait périr d'ennui. »

Refusant de prêter l'oreille à la cacophonie d'un

monde devenu fou, elle étend cette indifférence souveraine à la conduite de son mari. Il disparaît de la maison des journées entières, fréquente assidûment les bureaux de l'« Union pour le Retour dans la Patrie » et ne se plaint plus de manquer d'argent. De là à supposer qu'il est rétribué pour une besogne inavouable, il n'y a qu'un pas, mais Marina, dans sa candeur, se refuse à le franchir. À son avis, Serge se fait peut-être payer pour quelques menus services rendus, à droite et à gauche, dans l'émigration, et c'est tout ! Elle est plus préoccupée par l'attitude d'Alia, qui, insensiblement, se détache d'elle et ne manque pas une occasion d'affirmer son indépendance. Bourrelée de prémonitions alarmantes, Marina écrit même, le 22 novembre 1934, à Véra Bounine : « Mes rapports avec Alia se sont, comme vous le savez, détériorés ces dernières années [...]. Elle ne cesse de me contrarier et de s'enfermer dans le silence. [...] Son père la soutient en tout, lui donne toujours raison et c'est moi qui parais fautive. [...] Elle est paresseuse, insolente, répugne à tout travail et passe son temps à courir d'un ami à l'autre [...]. Chaque soir, elle me quitte pour rencontrer des gens, aller au cinéma, participer à des discussions, elle va n'importe où ; son seul but est de ne rentrer à la maison qu'à une heure du matin. Ensuite elle a du mal à se lever et traîne toute la journée, somnolente, coléreuse et arrogante. »

Il est vrai qu'Alia se débat en vain pour respirer dans le sillage de cette mère « volcanique ». Ayant atteint sa majorité, elle exige de vivre seule. Le 2 février 1935, elle s'oppose gravement à Marina dans une dernière dispute et, avec la lâche approbation de son père, quitte le domicile familial pour aller s'installer ailleurs.

Privée de son enfant, Marina se sent à la fois soulagée et punie. Elle se juge coupable de n'avoir pas su comprendre Alia et reconnaît qu'elle n'est pas de taille à lutter contre la coalition d'un père et d'une fille qui lui sont devenus aussi étrangers que s'ils avaient gagné subrepticement une zone de no man's land où elle n'a pas accès. Puis, peu à peu, elle est reprise par le train-train banal de son existence. On s'organise tant bien que mal parmi les vestiges d'un passé heureux. On songe même — pourquoi pas ? — à prendre des vacances dans le Midi, comme de bons bourgeois français.

Les préparatifs du départ sont retardés par l'annonce d'un rendez-vous politico-littéraire francorusse, à Paris, qui accapare aussitôt l'attention de Marina. À l'instigation des communistes français, un Congrès international doit réunir, en juin 1935, tous les écrivains hostiles au fascisme. Barbusse, Aragon, Malraux sont les promoteurs, pour la France, de ce colloque grandiose. Sur l'ordre de Staline, l'U.R.S.S. envoie une délégation non moins brillante, dont fait partie Boris Pasternak. Marina, qui ne l'a pas revu depuis des années, espère, avec un tremblement, que ces retrouvailles donneront un nouvel essor à leur amitié sinon à leur amour. Elle se rend en métro, avec Serge et Ariadna, à une séance du Congrès international qui se tient au Palais de la Mutualité. Mais, en apercevant Pasternak dans le couloir, elle ne ressent pas le choc émotionnel escompté. Ce n'est plus lui, ce n'est plus elle qui se tiennent face à face et cherchent des mots d'affection alors qu'ils n'ont rien à se dire. Une foule indiscrète les entoure. Il y a là, entre autres, Éluard, Aragon, Gide, Guéhenno, Elsa Triolet. Pasternak balbutie quelques phrases conventionnelles et jette, çà et là, des regards de gibier traqué. Tout de même, au cours de ce bref et banal entretien, Marina a le temps de lui glisser son souhait de retourner en Russie, car, ici, personne ne l'aime et ne la lit. Pour n'être pas en reste, il lui confesse que, s'il est venu au Congrès des Écrivains, lui qui déteste toutes les manifestations de ce genre, c'est qu'il y a été contraint par sa position en Union soviétique. « Je n'ai pas osé refuser, dit-il ; c'est le secrétaire de Staline lui-même qui m'a remis l'invitation. J'ai eu peur [1]. » Ce dernier aveu finit de détruire le prestige de Pasternak aux yeux de Marina. En outre, après la séance triomphale du Congrès, il la prie de l'accompagner dans un magasin et d'essayer devant lui une robe dont il voudrait faire cadeau à sa femme restée en Russie. Marina doit prendre sur elle pour ne pas éclater en sanglots. Envahie par un sentiment de faillite et de trahison, elle change de sujet et interroge Pasternak sur sa vie en Russie soviétique. Immédiatement, il détourne la tête et mur-

---

1. Marc Slonim : *À propos de Marina Tsvetaeva.*

mure : « Marina, n'y va pas ! À Moscou, il fait froid. C'est plein de courants d'air ! » Renseignée au-delà de son appréhension, Marina rentre chez elle et avoue à Anna Teskova : « Ma rencontre avec Pasternak a été une non-rencontre. »

Quand Pasternak repart avec la délégation soviétique, Marina est presque délivrée. Pour se consoler de ce ratage, elle revient à son projet de vacances dans le Midi. Grâce aux gains supplémentaires de Serge, elle a enfin de quoi se payer un peu de bon temps. Dès le début de juillet, elle se transporte, avec Mour, au Lavandou, au bord de la Méditerranée, dans la villa *La Favière*, sorte de pension russe pour émigrés désargentés. Mais elle est insensible à la grâce radieuse du paysage. Ce décor de carte postale lui fait regretter la plate, morne et sévère Russie. « Je n'ai pas besoin de cette beauté, de toute cette beauté, écrit-elle le 12 juillet 1935 à Anna Teskova. La mer, la montagne, les mimosas en fleurs... Un arbre de l'autre côté de la route me suffit... Une telle beauté me force à un enthousiasme ininterrompu... Cette éternelle beauté m'accable. Je n'ai rien à lui donner en échange. J'ai toujours été attirée par la modestie des choses : des endroits simples, déserts, qui ne plaisent à personne, qui me font confiance pour que je les chante et qui, je le sens, m'aiment. Aimer la Côte d'Azur, c'est la même chose que d'aimer un héritier du trône âgé de vingt ans. Cela ne me viendrait pas à l'esprit ! »

Comme elle ne sait pas nager et qu'elle a peur

de l'eau, elle se contente d'accompagner son fils à la plage. Il vient d'être opéré de l'appendicite et n'est pas encore solide sur ses jambes. Assise à l'ombre d'un parasol — car elle déteste les expositions prolongées au soleil — elle ne quitte pas Mour des yeux. Même dans la rue ou à la maison, elle épie ses moindres gestes, s'inquiète de ses moindres soupirs. Elle était moins attentive, jadis, au comportement d'Ariadna. À *La Favière*, les autres pensionnaires dévisagent Tsvetaeva avec méfiance. Qui est-elle au juste ? Que vient-elle faire ici ? On dit que sa littérature sent le soufre. Est-il vrai que son mari est « un Rouge » déguisé ? Cette hostilité silencieuse agace Marina. Si encore elle pouvait écrire à sa guise ! Mais il n'y a même pas de table dans sa chambre. Elle doit utiliser celle de la cuisine, à la sauvette, pour griffonner quelques vers ou quelques lignes de prose. Souvent, elle est prise de panique devant le peu de temps qui lui reste pour terminer des manuscrits en souffrance. « Et si je mourais ? confie-t-elle à Véra Bounine. Que resterait-il de toutes ces années (quel aurait été le sens de ma vie ?). J'ai aussi une autre frayeur : et si, tout à coup, je n'étais plus capable *d'achever* une œuvre, de la boucler ? Et si, tout à coup, j'étais condamnée à n'écrire que des bribes ?... Depuis quelques années, je suis devenue plus exigeante pour les sons que pour le sens. Véra, il m'arrive de chercher un adjectif toute une journée, rien qu'un seul mot, et je ne le trouve pas. J'ai peur de finir comme Schumann, qui, tout à coup, s'est mis à entendre (jour et nuit) dans sa tête, sous son crâne, le son des trompettes en *ut* bémol. »

Cependant, sur les instances de Mour, elle se décide enfin à entrer dans l'eau. Une bouée gonflable la maintient à la surface. Ce barbotage quotidien la réconcilie avec la Côte d'Azur. Elle n'en a pas moins hâte de retrouver la solitude studieuse de Vanves, ses manuscrits, ses habitudes, son mari, sa fille, devenus si distants, si absents. Dès son retour 33 rue Jean-Baptiste-Potin, elle constate que ses rapports avec Serge et Ariadna se sont encore distendus. Le père et la fille sont unis dans une même complicité, dans une même idée fixe : le départ pour l'U.R.S.S. Bon, c'est leur affaire ! se dit Marina. Mais doit-elle les suivre ou demeurer en France avec Mour, qui, lui aussi maintenant, rue dans les brancards ? Ballottée entre deux solutions extrêmes, elle écrit à Anna Teskova : « Ici, des menaces de guerre et de révolution, de toute façon des catastrophes. Je ne veux pas vivre toute seule ici. L'émigration ne m'aime pas. *Les Dernières Nouvelles* m'ont évincée et ne me publient plus jamais. Les dames patronnesses de Paris me détestent à cause de ma manière de vivre indépendante. Enfin, Mour, ici, n'a plus aucune perspective d'avenir. Je les connais bien, tous ces jeunes de vingt ans, ils sont dans une impasse. À Moscou, il y a ma sœur Assia [Anastasie] qui m'aime. J'ai aussi, là-bas, tout un groupe de véritables écrivains et non des laissés-pour-compte (ici, les écrivains russes ne m'aiment pas et ne me considèrent pas comme une des leurs), et puis, il y a la nature, l'espace... Voilà les arguments en faveur [de la Russie]. Par contre, Moscou est devenu un New York, un New York idéologique (des étendues d'asphalte, des haut-parleurs, des affiches colossales)... Mais je ne dis pas le plus important ; Mour va être aussitôt enlevé, corps et âme, par ce Moscou-là. Ensuite, il y a surtout moi, avec ma *Furchtlosigkeit* [mon audace]. Je ne sais pas me taire, je suis incapable de signer une adresse de bienvenue au grand Staline puisque ce n'est pas moi qui l'ai appelé grand, et même s'il l'était, ce ne serait pas *ma* grandeur ; et aussi, sans doute, parce que — et c'est le plus important — toute Église officielle et triomphante me fait horreur. »

Quelques jours plus tard, elle complète, pour Anna Teskova, cette analyse d'une situation qu'elle juge désespérée : « Je vis sous un nuage menaçant, celui de mon départ. [...] Je sens que ma vie se brise en deux et que j'en entame la seconde partie [...]. Je me fais tant de soucis pour mes manuscrits ! Que vont-ils devenir ? Je ne peux emporter que la moitié d'entre eux. [...] Je ne peux plus retenir Serge Iakov-lévitch ici plus longtemps, d'ailleurs je ne le retiens pas. Il refuse de partir sans moi. Il attend quelque chose (que j'y voie clair !), il ne comprend pas que telle je suis, telle je mourrai. [...] Il ne veut pas être responsable de ma décision, il attend que je la prenne moi-même, que je brûle mes vaisseaux[1]. » Paralysée par une hésitation prohibitive, Marina

---

1. Lettres du 15 février et du 29 mars 1935.

gagne du temps en rédigeant un essai sur l'écrivain Kouzmine, récemment décédé, et en acceptant de lire, à une réunion littéraire chez des amis, les Lebedev, ses propres vers sur le destin tragique de la famille impériale. On l'écoute dans un silence poli. Devinant qu'elle est victime d'un ostracisme persistant, Marina demande à Slonim, à la fin de la soirée, si, au temps où il possédait une revue, il aurait osé y publier intégralement le poème qu'il vient d'entendre. Il lui répond qu'il l'aurait fait certes, mais contre le sentiment du comité de rédaction, parce que, de toute évidence, cette œuvre exprime des sentiments d'extrême droite qui ne sont plus de saison. À ces mots, Marina hausse les épaules : « Tout le monde sait très bien que je ne suis pas une monarchiste et que Serge Iakovlévitch et moi-même nous sommes maintenant taxés de communisme ! » Cette remarque ironique jette un froid parmi les invités et Marina se retire, tête haute, avec l'impression d'avoir augmenté, par maladresse ou impertinence, le nombre de ses ennemis.

Le 15 février 1936, elle participe bénévolement à une lecture publique au bénéfice des poètes de l'émigration, et, le lendemain, sans se soucier des conséquences de sa décision, elle prête son concours à une soirée littéraire organisée par les partisans de l'« Union pour le Retour dans la Patrie ». Cette dernière soirée se déroule dans un appartement situé 12 rue de Buci, dont la location est assurée par l'ambassade d'U.R.S.S. à Paris. En agissant ainsi, Marina a conscience de soutenir

Serge dans son entreprise de conversion politique des émigrés. Elle l'excuse en se disant que son passé de volontaire blanc l'autorise à se rapprocher des Rouges et que le peu d'argent qu'il touche, peut-être, pour son zèle de rassembleur, n'est pas le prix d'une vile trahison mais d'une réconciliation raisonnable. Cependant, la masse de la diaspora russe en France reproche de plus en plus ouvertement au couple Tsvetaev un double jeu dont Marina refuse de convenir.

D'autres lectures publiques, que Marina fait en Belgique à la demande de Zénaïde Schakhovskoy, soulèvent moins de réticences dans l'auditoire. Il s'agit, cette fois, de ses œuvres en prose, dont certaines en français. Sa participation est correctement payée par les organisateurs. Grâce à cette manne, elle peut acheter des vêtements à Mour qui n'a plus rien à se mettre. Il faut qu'il soit bien nippé pour paraître à son avantage devant ses « compatriotes » soviétiques.

En rentrant de sa tournée belge, Marina emmène son fils pour un séjour de plusieurs semaines à Moret-sur-Loing. Talonnée par l'idée de la séparation qui les attend, elle voudrait profiter de chaque instant pour le cajoler, le palper, le respirer. Jamais elle n'a été aussi mère. Mais il suffit d'une étincelle pour qu'elle redevienne une amoureuse. Sans le savoir, elle guette, depuis des mois, l'occasion de se renflammer. Ayant reçu, à Moret-sur-Loing, la lettre d'un jeune poète russe, Anatole Steiger, qui soigne sa tuberculose au sanatorium de Saint-Laurent, en Suisse, elle s'exalte à la pensée du bonheur qu'elle pourrait apporter à ce malade inconnu. Après avoir lu la plaquette de vers qu'il lui a envoyée en hommage, elle se persuade qu'il a du génie et qu'elle doit, en tant que consœur et femme d'expérience, voler à son secours. Dans une missive délirante, elle lui propose un amour tout maternel et un appui désintéressé au seuil d'une carrière semée d'embûches. La conscience d'être de nouveau utile à quelqu'un le lui rend irremplaçable. Elle écrit chaque jour à son charmant disciple pour lui redonner le goût de la vie. « Que vous le vouliez ou non, lui annonce-t-elle le 29 juillet 1936, je vous ai déjà pris en moi, là où je mets tout ce que j'aime, sans même l'avoir regardé ; je le regarde une fois qu'il est *en moi*. Vous êtes ma propriété comme les ruines de ce viaduc romain sont la proie de l'aube qui l'inonde parfaitement et éternellement, tellement mieux que le Loing dans lequel je me mire ! » Elle ira jusqu'à lui déclarer : « Quelquefois, je pense que vous êtes moi. » Et elle lui dédie son *Poème à l'Orphelin* :

> *Enfin je l'ai rencontré,*
> *Celui que je cherchais,*
> *Celui qui avait de moi*
> *Un mortel besoin ! [...]*
> *Pour m'avoir tendu*
> *Ta paume blessée,*
> *Pour cette main,*
> *Je me serais jetée au feu !*

Et encore :

De même qu'en regardant le ciel bleu
On peut s'exclamer : Il y aura de l'orage !
De même, devant un inconnu qu'on voit en passant,
On peut s'écrier : Il y aura de l'amour !

Comme tant d'autres avant lui, Anatole Steiger est effrayé par cette passion volumineuse. Il croyait s'abreuver à une source de fraîcheur et c'est l'eau bouillante d'un geyser qui lui saute au visage. Trop faible pour affronter le tempérament éruptif de Marina, il bat en retraite. Lorsqu'elle lui annonce qu'elle a l'intention de se rendre en Suisse pour le voir, il met fin à sa correspondance avec elle sans explication. Vexée, elle lui écrit une dernière lettre : « J'ai besoin de racines saines autant dans l'amitié que dans le travail. L'amitié et la condescendance, c'est tout simplement de la compassion et de l'humiliation. Je ne suis pas Dieu pour condescendre. J'ai besoin moi-même d'avoir quelqu'un au-dessus de moi ou qui du moins soit égal à moi. De quelle égalité s'agit-il ? Il n'y en a qu'une : *l'égalité dans l'effort*. Peu m'importe dans quelle proportion. Il m'est indifférent de savoir quel poids vous pouvez soulever, ce qui est important, c'est de savoir l'effort dont vous êtes capable. L'effort, c'est le désir. Si vous ne possédez pas ce désir en vous, alors nous n'avons rien à faire ensemble. »

Ainsi, d'un jour à l'autre, au débordement de la femme amoureuse succède l'admonestation de la gouvernante offensée. Dans les deux rôles, Marina est à l'aise. Même lorsqu'il s'agissait de ses proches, tantôt elle les cajolait, tantôt elle les rappelait à l'ordre. Pour son amie Anna Teskova, elle dresse le bilan de cette nouvelle faillite amoureuse : « J'ai cru que quelqu'un avait autant besoin de moi que de pain. Il s'est révélé qu'il n'avait pas besoin de pain mais d'un cendrier plein de mégots. C'est triste, bête, dommage ! » Déçue dans ses amours, elle est de plus en plus désarmée devant l'obstination de son mari et de sa fille à déserter la France. Plus le temps passe, et moins elle se sent en mesure de contrecarrer leur intention. Chaque jour, en pensée, elle pèse le pour et le contre, et, chaque jour, le dilemme lui paraît plus insoluble, plus tragique. « En Russie, je suis un poète sans livres, ici, un poète sans lecteurs », affirmait-elle déjà en février 1928. Trois ans plus tard, elle enfonçait le clou : « Tout me pousse vers la Russie où je ne peux plus aller. Ici, je suis *inutile*, là-bas je suis *impossible*. » Par moments, elle croit avoir trouvé le moyen de résoudre la quadrature du cercle. Lors de l'exploit des marins du bateau *Tchéliouskine*, parti pour une expédition polaire et pris dans l'étau des glaces, en 1934, une flambée de patriotisme lui fait écrire :

> *Vive l'Union soviétique !*
> *Je tiens à vous par tous mes muscles ;*
> *Et je suis fière de vous ;*
> *Les hommes du* Tchéliouskine *sont russes !*

Non contente de défier tous les émigrés dans ces vers glorifiants, elle précise, à l'intention d'un correspondant sceptique : « Maintenant que j'ai écrit ce poème — ce n'est pas moi qui l'ai écrit, il s'est écrit tout seul ! — je pense avec délectation à la façon dont je vais le lire ici. » Comme elle s'y attendait, tout le monde lui en veut de son enthousiasme. Et elle ne peut ni donner tort à ceux qui lui reprochent ses sympathies soviétiques, ni renoncer à critiquer la prudence bourgeoise de ceux qui tremblent pour leur peau et leur confort au lieu de larguer joyeusement les amarres. Le va-et-vient de ses idées finit par lui donner le tournis. Elle souhaite que des événements extérieurs la dispensent de choisir sa route. Pile ou face ? Vivre et mourir en France à petit feu ou en Russie sur un brasier ?

Vers la même époque, elle trace ces lignes désespérées dans son cahier de brouillon : « Si on me donnait à choisir entre l'éventualité de ne jamais revoir la Russie et celle de ne jamais revoir mes cahiers de brouillon, je n'hésiterais pas. De toute évidence, je dirais que la Russie peut se passer de moi, alors que mes cahiers de brouillon en sont incapables. De même, je peux me passer de la Russie, mais pas de mes cahiers [...]. Tout pour moi prend un sens et prend vie uniquement dans ces cahiers. »

Cependant, au sein de l'émigration, l'indignation grandit contre l'U.R.S.S. qui, à présent, ose traquer les ennemis du régime au nez et à la barbe du gouvernement français. Après l'enlèvement, le 26 janvier 1930, du général Koutiépov, en plein cœur de

Paris, par les hommes de la Tchéka, on chuchote
que le général Miller, son successeur à la tête de
la Confédération des Anciens Combattants russes,
serait, lui aussi, menacé. Les réfugiés, qui se
croyaient à l'abri sur le territoire français, s'inquiètent de l'indulgence du gouvernement de
gauche, présidé par Léon Blum, envers une
U.R.S.S. toujours plus active et plus insolente.
Tout semble encourager les proscrits d'hier à
retourner chez eux. Prenant sa mère et son père
de vitesse, Ariadna demande un visa pour l'Union
soviétique. Elle a eu de nombreuses conversations
avec son père à ce sujet. Tout en se plaignant
devant elle, à voix basse, d'être engluée dans ses
rapports avec l'U.R.S.S. « comme une mouche
dans sa toile d'araignée », il lui conseille de n'écouter que son patriotisme et de filer à Moscou. Mais
il ne faut pas, dit-il, qu'elle parle de leurs discussions à Marina. Ariadna promet. D'ailleurs, elle n'a
plus guère de contacts avec sa mère. Tant de
choses les séparent : leurs goûts, leurs convictions,
leur âge... Ariadna ayant trouvé un poste d'assis-
tante dans le cabinet d'un dentiste, Marina voudrait l'empêcher de travailler « à l'extérieur ». « Elle
avait besoin en permanence de mon aide à domicile, écrira Ariadna dans ses *Souvenirs*, et elle me
dit de choisir entre mon activité et la maison. "Si
tu choisis le travail, tout sera fini entre nous ! — Je
choisis le travail" », répondit Ariadna du tac au tac.
Cette première manifestation d'indépendance
incite Ariadna à aller plus loin encore. Elle ne sera

une femme libre que lorsqu'elle aura mis une vraie frontière entre elle et ses parents. Forte de l'approbation de son père, elle hâte les préparatifs. Marina n'a même plus le courage de la raisonner. Sur le point de tout casser dans la famille, cette jeune fille de vingt-cinq ans arbore un visage radieux, comme à la veille d'un voyage de noces. Ses derniers jours à Paris sont consacrés à des emplettes de coquetterie. Elle a embelli. Son père qui, mystérieusement, a pu mettre quelque argent de côté, lui offre, pour le voyage, une robe neuve, une pelisse, des bottes fourrées, une toque, une malle-armoire, des bouteilles thermos, et une marmite norvégienne. De quoi faciliter le retour de l'enfant prodigue en U.R.S.S. Elle part le 15 mars 1937.

Marina ne sait plus si elle doit admirer sa fille pour sa détermination ou craindre qu'elle ne se soit fourvoyée en s'aventurant dans le cloaque soviétique. Les premières lettres qu'elle reçoit d'Ariadna la rassurent : la jeune fille habite chez sa tante, Élisabeth Efron, apprend l'anglais et espère trouver un travail bien rémunéré. Mais elle annonce aussi à sa mère la mort, à Moscou, de l'actrice Sophie Holliday. La nouvelle bouleverse Marina qui se souvient de son amour pour Sonetchka, cette petite comédienne primesautière, fraîche et excentrique. Elle lui consacre un long récit en prose, qui ressuscite avec brio l'image d'une enfant de la balle aussi prompte à rire qu'à pleurer.

Cette dette de reconnaissance acquittée envers une ombre chère, Marina part se reposer, avec

Mour, au bord de l'Atlantique à Lacanau, en Gironde. C'est l'époque bénie des premiers « congés payés » en France. Comment ne pas suivre le mouvement, même quand on n'est pas un salarié ordinaire ? Cependant, Serge s'obstine à ne pas vouloir quitter Paris. Il y est retenu, dit-il, par des affaires de la plus haute importance. Quelles affaires ? Marina préfère n'y pas penser, fermer les yeux, se boucher les oreilles. Or, cet été-là, son mari, qui a été recruté et appointé par les agents secrets soviétiques, est chargé de préparer, avec un groupe de spécialistes des coups de main, la liquidation d'un certain Ignace Reiss, de son vrai nom Porecki, un espion au service de Moscou, coupable d'avoir trahi la confiance de Staline. La chasse à l'homme s'organise. Reiss se cacherait en Suisse, non loin de Lausanne. On lui fixe un rendez-vous. C'est un guet-apens. Sans que Serge ait participé directement à l'affaire, le corps de Reiss est découvert le 5 septembre 1937, criblé de balles, sur la route de Pully. Une enquête est déclenchée simultanément en France et en Suisse. Dès les premières constatations, le cadavre est identifié et la thèse du meurtre politique retenue comme seule plausible. Tous les journaux condamnent l'U.R.S.S. qui, au mépris des lois internationales, opère sur le territoire d'un pays souverain. Mais déjà, un autre scandale secoue l'opinion publique. Le 22 septembre de la même année, le général Miller, chef de la Confédération des Anciens Combattants russes, disparaît en plein Paris, capturé par les sbires de Moscou, comme son prédécesseur, le général Koutiépov. Soupçonné d'avoir fomenté le complot, le général Skobline, adjoint de Miller, prend la fuite. Sa femme, la chanteuse Plevitskaïa, est arrêtée pour complicité. Toutes les recherches entreprises pour retrouver Miller restent vaines, comme elles le furent pour Koutiépov. Les Soviets sont passés maîtres dans l'art du rapt et de l'assassinat politiques. Quant à l'affaire Reiss, elle suit son cours. Les investigations de la police française s'orientent maintenant vers les dirigeants de l'Union pour le Retour dans la Patrie. Une perquisition a lieu au siège de l'association, 12 rue de Buci, le 22 octobre 1937. Entre-temps, craignant d'être arrêté, Serge a déguerpi, abandonnant femme et enfant. La version officielle affirme qu'il a passé la frontière pour s'engager dans l'armée nationale espagnole. En fait, il a rejoint Le Havre dans un taxi conduit par un compatriote et s'est embarqué clandestinement sur un cargo soviétique. Lorsque les policiers se rendent à Vanves pour interroger le suspect, ils ne trouvent devant eux que Marina Tsvetaeva, effondrée. Elle refuse de croire à la culpabilité, à la duplicité d'un être aussi droit et loyal que son mari. Emmenée à la préfecture de Police, harcelée de questions, elle répète qu'elle n'était au courant de rien. Ses explications véhémentes étourdissent les policiers. Elle leur rebat les oreilles de citations approximatives de Corneille, de Racine et d'elle-même, et conclut en réhabilitant Serge d'une phrase lapidaire : « Sa bonne foi a pu être abusée, la mienne en lui reste entière. » Sans doute son air de sincérité et d'égarement a-t-il convaincu les enquêteurs, car elle est relâchée.

De retour chez elle, bien que défaillante de honte, de peur et de colère, elle ne veut pas se laisser abattre. Au journaliste du quotidien russe de l'émigration *Les Dernières Nouvelles*, qui l'interroge sur ses démêlés avec les autorités françaises, elle répond avec assurance : « Mon mari ayant décidé de quitter notre appartement de Vanves m'a déclaré qu'il se rendait en Espagne. Depuis, je n'ai aucune nouvelle de sa part. Ses sympathies prosoviétiques m'étaient connues, comme elles l'étaient de tout son entourage ; en ce qui concerne les affaires de l'Espagne, je savais que l'"Union pour le Retour dans la Patrie" avait envoyé là-bas un grand nombre de volontaires. Le 22 octobre, à sept heures du matin, quatre inspecteurs de police se sont présentés chez moi et ont longuement perquisitionné dans les lieux, saisissant divers papiers et des lettres personnelles. Après quoi, j'ai été convoquée à la Sûreté nationale, où l'on m'a interrogée pendant des heures. Je n'ai rien pu leur apprendre de nouveau sur mon mari. »

Cependant, la résistance de Marina a des limites. Devant Marc Slonim, qui la rencontre peu après, elle fond en larmes et murmure : «J'aurais voulu mourir, mais je dois vivre pour Mour. Je ne suis plus utile à Alia [Ariadna] ni à Serguéï Iakovlévitch [Serge]. » Et Nina Berberova, l'ayant aperçue, le 31 octobre 1937, lors d'un service religieux à la mémoire du prince Serge Mikhaïlovitch Volkonski, note dans ses Souvenirs qu'à la sortie de l'église Marina se tenait, les bras croisés, seule sur le trottoir, et que nul ne cherchait à l'approcher : « Elle nous regardait, les yeux pleins de larmes. Elle avait vieilli et ses cheveux étaient presque gris. Cela se passait peu de temps après le meurtre d'Ignace [Reiss], auquel son mari, Serge Efron, avait été mêlé. On aurait dit une pestiférée. Personne ne venait à elle. Et moi aussi je suis passée à côté d'elle, comme les autres, sans rien lui dire. [...] Nous étions nombreux, à cette époque-là, à nous demander ce qui nous empêchait, nous aussi, de reconnaître le régime soviétique[1]. »

L'accusation portée contre Serge, son départ précipité pour l'U.R.S.S., le manque de nouvelles où il laisse sa femme depuis qu'il l'a quittée, auraient pu détacher Marina d'un mari sans scrupule et sans courage. Or, c'est exactement le contraire qui se produit. La catastrophe survenue dans la vie de Serge le lui rend plus cher encore. Selon son habitude, elle considère qu'on n'abandonne pas quelqu'un dans le malheur. Pour elle, les vaincus sont toujours plus estimables que les vainqueurs. Elle n'a plus rien à faire à Paris, du moment qu'« il » est en Russie et que, de toute évidence, il a besoin d'elle. D'ailleurs, Mour la tire par la manche pour l'entraîner là-bas. Il ne peut avoir tort, puisqu'il est la jeunesse et que l'U.R.S.S. se

---

1. Nina Berberova : *C'est moi qui souligne.*

présente justement comme le pays de la jeunesse et du renouveau. Le propre de Marina a toujours été de penser aux autres plutôt qu'à elle-même. Elle qui a tant de fois nagé à contre-courant, la voici prête à suivre le mouvement du grand nombre. Mais, d'abord, il lui faut trier et classer ses manuscrits, détruire les lettres inutiles et, surtout, entreprendre des démarches pour obtenir un passeport soviétique. Dans le petit appartement de la rue Jean-Baptiste-Potin, entre deux corvées de lessive, de repassage, de cuisine, elle suffoque de tristesse en remuant tous ces papiers, témoins d'un long exil, et se demande encore, sans oser le dire à Mour qui l'observe d'un œil narquois, si elle a raison de préférer l'aventure russe à la paix française.

C'est avec une angoisse prémonitoire qu'elle salue la naissance de l'année 1938. Dès les premiers mois, ses appréhensions se confirment. Le 12 mars, le chancelier Schuschnigg ayant été contraint de démissionner, les troupes allemandes pénètrent en Autriche où elles sont accueillies fraternellement ; Mussolini, à Rome, approuve la réunification des deux pays germaniques en un « Grand Reich », et Vienne pavoise pour fêter sa « libération ». Dans le même temps, à Moscou, le procès entamé contre « les droitiers et les trotskistes » se termine par la condamnation à mort de quelques vétérans du mouvement révolutionnaire, parmi lesquels Boukharine, Rykov et Krestenski. Ils sont exécutés sur-le-champ. Les chacals se dévorent entre eux. Staline triomphe. Malgré un regain d'inquiétude, Marina estime que ces péripéties ne doivent pas remettre en cause sa décision de partir, avec Mour, pour une nouvelle vie sur la terre natale réensemencée par le bolchevisme.

XV

RETOUR DANS LA MÈRE PATRIE

Hitler est insatiable. Après avoir avalé l'Autriche, il s'en prend à la Tchécoslovaquie et soutient les revendications des minorités germaniques de Bohême qui, prétendument, demandent à être libérées. Devant la menace d'une invasion du pays sous le prétexte d'y rétablir l'ordre, le gouvernement de Prague décrète, le 21 mai 1938, une mobilisation partielle et ferme ses frontières. La guerre paraît inévitable. Quel que soit l'héroïsme du peuple tchécoslovaque, pourra-t-il résister à l'assaut des troupes allemandes surarmées et fanatisées ? La force du Führer lui vient autant de la confiance aveugle dont l'entourent ses sujets que de la faiblesse des autres États, trop soucieux de modération et de légalité pour lui tenir tête. Marina pense avec angoisse au sort de cette petite nation, paisible, cordiale, civilisée, qui l'a accueillie et réchauffée jadis, alors qu'elle ne savait plus où aller. Elle compte tant d'amis là-bas ! Subitement, il lui semble que c'est sa patrie à elle qui est en danger de mort. Comment la douce, la raisonnable Anna Teskova supporte-t-elle, à Prague, l'horrible montée des périls ? Dans un élan de compassion et d'indignation, Marina lui écrit : « Pour moi, la Tchécoslovaquie est une âme libre qu'aucune force ne pourra jamais vaincre. Je considère la Tchécoslovaquie comme mon pays, je me sens responsable de tous ses actes et j'y souscris d'avance. Quelle terrible époque ! »

Elle voudrait ne penser qu'aux événements internationaux, mais il lui faut, en même temps, régler de fastidieux problèmes de logement et d'organisation de vie. Des voisins malveillants, les difficultés scolaires de Mour, la nécessité de réduire les dépenses l'obligent à déménager. Mais, cette fois, il ne peut s'agir que d'un domicile provisoire, en attendant le départ pour Moscou. Qui lui a recommandé le minable hôtel Innova, boulevard Pasteur, dans le XVᵉ arrondissement de Paris ? Peut-être un employé de l'ambassade soviétique ? Installée dans une chambre au confort sommaire, elle continue de suivre, à la radio et dans les gazettes, les étapes du drame tchécoslovaque. Le chantage cynique de l'Allemagne se poursuit inexorablement, en dépit des efforts du président Benès pour s'y opposer. Après l'échec des négociations et l'annonce d'un ultimatum allemand au gouvernement de Prague, l'Angleterre et la France entrent dans le jeu des marchandages diplomatiques. Le 24 septembre, Marina écrit encore à Anna Teskova : « Jour et nuit, nuit et jour, je pense à la Tchécoslovaquie ; je vis en elle et d'elle ; je la sens au-dedans de moi, ses forêts, son cœur. La Tchécoslovaquie est, en ce moment, un immense cœur humain, qui ne bat que pour une seule chose, pour la même chose que bat le mien... Jusqu'à la dernière minute, je mets mon espoir... dans la Russie : elle ne permettra pas que la Tchécoslovaquie soit dévorée. »

À peine a-t-elle expédié cette lettre qu'elle apprend la signature, à Munich, entre l'Allemagne, la France et l'Angleterre, avec la bénédiction de l'Italie, d'un accord conforme aux revendications d'Hitler. Aux termes de ce compromis, la Tchécoslovaquie cède à l'Allemagne la région frontalière des Sudètes. Cette capitulation honteuse des pays occidentaux devant les gesticulations et les vociférations du Führer afflige Marina comme la trahison d'un proche. Elle s'étonne de constater qu'autour d'elle les Français, et même les émigrés, ont l'air de se réjouir de ce semblant de paix acheté par un vrai déshonneur. On loue le sang-froid et l'habileté de Daladier et de Chamberlain qui, l'un pour la France, l'autre pour l'Angleterre, ont su éviter une effusion de sang moyennant quelques concessions « secondaires » sur le dos de la Tchécoslovaquie. Tandis que la majorité des Parisiens respire et tente de se persuader que l'appétit d'Hitler est définitivement apaisé, Marina se délivre de son indignation par les *Poèmes sur la Tchécoslovaquie.* Dans une cascade de vers admirables, elle adjure le peuple tchèque de garder foi en l'avenir de la patrie :

Marina Tsvetaeva

Bohême divine !
Ne te couche pas à plat ventre.
Dieu t'a beaucoup donné,
Il te donnera beaucoup encore. [...]
Tes fils ont levé la main
Et ont prêté serment
De mourir pour la patrie
De tous ceux qui n'ont pas de patrie.

Elle insulte l'Allemagne, impitoyable :

Devant la tristesse immense
De cette petite nation,
Que peuvent ressentir les Allemands,
Les fils de la nation germanique ?

Plus tard, elle renforcera son invective :

Ils ont pris vite et ils ont pris largement,
Ils ont pris les montagnes et ils ont pris les gouffres,
Ils ont pris le charbon et ils ont pris l'acier,
Ils ont pris le plomb et ils ont pris le cristal. [...]
Ils ont pris les fusils, ils ont pris les cartouches,
Ils ont pris les amitiés, ils ont ligoté les mains,
Mais, tant qu'il reste un crachat dans la bouche,
Tout le pays est armé.

Enfin, ce simple cri du cœur :

Ô vierge florissante
Parmi les collines vertes,
Allemagne,

278

Marina Tsvetaeva

Allemagne,
Allemagne,
Honte sur toi !

Dans les lettres qu'elle continue d'envoyer à Anna Teskova, elle se plaint de ne pouvoir la rejoindre à Prague pour partager son malheur, alors qu'à Paris elle est désœuvrée, inutile, et qu'elle noircit du papier par habitude sans savoir au juste si quelqu'un lira ses vers. Elle se résigne difficilement à l'idée que, sans doute, aucun de ses manuscrits ne pourra être conservé : « Je suis comme un coucou, je place mes enfants dans d'autres nids. Quant à créer de nouveau, ce serait en pure perte[1]. » Elle a peur qu'on ne lui « cloue le bec en Russie », et qu'on ne la laisse même pas écrire. Cependant, elle se dit qu'il n'est plus possible pour elle de reculer. Elle notait autrefois : « La Russie, en tant que vocable sonore, n'existe pas ; il y a des lettres, S.S.S.R. [c'est le sigle officiel, en russe, de l'appellation française : U.R.S.S.]. Je ne peux tout de même pas partir vers quelque chose de sourd, sans voyelles, dans une opacité sifflante. Je ne plaisante pas : rien que d'y penser le souffle me manque. » Elle a changé d'avis : « l'opacité sifflante » de l'U.R.S.S. lui semble préférable à l'agitation superficielle de la France. Ici, tout le monde vit pour l'accessoire. Même les émigrés. Ils ont été contaminés par l'exquise futilité française. D'ail-

---

1. Lettre du 26 décembre 1938.

leurs, elle n'a plus d'amis à Paris. Pour tous, elle est plus ou moins une excommuniée.

Un jour de décembre 1938, l'épouse de l'écrivain Georges Fedotov la surprend dans sa chambre à l'hôtel Innova. La visiteuse allait voir quelque autre locataire et s'est trompée de porte. En pénétrant chez Tsvetaeva, elle découvre, dit-elle, un extraordinaire capharnaüm où les manuscrits traînent par terre, parmi des ustensiles de cuisine et des paquets grossièrement ficelés. Marina est là, le regard inquiet, les bras ballants. Son fils Mour se tient auprès d'elle, lourdaud, brusque, à peine poli. La radio hurle sans qu'il paraisse s'en apercevoir. « Il n'a pas éteint la radio, écrit encore E.N. Fedotova à son mari, et il n'a même pas baissé le son. » Elle est consternée par le désordre, la misère et l'extravagance de cette femme, dont on raconte qu'elle a du génie mais qu'elle est « invivable ». Elle se rappelle le conseil que Pasternak a donné devant elle à Tsvetaeva, lors de leur rencontre au Congrès international des Écrivains : « Marina, ne va pas en Russie... À Moscou, il fait froid et c'est plein de courants d'air. » N'est-elle pas elle-même un « courant d'air » ? Lui prêcher la sagesse, la prudence, c'est l'inciter à tenter le diable. Et aujourd'hui, pour elle, le diable c'est Staline. À moins que ce ne soit Hitler !

En Allemagne, les persécutions contre les Juifs tournent au pogrom organisé. Hitler parle d'une « solution finale au problème des Juifs dans le grand Reich ». Le 15 mars 1939, les troupes allemandes envahissent, sans rencontrer de résistance, la Bohême et la Moravie. Devant ce coup de force, les chancelleries occidentales multiplient les contre-propositions, les offres de médiation et les courbettes. Rien n'y fait. Hitler ne lâche pas le morceau. Marina étouffe de colère. Le gouvernement de la France est au-dessous de tout ! Daladier ne fait pas le poids ! De nouveau, elle rêve de Napoléon. Vivement l'U.R.S.S. ! Là-bas, au moins, il y a un chef, redoutable certes, mais qui sait ce qu'il veut !

Enfin, les services de l'ambassade soviétique avertissent Marina Tsvetaeva que son visa est prêt. Elle en est à la fois heureuse et terrorisée. Ses amis ne cherchent même plus à la retenir. En raclant ses fonds de tiroirs et en tapant les rares admirateurs qui lui restent, elle a réuni un peu d'argent pour le voyage. Au début du mois de juin 1939, Marc Slonim invite Marina et Mour à dîner chez lui. Après le repas, elle lui lit son poème *L'Autobus,* une évocation à la fois satirique et désespérée de la vie citadine à la française, avec son absence de fêtes, ses soucis mesquins et l'approche de la vieillesse. Est-ce le dernier feu d'artifice du poète avant la lourde nuit soviétique ? Marc Slonim veut la rassurer et discute avec elle des possibilités de publier à Moscou ses œuvres parisiennes. Comme Marina refuse de croire à ses chances littéraires sous le règne de Staline, Mour, qui s'ennuie, grogne dans un bâillement : « Maman, vous êtes toujours en train de douter. Tout sera parfait ! » Marina répond avec philosophie : « L'écrivain se sent mieux là où on

281

l'empêche le moins d'écrire, c'est-à-dire de respirer ! » À minuit, Mour, qui tombe de sommeil, presse sa mère de s'en aller. Marc Slonim les raccompagne jusque sur le palier. Là, il enlace Marina, et la serre contre sa poitrine dans une étreinte qu'il voudrait sans fin. L'un et l'autre sont trop émus pour parler. Il la regarde refermer la porte de l'ascenseur, comme si elle rabattait sur elle le couvercle d'un cercueil.

De jour en jour, la pénurie s'aggrave dans le misérable logis de Marina. Le 13 mai 1939, elle note dans son Journal : « Les affaires vont mal : 80 centimes ! deux œufs, une côtelette [boulette de viande hachée], une poignée de riz. Et Mour a un appétit solide. Surtout pour la T.S.F. ! Visitez, achetez, achetez ! » Pourra-t-elle tenir jusqu'au bout dans ce pays d'accueil où tout n'est que complications, frivolités et dépenses ?

La date du grand départ est arrêtée depuis longtemps, ce sera le 12 juin 1939. Selon l'itinéraire prévu, Marina et son fils doivent se rendre, en train, de Paris au Havre, embarquer au Havre à destination d'un port en Pologne et, de là, voyager par le chemin de fer jusqu'à Moscou. Vingt ans plus tôt, au moment de la révolution bolchevique et alors que Serge allait passer du côté des Blancs, elle lui avait fait un serment : « Ce qui compte le plus, le plus, le plus, c'est vous, vous-même avec votre instinct d'autoextermination. Si Dieu accomplit le miracle de vous laisser en vie, je vous suivrai comme un chien. » Avant de quitter la France, elle

relit ces lignes dans son Journal et note en marge :
« Et voilà que j'y vais comme un chien ! » La veille
de son départ enfin, elle annonce à une amie,
Ariadna Berg : « Demain nous partons. J'écris cela
à l'aube. Mour dort encore. Moi, j'ai été réveillée
par le plus sûr des réveille-matin : le cœur. C'est
mon dernier jour à Paris. Je laisse à votre intention,
chez Marguerita Lebedev, mon icône [...] et un
ruban de l'ordre de Saint-Georges. Accrochez-le à
l'image sainte [...]. Nous partons sans que personne nous accompagne. Comme dit Mour : *Ni
fleurs, ni couronnes*[1]. »

Au jour fixé, une fois les valises bouclées et les
paquets rassemblés, la mère et le fils s'asseyent,
selon la vieille coutume russe, et se recueillent
quelques instants devant le coin où veille encore
provisoirement l'icône familiale. Puis ils se relèvent,
se signent, se souhaitent mutuellement bon voyage
et passent la porte sans se retourner. Quand ils arrivent gare Saint-Lazare, le train du Havre est déjà à
quai. À peine installée dans le wagon, Marina tire
de son sac une feuille de papier et écrit, sur ses
genoux, une lettre à Anna Teskova : « Voilà, dix-
sept années de ma vie qui sont passées [...]. Le
train vient juste de s'ébranler. Mour a fait provision
de journaux. On approche de Rouen, là où la
reconnaissance du peuple a fait périr Jeanne d'Arc
sur le bûcher. On a dépassé Rouen. Je vais attendre
des nouvelles de vous [...]. Je rêve de rencontrer

---

1. En français dans le texte.

cette vie dans la patrie de Mour, qui est encore plus ma patrie que la sienne. [...] Adieu ! ce n'est plus aussi pénible maintenant, c'est déjà le destin. Je vous embrasse ainsi que tous les vôtres, chacun séparément et tous ensemble. Je vous aime et je vous admire. J'ai foi en vous comme j'ai foi en moi-même. »

Cette lettre sera timbrée à la poste de la gare du Havre, le 12 juin 1939, à 16 h 30. En glissant l'enveloppe dans la boîte, Marina a dû songer, une dernière fois, à tous ces émigrés russes parmi lesquels elle a passé tant d'années et qui l'ont si mal comprise, si mal jugée, si mal aimée. Au vrai, ce que ses compatriotes n'ont pu lui pardonner, c'est moins, pense-t-elle, sa poésie trop violente, trop moderne, que son refus de maudire une Russie affublée des vêtements rouges de l'U.R.S.S. Mais elle sait, elle, que, derrière les vêtements, il y a la peau. Et c'est cette peau-là, cette peau russe, qu'elle espère retrouver sous les oripeaux de la mascarade soviétique.

XVI

DÉCOUVERTE DE L'U.R.S.S.

Dès leur arrivée au Havre, Marina Tsvetaeva et son fils embarquent sur le vapeur soviétique *Marina Oulianova*, à bord duquel s'entassent déjà de nombreux réfugiés russes impatients de retourner dans leur patrie et des républicains espagnols fuyant le régime de Franco. Pour les uns comme pour les autres, c'est l'aboutissement d'un angoissant débat de conscience. Durant toute la traversée, Marina s'abandonne au mirage du paradis qui l'attend sous le triple signe de la liberté, de la justice et d'une fraternelle compréhension. Le navire accoste à Léningrad le 18 juin 1939. En parcourant les rues familières de l'ancienne capitale, Marina découvre avec surprise une ville transformée en une gigantesque affiche de propagande. Partout, des placards célèbrent la réussite du régime, les victoires des « travailleurs-patriotes », le bonheur de vivre sous le génial Staline et les vertus pacifiques de la faucille et du marteau. Mais les visages moroses des passants et les devantures aux trois quarts vides des magasins démentent les joyeuses affirmations des slogans publicitaires. En interrogeant les rares personnes de connaissance qu'il lui est donné de rencontrer, Marina Tsvetaeva constate, malgré la prudence de leurs propos, que toutes tremblent de peur qu'on ne les dénonce au N.K.V.D., la redoutable police d'État. Il lui semble, au premier regard, qu'il n'y a que deux espèces d'individus en U.R.S.S. : les coupables et les privilégiés. Entre les « scélérats déguisés » et les « héros en puissance » il n'existe pas de statut intermédiaire. On est blanc ou noir. Condamné ou absous. Ennemi du peuple ou parangon de toutes les qualités. Et ceux d'en haut n'ont qu'une idée : maintenir ceux d'en bas dans le dénuement et la terreur.

Marina souhaiterait changer d'opinion en retrouvant Moscou, sa ville de prédilection. Mais, en y parvenant, le soir, après un long trajet par chemin de fer, elle y respire la même atmosphère de soumission craintive et de suspicion généralisée qu'à Léningrad. C'est désormais, pense-t-elle, l'air de son pays natal. Saura-t-elle s'y faire ? Elle comptait être accueillie à sa descente de train par son mari. Peut-être aussi par Pasternak. Mais ils ne sont là ni l'un ni l'autre. En revanche, sa fille est venue et se jette, sans un mot, dans ses bras. Après l'effusion des premiers baisers, Ariadna apprend à sa mère avec ménagement une catastrophe qu'on a voulu lui cacher le plus longtemps possible : Anastasie, cette sœur de Marina à l'esprit si farouchement révolutionnaire, a été arrêtée, deux ans auparavant, le 2 septembre 1937, et déportée on ne sait où. Depuis, on est sans nouvelles de cette brebis que les autorités ont jugée « galeuse ». Par bonheur Serge Efron, lui, n'a pas été inquiété. Mais il est, croit-on, sur la liste noire. Que lui reproche-t-on ? Mystère ! Aurait-il commis quelque maladresse en s'appliquant à servir la cause de l'U.R.S.S. en France ? Se serait-il trop avancé dans ses prises de position en faveur de théories « eurasiennes » ? La méfiance du gouvernement soviétique est d'autant plus alarmante qu'elle est, pour l'instant, informu-lée. Serge, dit Ariadna, en est conscient, et cette appréhension quotidienne le ronge. Il a souvent des accès de fièvre ; le moindre effort l'épuise pour des heures. Seule une longue cure de repos, au soleil, dans le Midi, pourrait le guérir de sa tuberculose. Malheureusement, il ne faut pas y songer par les temps qui courent. Ses sœurs Élisabeth et Véra sont, elles aussi, à Moscou, mais le mari de Véra a été arrêté sans motif et, depuis, Lilia est sur le qui-vive. En débitant ces nouvelles consternantes, Ariadna a un visage étrangement lumineux. Selon elle, on peut encore vivre agréablement en U.R.S.S., à condition de tenir sa langue et de s'ap-pliquer à passer inaperçue. Elle s'est fait accompa-gner à la gare par un homme entre deux âges, rondouillard et jovial, dont le sourire inspire confiance. Elle le présente, avec fierté, à sa mère : Samuel Gouriévitch, Moulia pour les intimes. Il est metteur en scène et journaliste à ses heures. Ils se sont mis en ménage. D'un regard rapide, Marina enveloppe la silhouette d'Ariadna. N'attendrait-elle pas un enfant de ce Moulia ? Dans le désordre de toutes ces révélations en cascade, Marina ne sait trop si elle doit se réjouir ou s'inquiéter de la conduite anticonformiste de sa fille.

Elle apprendra, par la suite, que l'habile Moulia est en contact étroit avec les gens du N.K.V.D. et que c'est grâce à lui, sans doute, qu'Ariadna et son père ont échappé jusqu'ici à l'attention sourcilleuse des autorités. C'est du reste par son entremise que Serge Efron a obtenu d'être logé dans une maison communautaire de Bolchevo, à proximité de Moscou, et que Marina, Mour et Ariadna pourront l'y rejoindre.

Trouver un logement sûr est un exploit à l'époque, en U.R.S.S. Certes, Marina, Ariadna et Mour sont obligés de partager ce minuscule appartement avec une autre famille. Mais c'est la règle en Russie soviétique. La vie en commun est considérée comme la base même d'une politique fraternelle. Si le capitalisme est d'essence individualiste et égoïste, le socialisme est naturellement collectiviste et convivial. On n'habite pas, on cohabite. D'ailleurs, les voisins imposés à Marina et à Serge ne sont pas des inconnus pour eux. Nicolas Klépinine, sa femme, le fils d'un premier mariage de celle-ci, Alexis Sezeman, plus quelques collatéraux sont d'anciennes relations de la famille Efron. Sept personnes en tout occupent la pièce voisine et ne se gênent pas pour y prendre bruyamment leurs aises, ce qui agace quelque peu Tsvetaeva. Très vite, malgré leur désir de se montrer tolérants et secourables, les Klépinine jugent qu'elle est d'un commerce difficile. Cependant, ils lui pardonnent son mauvais caractère parce qu'ils savent qu'elle est un « grand poète » et qu'un « grand poète » a droit à l'indulgence des non-initiés. Elle en profite pour laisser éclater, de temps à autre, son irritation devant les menus désagréments de la vie quotidienne. La maladie de son mari ne fait qu'exciter son mécontentement contre l'inconfort de leur installation à Bolchevo. À tout moment, Serge est secoué par des quintes de toux, qui le plient en deux et le laissent sans force, essoufflé, les yeux hagards. Marina voudrait le plaindre, mais il y a trop de gens malheureux autour d'elle pour qu'il soit loisible de s'attendrir sur un seul. Le monde entier est désespéré ou malade. En observant son mari, Marina se demande si c'est le microbe de la tuberculose qui le mine, jour après jour, ou la peur panique d'être arrêté par les agents du N.K.V.D. Quand il se sent plus vaillant, par extraordinaire, il va se promener dans la campagne et tâche d'oublier son appréhension en contemplant le calme paysage qui l'entoure. Mais, en rentrant à la maison, il est encore plus accablé car il prévoit que cette solitude et ce silence ne suffiront pas à le protéger contre les investigations de la police. Ariadna, en revanche, continue de se montrer optimiste. Elle travaille en ville, dans un hebdomadaire français au nom prestigieux, *La Revue de Moscou*, se rend chaque matin, par le train, à son bureau et ne rentre qu'à la nuit tombante. Quant à Mour, il s'ennuie à périr dans ce trou de campagne et grogne invariablement contre sa mère qu'il rend responsable de toutes ses déconvenues. Entre sa fille amoureuse et insaisissable et son fils en rébellion systématique, Marina se sent plus seule à Bolchevo que dans la banlieue de Paris. Ici comme en France, les mêmes tâches ménagères l'horripilent. Cuisine commune avec les Klépinine ; on s'éclaire au pétrole ; il faut tirer de l'eau d'un puits ; les cabinets sont dans une cabane en planches, au fond de la cour. Rien n'est commode ici, ni agréable à regarder. Elle note dans son Journal : « La maison est inconfortable. Je vais partout chercher du pétrole. Serge achète des pommes. Mon cœur est de plus en plus lourd. Le téléphone m'agace. Alia est énigmatique. Sa gaieté me paraît forcée. Je vis sans papiers [officiels]. Je ne me montre à personne. Il y a des chats partout. Mon adolescent chéri [Mour] est bien peu affectueux. Il me rappelle un matou. J'écris cela pour moi, pour me souvenir, et rien d'autre, pas même pour Mour. S'il me lit, il ne reconnaîtra rien. Et puis, de toute façon, il ne me lira pas : il évite ce genre de choses. Des gâteaux, des ananas, — je n'en suis pas plus heureuse pour autant ! Promenades avec Moulia. Ma solitude. Eau de vaisselle et larmes. Harmoniques et résonances de tout cela, — horreur ! On nous promet une cloison [sans doute pour une meilleure séparation d'avec les voisins]. Les jours passent. Mour doit aller en classe. Et toujours ce paysage tout en forêts dont j'ai perdu l'habitude. Absence totale de pierre, de solidité. Maladie de Serge. Je m'inquiète de ses craintes au sujet de son cœur. Il me raconte des bribes de sa vie sans moi ; je n'arrive pas à l'écouter tant j'ai à faire ; j'écoute et je suis prête à bondir, comme mue par un ressort. Il faut descendre cent fois à la cave. Quand aurai-je le temps d'écrire ? [...]. Première expérience d'une cuisine commune. Chaleur torride que je ne remarque même pas. Des ruisseaux de sueur et de larmes qui coulent dans la bassine à vaisselle. Personne sur qui s'appuyer. Je commence à comprendre que Serge n'a plus aucun ressort et qu'il est incapable de rien faire — rien du tout, en rien ! »

Depuis son retour en U.R.S.S., Marina souffre d'un manque d'air comme si elle vivait sous une cloche, comme s'il n'y avait plus d'espace, plus de vent purificateur sur cette terre immense. Tous les gens qu'elle rencontre paraissent traqués, soupçonneux, furtifs. On ne parle qu'à voix basse. Un peuple de coupables en sursis. Même Boris Pasternak évite de rendre visite à sa grande amie d'autrefois, par peur, sans doute, de se compromettre en fréquentant une ancienne émigrée. Néanmoins, il obtient pour elle, grâce à ses relations, quelques travaux de traduction payés à la ligne. Marina s'adonne scrupuleusement à cette besogne alimentaire en espérant qu'un jour ou l'autre elle retrouvera le courage et l'envie de composer des vers.

Pourtant, si elle ne se juge pas assez libre d'esprit pour créer, comme jadis, au gré de sa fantaisie ou de son humeur, elle accepte de lire, de temps à autre, un de ses poèmes devant les hôtes habituels de Bolchevo. Dimitri Sezeman, un autre membre de la famille des Klépinine, a gardé un souvenir de ces « récitals ». « Elle était assise au bord du divan, écrira-t-il, dans une attitude aussi raide que celle adoptée par les pensionnaires de l'Institut des Jeunes Filles nobles [...]. Ne regardant personne, elle semblait affirmer que, pour chacun des vers qu'elle prononçait, elle était prête à répondre de sa vie. Et cela, parce que chacun de ces vers était vraiment [...] l'unique justification de toute son existence [1]. »

En cet été de l'année 1939, tout le pays retient son souffle dans l'attente de quelque miracle patriotique, dont les retombées amélioreraient le sort des plus défavorisés. Orchestrées par le gouvernement, les fêtes officielles à grand spectacle se succèdent dans la capitale pavoisée. Le 1er août 1939, c'est l'ouverture de l'Exposition agricole à la gloire des Kolkhozes. À cette occasion, les gazettes publient les photographies souriantes de tous les gros pontes du régime entourant un Staline aux moustaches paternelles et au regard tout ensemble autoritaire et bienveillant. Peu après, le 14 août, ce sont d'autres portraits qui ornent la première page des quotidiens. Staline et Molotov y figurent à côté

---

1. Cité par Irma Koudrova : *La Disparition de Marina Tsvetaeva.*

du ministre des Affaires étrangères du Reich, Ribbentrop. C'est l'annonce du pacte germano-soviétique. Le fascisme allemand, que les journalistes russes maudissaient hier, leur apparaît aujourd'hui comme le ferment naturel des peuples épris de justice et de liberté. Quarante-huit heures plus tard, les missions militaires française et anglaise quittent Moscou. Nul n'ose ni critiquer, ni commenter cette étrange volte-face du gouvernement. Marina elle-même a à peine le temps de se demander quels sont les vrais motifs de ce bouleversement des alliances. Déjà ce n'est plus le sort de l'Europe qui la préoccupe au premier chef, mais le sien propre et celui de ses proches. Un signe encourageant : le 21 août 1939, grâce aux efforts de Moulia, Marina et son fils reçoivent leurs passeports de citoyens soviétiques. Ils ne sont donc plus des apatrides, des brebis galeuses. Le troupeau les accepte dans la tiédeur et l'uniformité de sa laine. Mais six jours plus tard, le 27 août, la foudre s'abat sur la tête de Marina. Il y a à peine plus de deux mois qu'elle débarquait à Léningrad, et voici que la police vient arrêter sa fille, à Bolchevo. Que reproche-t-on à Ariadna ? Impossible de le savoir. Peut-être d'avoir tenu des propos inconsidérés en public ou même en privé ? Peut-être aussi d'avoir gardé des contacts illicites avec des exilés russes en France ? Plus le crime est grave, moins la justice est bavarde. On frappe d'abord, on explique après, et parfois même on n'explique rien. La sanction suffit à identifier la faute. Au moment de suivre les hommes chargés de l'emmener, Ariadna feint l'insouciance. Comme elle se dirige avec eux vers la porte, Marina s'écrie : « Voyons, Alia, tu ne m'embrasses pas ? » Alors, un flot de larmes gonfle les yeux d'Ariadna, elle esquisse de la main un signe d'amitié désolée par-dessus son épaule et accélère le pas. Le responsable de l'opération grogne avec bonhomie : « C'est mieux ainsi ; allonger les adieux, ce sont des pleurnicheries inutiles ! »

Restés seuls, face à face, Marina et son mari gardent le silence, anéantis par la fatalité. Le soir de cette tragédie, une lointaine amie du couple, Nina Gordon, arrive inopinément à Bolchevo et trouve Marina et Serge réfugiés dans leur chambre. « Ils avaient l'air tranquilles, écrira-t-elle, mais leurs lèvres crispées et leur regard absent traduisaient une douleur secrète. Je demeurai longtemps auprès d'eux. Nous échangeâmes peu de mots. Puis, nous avons pris le thé ensemble. Marina avait l'intention de faire du repassage. Je lui dis : "Laissez, je repasserai cela pour vous. J'aime repasser." Elle me contempla longuement et, avec une expression évasive, répliqua : "Merci. Repassez donc !" Après un silence, elle ajouta : "Alia aussi aimait repasser[1] !" » À dater de ce jour, la principale occupation de Marina est de courir d'un bureau à l'autre, à Moscou, pour tenter de savoir où Ariadna a été incarcérée, quand elle sera jugée et s'il est possible de lui faire parvenir quelque argent. Souvent, elle

---

1. Cité par Irma Koudrova : *La Disparition de Marina Tsvetaeva.*

doit attendre des heures, assise sur une banquette, dans le couloir de la prison pour obtenir une réponse. Elle dépose les cinquante roubles autorisés, chaque semaine, pour les achats personnels des détenus et se dépêche de regagner Bolchevo. Peu après, elle apprend qu'Ariadna a fait une fausse couche en captivité. Ne l'a-t-on pas brutalisée pour lui arracher des aveux ? Mais non : il paraît qu'elle se porte bien après cet « incident », qui ne serait nullement imputable aux traitements qu'elle a subis. Puis c'est le silence. Le gouffre de l'anonymat et du mutisme a englouti Alia.

Tenu à l'écart des dernières mésaventures de sa sœur, Mour commence à fréquenter, au début de septembre, l'école la plus proche de leur lieu de résidence. Pour y aller, il doit traverser champs et forêts. Des camarades de classe lui tiennent compagnie dans ces randonnées. Mais, bientôt, les enfants, chapitrés par leurs parents, jugent prudent de ne plus sympathiser avec un de ces « émigrés blancs » de fraîche date, tous plus ou moins suspects d'antisoviétisme.

Le 18 septembre, la radio annonce l'entrée de l'Armée rouge en Pologne, afin, dit-on, de protéger les frères slaves des confins de l'Ukraine et de la Biélorussie. La presse célèbre à l'envi ce premier pas vers la libération des peuples opprimés et leur retour dans le giron national. Nul ne s'avise de contredire cette interprétation patriotique des événements. Marina elle-même ne s'y hasarderait pas, car à l'agitation hors des frontières correspond, à l'intérieur, une recrudescence de la chasse aux espions, aux traîtres et aux nostalgiques du capitalisme. Immédiatement, Marina craint que la police ne s'intéresse de nouveau à sa famille. Et en effet, le 8 octobre de la même année, c'est Serge Efron que des policiers viennent interpeller à Bolchevo. En pleine nuit, des hommes en uniforme, armés jusqu'aux dents, se présentent devant la maison. Ils sont porteurs d'un mandat d'arrêt signé du terrible Béria, le commissaire du peuple à l'Intérieur (N.K.V.D.). Le temps pour Marina de fourrer quelques vêtements dans un sac, de subir une perquisition infamante qui met tout sens dessus dessous, de bénir Serge d'un signe de croix et, les yeux pleins de larmes, elle voit partir son mari, au petit matin, entre des agents imbus de leur stupide importance. Ébranlée par le choc qu'elle a si longtemps attendu, elle se persuade que son fils et elle connaîtront, tôt ou tard, le même sort. Mais les semaines passent et ils sont toujours en liberté. Les aurait-on oubliés, ou les jugerait-on moins dangereux pour le régime que les deux autres ?

Dès le premier interrogatoire, Serge Efron proteste de son innocence et affirme, sous la foi du serment, que le communisme est sa vraie religion. Il a beau tenter de se justifier, son ancienne appartenance à l'organisation « eurasienne » lui est reprochée comme une trahison. Enfin, les enquêteurs lui posent la question qu'il a toujours redoutée : « À quel travail antisoviétique se livrait votre épouse ? » Reconnaissant qu'elle a écrit dans le passé quelques vers assez favorables au régime précédent, il jure que, dans le fond de son âme, Marina était une révolutionnaire pure et dure. « Je ne nie pas que certains textes de ma femme ont été imprimés dans les journaux de l'émigration blanche, mais elle n'a jamais mené le moindre combat contre le régime actuel en U.R.S.S. ! » s'écrie-t-il avec autant de ferveur que de sincérité. Au terme de cet interrogatoire, Serge Efron est envoyé à Lefortovo, afin d'y suivre un traitement sous surveillance policière, car il semble que son état de santé se soit brusquement aggravé. Il n'en est pas moins soumis, le 1er novembre, à un nouvel interrogatoire, plus « poussé » que le précédent. Cette fois, il admet avoir eu des relations épisodiques avec des agents secrets polonais, allemands et même anglais. Mais il proclame avoir toujours agi dans cette conjoncture selon les directives du Guépéou.

Or, voici que, le 7 novembre, jour de la « Fête rouge d'Octobre », une voiture s'arrête, comme la fois précédente, devant la maison. Est-ce Marina qu'on vient chercher pour la « mettre à l'ombre » ? Non, maintenant les gens du N.K.V.D. emmènent ses colocataires, Nicolas Klépinine et Alexis Sezeman. La femme de Klépinine a d'ailleurs été déjà appréhendée à Moscou. Quel est leur crime ? Le même probablement que celui de Serge. Des erreurs dans leur dévouement à la cause soviétique à l'étranger, des sympathies occultes avec les trotskistes, une méconnaissance inexcusable de la « philosophie » communiste. Pour tous, une première destination : la sinistre prison de la Loubianka.

De son côté, après avoir été ballotté de prison en prison, d'enquêteur en enquêteur, de témoin en témoin, Serge est confronté avec ses voisins de Bolchevo, les époux Klépinine. Pour sauver sa peau, la femme de Klépinine affirme que son mari et Serge Efron étaient appointés par plusieurs gouvernements étrangers afin de fournir des renseignements sur les projets politiques de l'U.R.S.S. Serge nie en bloc toutes ces accusations qui, dit-il, sont autant d'outrages à ses convictions révolutionnaires. Klépinine, lui, déclare, sur la tête de ses enfants, que les révélations de son épouse sont — hélas ! — tout à fait exactes. Il ajoute même, à l'intention de son coïnculpé : « Il est des faits contre lesquels on ne peut lutter, car un tel comportement serait inutile et criminel. Tôt ou tard, tu seras contraint d'avouer et tu parleras[1] ! » Et, amicalement, il adjure Serge de ne plus hésiter à confesser ses fautes. On emmène Klépinine. Une autre confrontation, cette fois avec un ancien membre de l'association des « Eurasiens », Littauer, est encore plus accablante pour Serge. « Je voudrais donner un conseil très ferme à Serge, s'écrie Littauer. Qu'il dise toute la vérité, qu'il ne cache rien, ni en ce qui le concerne, ni en ce qui concerne les autres. Je lui répète cela en tant que camarade et ami[2] ! » La confrontation s'achève à minuit, sans avoir donné les preuves irréfutables dont les enquêteurs ont besoin pour

---

1. Cité par Irma Koudrova : *La Disparition de Marina Tsvetaeva*.
2. *Ibid.*

déterminer le degré de culpabilité de Serge Efron.
Afin d'éclaircir l'affaire dans ses moindres détails,
on décide de soumettre le prévenu à la sagacité du
grand inquisiteur national : Lavrenti Béria. Nul,
affirme-t-on, n'échappe aux investigations psycho-
logiques de ce décortiqueur des consciences. Après
ce tournant dans l'instruction de l'affaire, on n'entend plus parler de Serge. Il s'est comme volatilisé
dans la nature.

Privée de tout renseignement, Marina se déses-
père dans le vide. Non seulement elle ne peut plus
savoir ce qu'il est advenu de son mari, mais encore
elle constate qu'aucun bureau n'est au courant de
l'existence de ce prisonnier fantôme. Cette dilution
d'un être vivant dans le brouillard administratif
n'est-elle pas un avertissement à la trop fière
Marina Tsvetaeva ? Qu'elle se tienne tranquille, si
elle ne veut pas disparaître, elle aussi, dans la
trappe. Elle voit des ennemis à tous les coins de
rue. Même les amis qui l'entourent lui semblent
présenter les syndromes de la servilité et de la déla-
tion. Jamais les hommes n'ont été aussi féroces,
menteurs, traîtres, que depuis le jour où ils ont
résolu d'adopter entre eux l'usage du mot « camarade ». Incontestablement, les autorités ont Marina
à l'œil ! Non contents de l'avoir privée de son mari
et de sa fille, voici que les représentants du pouvoir
lui retirent le droit au « logement de fonction » dont
elle bénéficiait à Bolchevo. Elle ne le regrette pas.
Tout au plus voudrait-elle se fixer à Moscou pour
la commodité de ses démarches. Cette autorisation

lui est refusée. Néanmoins on lui permet, grâce à la bienveillance de l'organisation officielle d'aide aux littérateurs, le Litfond, d'habiter à proximité de la capitale, à Golitsyno. Elle y occupe, avec Mour, une chambre qu'elle loue à des particuliers. La mère et le fils prennent leurs repas dans la salle à manger commune de la maison de repos appartenant à l'Union des Écrivains. Golitsyno ne se trouve qu'à une heure de train de Moscou. Mais il faut faire à pied, chaque fois, les sept kilomètres séparant le bourg de la gare. Cette marche, jointe à la fatigue du voyage aller et retour, épuise Marina. Elle n'ose pas protester. Ici, toute récrimination, toute revendication est considérée comme un délit d'anticivisme. Ce qui la chagrine, c'est le prix que lui coûte son séjour forcé à la campagne. Elle aurait voulu obtenir le « permis » de résider gratuitement dans la maison de repos comme tous les occupants « bien en cour » de ce lieu privilégié. Or elle n'a eu droit, pour elle et son fils, qu'à deux « demi-permis » ; en conséquence, seuls les repas ne leur sont pas comptés ; le loyer de la chambre et le bois de chauffage sont à leur charge. Encore ces deux « demi-permis » seront-ils bientôt réduits à une simple autorisation de résidence.

Faisant contre mauvaise fortune bon cœur, Marina se console en pensant que cet arrangement va permettre à Mour de retourner à l'école. Il entre en classe sans rechigner et prend plaisir, semble-t-il, à ce qu'on lui enseigne. Elle, cependant, continue ses modestes travaux de traduction. Ils lui rapportent de quoi couvrir les dépenses courantes. Chaque jour, elle note scrupuleusement le nombre de lignes abattues : «J'ai fait soixante-seize lignes en trois jours, soit vingt-cinq lignes par jour facilement, et vingt-six lignes hier !» Obsédée par le souci de se disculper auprès des autorités afin de mieux gagner sa vie et de hâter la libération de ses proches, elle rédige une sorte d'autobiographie présentant son mari, son fils et elle-même comme de sincères partisans du régime. Cette lettre, elle la destine à Staline lui-même. «Je suis témoin et je confirme, lui écrit-elle, que cet homme [Serge Efron] aimait l'Union soviétique et l'idéologie communiste plus que sa vie.» Mais elle craint de s'être adressée trop haut pour obtenir gain de cause. Aussi, descendant d'un échelon, décide-t-elle d'alerter également le grand ordonnateur de la Terreur rouge, l'exécuteur des basses œuvres de la dictature prolétarienne, le commissaire du peuple Béria. C'est lui, plus encore que Staline, pense-t-elle, qui pourrait, d'un trait de plume, adoucir le sort des condamnés. Consciente qu'il s'agit là de sa dernière chance, elle soigne particulièrement le curriculum vitae familial destiné au maître de la Loubianka. Chaque phrase de sa requête est pesée dans la balance de l'efficacité.

Comme on s'agenouille à l'église pour bénéficier de la clémence divine, elle implore : «Camarade Béria, [...] je suis un écrivain, mon nom est Tsvetaeva, Marina Ivanovna. En 1922, je suis partie pour l'étranger avec un passeport soviétique et je suis restée hors du pays pendant dix-sept ans, en République tchèque et en France, jusqu'en juin 1939. Je n'ai absolument pas participé à la vie politique de l'émigration, je ne m'intéressais qu'à ma famille et à la littérature. [...] En 1937, j'ai renouvelé ma nationalité soviétique, et, en juin 1939, j'ai reçu l'autorisation de retourner en Union soviétique. Je suis rentrée avec mon fils Georges [Mour], âgé de quatorze ans, le 18 juin 1939. [...] Les raisons de mon retour dans la patrie : toute ma famille avait le désir ardent de revenir, mon mari Serge Efron, ma fille Ariadna Efron (elle est partie la première, en mars 1937) et mon fils Georges, né dans l'émigration, mais qui rêvait de l'Union soviétique depuis l'enfance, le désir de lui donner une patrie et un avenir, le désir de travailler chez soi, et la solitude totale dans l'émigration, avec laquelle rien ne me liait plus depuis très, très longtemps. [...] Maintenant, je voudrais parler de mon mari. [...] Il est le fils de deux membres de la Volonté du Peuple [...]. L'enfance de Serge Efron s'est passée dans une maison de révolutionnaires, au milieu des perquisitions et des arrestations incessantes. Presque toute sa famille a défilé en prison. [...] J'ai rencontré Serge Efron en 1911. Nous avions dix-sept et dix-huit ans. Il était tuberculeux. [...] Je l'ai épousé en janvier 1912. En 1913, il entra à la faculté des Lettres de Moscou. Mais la guerre éclata et il partit pour le front comme brancardier. En octobre 1917, il venait tout juste de terminer l'école des cadets de

Marina Tsvetaeva

Peterhof et combattit, à Moscou, dans les rangs des Blancs. [...] Pendant toute la période du Mouvement volontaire (1917-1920), il resta toujours dans des unités combattantes, jamais dans des états-majors [...]. Ses convictions changèrent le jour où un commissaire [de l'Armée rouge] fut exécuté sous ses yeux et où il vit le visage de cet homme au moment où celui-ci allait rencontrer la mort. "À cette minute [dit-il] j'ai compris que notre cause n'était pas celle du peuple" [...]. Mais comment le fils d'un membre de la Volonté du Peuple pouvait-il se trouver dans les rangs des Blancs et non des Rouges ? Serge Efron considérait cela comme la faute fatale de sa vie. Il était très jeune, mais beaucoup d'individus plus âgés, tout à fait adultes, se sont trompés comme lui. Il voyait dans le Mouvement volontaire le salut de la Russie et, en vérité, lorsqu'il a été déçu par lui, il l'a quitté définitivement sans regarder en arrière [...]. Installé à Paris en 1925, il se joignit au groupe des Eurasiens et fut un des rédacteurs de la revue *Verstes*, dont toute l'émigration se détourna. Si mes souvenirs sont bons, Serge Efron a été qualifié de bolchevik depuis 1927. Plus le temps passait et plus ses convictions s'affirmaient [...]. J'ignore exactement à quel moment Serge Efron commença à s'occuper d'un travail soviétique actif. [...] Je pense que ce devait être vers 1934. En revanche, ce que je sais avec certitude, c'est qu'il rêvait passionnément et en permanence de l'Union soviétique et qu'il s'est ardemment engagé dans le service de la patrie.

Comme il était heureux en apprenant par les journaux la moindre réalisation soviétique, le moindre succès économique ! Comme il rayonnait de joie ! ("Maintenant, nous avons telle et telle chose... Bientôt nous aurons ceci et cela...") Mon fils, qui grandit sous de telles exclamations, et qui n'a rien entendu d'autre depuis l'âge de cinq ans, peut confirmer mes propos. [...] Le seul sujet de conversation [de Serge Efron] était l'Union soviétique. Si je ne connais pas le détail de ses affaires, je sais la vie de son âme, et, jour après jour, un phénomène s'est produit sous mes yeux : la renaissance complète de cet homme. [...] De par sa nature, il ne pouvait que se donner entièrement[1]. »

Pas plus que la lettre à Staline, celle à Béria, datée du 23 décembre 1939, ne reçoit de réponse. Sans doute Béria l'a-t-il classée sans la lire. On lui en remet tant de la même encre, à l'époque ! De leur côté, les amis de Marina s'activent pour améliorer, autant que possible, sa situation de transfuge repentante. Grâce aux recommandations de Pasternak, elle entre en relation avec la maison des Éditions d'État *(Goslitizdat)* et, à la demande de celle-ci, multiplie les adaptations de textes écrits dans des langues qu'elle ignore : des poèmes géorgiens, biélorusses, serbo-croates, bulgares, polonais, atterrissant en vrac sur sa table. À partir de plates traductions mot à mot dues à des tâcherons,

---

1. Lettre citée par Vitali Chentalinski : *Les Surprises de la Loubianka.*

elle s'efforce de restituer, dans la version russe, la musique et le rythme de l'original. Ce rapetassage savant ne lui déplaît pas, l'occupe et lui rapporte assez d'argent pour payer son loyer et sa pitance.

En même temps, elle noue des rapports de prudente sympathie avec quelques hôtes de la Maison de Repos des Écrivains. La crainte que la plupart d'entre eux ressentent à l'idée d'une « contamination » par l'esprit occidental cède, peu à peu, devant l'intelligence et la verve de cette poétesse aussi singulière dans son comportement que dans son style. L'écrivain et professeur de littérature Eugène Tager admire son langage russe « extrêmement châtié, perlé, aphoristique » et les traits « presque ciselés » de son visage. Un autre confrère, Victor Ardov, parle de la profonde misère de Marina, mais aussi de la fascination qu'elle exerce sur les convives réunis dans la salle à manger de la maison de repos. « Ce qu'elle disait était toujours intéressant et dense, écrit-il. Faut-il le souligner ? son érudition, son goût, son talent si rare nous obligeaient à prêter l'oreille à ce qu'elle disait. » Mais il ajoute qu'elle mesurait ses propos, car les ex-émigrés étaient plus que quiconque surveillés par les « spécialistes » de la dénonciation. Un autre confrère, Noé Lourié, se rappelle qu'elle aimait raconter sa vie à l'étranger, ses rencontres avec Rémizov, avec Maïakovski, avec Blok. « Elle avait le coup de patte d'un maître, note-t-il, sa voix était forte, tranchante. Mais, derrière l'assurance de son ton, on sentait le désarroi et une terrible solitude.

Son mari et sa fille avaient été arrêtés et, d'après ce que j'ai pu savoir, elle communiquait mal avec son fils. Les écrivains l'évitaient parce que c'était une ancienne émigrée. Dans les yeux de cette femme aux cheveux blancs et au visage original, je voyais passer parfois une telle expression de désespoir et de souffrance qu'aucun discours n'aurait mieux traduit son état d'âme. » Un soir, en veine de confidence, elle dit à Noé Lourié : « Ici, je me sens plus étrangère que là-bas [en France] ; on m'a pris mon mari, ma fille, tout le monde me fuit. Je ne comprends rien à ce qui se passe ici, et personne ne me comprend non plus. Lorsque j'étais là-bas, je pouvais, au moins, rêver de la Patrie. Ici, on m'a même privée de ce rêve[1]. » Le cercle des amitiés soviétiques de Tsvetaeva s'élargit cependant avec l'apparition de deux femmes de lettres, Véra Merkourieva et Olga Motchalova. Toutes deux sont prêtes à ouvrir leur cœur à la nouvelle venue, même si elle est d'une fréquentation politiquement dangereuse. Marina accueille ces marques d'estime et d'intérêt comme autant de preuves que la vraie Russie n'est pas morte.

Elle voudrait pouvoir en dire autant de la France. Mais, là-bas, le désastre succède à l'angoisse : l'invasion facile du pays par les troupes allemandes, la fuite des populations civiles sur les routes mitraillées par les « stukas », l'occupation de Paris, la

---

1. Cité par Marina Belkina : *Le Destin tragique de Marina Tsvetaeva.*

signature honteuse de l'armistice, la fondation, par le maréchal Pétain, d'un État français courbé sous la férule nazie. Dans le même temps, Staline et Hitler se partagent la Pologne, les Russes pénètrent en Finlande et y dictent leur loi, partout les appétits territoriaux des deux vainqueurs se déchaînent. En se rappelant avec quelle candeur elle avait espéré naguère voir l'U.R.S.S. protéger la faible Tchécoslovaquie contre l'hégémonie allemande, Marina déplore que sa patrie, dont elle aurait tant voulu admirer la vaillance et le désintéressement, ait rejoint le clan des rapaces. Sans doute n'entend-elle rien aux nécessités de la politique, car, dans son entourage, personne ne s'indigne de la duplicité des Russes. La guerre, c'est pour les autres. En attendant, les tracas de la vie quotidienne occupent tous les esprits. Marina en a largement sa part. Voici qu'elle est invitée à quitter Golitsyno. Son temps de séjour est révolu. La santé de Mour la tourmente. Il a découvert Dostoïevski entre deux angines et deux bronchites, et tient un Journal intime, plein d'insolence, de basse rébellion et de soumission rageuse à sa mère. En apprenant, le 29 mars 1940, que, par décision de la directrice de la Maison de Repos des Écrivains, leur loyer sera doublé, il note : « Personnellement, je m'en fiche ! Mais maman... ? » Ainsi poussée à bout, Marina doit chercher un autre logement. Où aller ? Tout est plein ! Courant de droite et de gauche en quête d'un toit, elle écrit, le 31 août 1940 : « Les changements d'endroits me font perdre le sens de la réalité : j'ai l'impression que je diminue ; il y a de moins en moins de moi [en ce monde], comme un troupeau qui laisserait un peu de sa laine à chaque haie. Il ne me reste que mon fondamental refus. »

Après plusieurs essais infructueux, elle finit par s'installer à nouveau chez sa belle-sœur, Élisabeth Efron. Puis, elle émigre au numéro 6 de la rue Herzen, appartement 20. Mais elle n'y est enregistrée qu'à titre provisoire. Elle n'a pas de permis de séjour en règle. Or, elle doit, de semaine en semaine, faire la queue aux guichets afin de porter à *ses* prisonniers la petite somme d'argent autorisée pour l'amélioration de leur ordinaire. À chaque visite, elle redoute d'entendre la réponse fatidique : « Ne figure plus sur les listes. » Cette situation ne peut se prolonger indéfiniment. Prenant son courage à deux mains, Marina relance le camarade Béria, le 14 juin 1940 : « Ma fille, Ariadna Efron, est incarcérée depuis le 27 août 1939, et mon mari, Serge Efron, depuis le 10 octobre de la même année. Après son arrestation, Serge Efron a d'abord été retenu dans la prison intérieure, puis dans celle de Boutyrki, puis à Lefortovo, et maintenant il vient d'être transféré à nouveau dans la prison intérieure. Ma fille, Ariadna Efron, de son côté, n'a pas quitté la prison intérieure. [...] Pendant ce temps, j'ai été très inquiète sur le sort de mes proches, surtout de mon mari qui a été arrêté alors qu'il souffrait de maladie (il a été gravement malade pendant les deux ans qui ont précédé son arrestation). [...] Dans une précédente lettre, en

308

décembre de l'année dernière, je vous ai déjà parlé en détail d'eux et de moi-même. Je vous rappelle seulement qu'après une séparation de deux ans je n'ai passé que très peu de temps avec mes proches : deux mois avec ma fille, trois mois et demi avec mon mari gravement malade. Or, j'ai vécu trente ans avec lui et je n'ai pas rencontré de meilleur homme que lui. Je vous prie cordialement, camarade Béria, de m'autoriser, si possible, à rencontrer les miens. Marina Tsvetaeva. *P.-S.* J'habite momentanément à l'adresse suivante : Moscou, rue Herzen, n° 6, appartement 20. Téléphone : K-0-40-13. »

Ce message, lui non plus, ne reçoit aucune réponse. Alors, Marina change de tactique et s'adresse, le 2 août 1940, à Pavlenko, un des écrivains les plus proches de Staline depuis la mort de Gorki, pour lui exposer son cas. Afin de mettre toutes les chances de son côté, elle s'impose de rédiger sa supplique en utilisant la nouvelle orthographe simplifiée qui est de règle en U.R.S.S. « Je suis littéralement à la rue, avec toutes mes affaires et tous mes livres, explique-t-elle à Pavlenko. Je n'ai plus de permis de séjour pour l'appartement que j'habite et je suis déjà depuis deux semaines en situation illégale. [...] Je ne suis pas une hystérique. Je suis une personne parfaitement normale et saine, vous pouvez le demander à Boris Pasternak. Mais, au cours de cette année, la vie m'a achevée. Je ne vois pas d'issue. J'appelle à mon secours ! »

Cette lettre, Marina charge Boris Pasternak de la

remettre au tout-puissant Pavlenko. Pasternak s'exécute de mauvaise grâce, en affirmant que, malgré son influence considérable, Pavlenko n'est pas qualifié pour intervenir dans des affaires de logement et de permis de séjour. En désespoir de cause, Marina décide de profiter encore de l'hospitalité de sa belle-sœur, Élisabeth Efron, qui habite rue Merzliakovski, numéro 16, appartement 27. Sa colère contre les autorités qui refusent d'entendre sa plainte éclate dans une lettre du 14 septembre 1940 à la poétesse Merkourieva : « Comme tout Moscovite de naissance, lui écrit-elle, j'ai droit à cette ville parce que j'y ai vu le jour. » Elle invoque également les poésies qu'elle a consacrées jadis à cette cité si belle et si ingrate : « J'ai droit à Moscou à un double titre : par celui de la naissance et par celui du choix. » Quelques jours auparavant, le 5 septembre, elle a confié son abattement aux pages de son Journal intime : « Tous s'imaginent que je suis courageuse. Je ne connais personne de plus craintif que moi. J'ai peur de tout, des regards, de l'obscurité, des pas, et, par-dessus tout, j'ai peur de moi-même, de mon cerveau, si on peut parler de cerveau. Mon destin est d'être au service de la page blanche et c'est ce qui me tue dans la vie. Personne ne remarque, personne ne sait que, depuis près d'un an déjà (environ), je cherche des yeux un crochet [pour me pendre] mais il n'y en a pas, car il y a de l'électricité partout. Aucun lustre nulle part... Cela fait un an que je me réconcilie avec la mort. Tout est laid et effrayant. Avaler ?

— Pouah ! Sauter dans l'eau ? — j'ai horreur de l'eau depuis toujours. Je ne veux pas faire peur (à titre posthume). Je ne veux pas mourir. Je veux ne plus exister. Quelle bêtise ! Pour l'instant, je suis utile... Seigneur, comme je ne suis rien, comme je suis impuissante ! Il faut survivre, survivre ! Amère absinthe... Tant de lignes fugaces ! Je ne note plus rien : c'est terminé ! »

Enfin, après un mois d'errance et nombre de petites annonces dans les journaux, elle déniche une chambre à louer au numéro 14-5 du boulevard Pokrovski, escalier 4, appartement 62, et on l'enregistre régulièrement à cette adresse. Quatre murs nus, une ampoule électrique au bout de son fil, un châlit pour Mour, et, en face, une couchette improvisée pour Marina, avec un échafaudage de valises et de caisses drapées d'un plaid. Elle s'installe, le 20 septembre, dans cet abri de fortune. Et, le 30 du même mois, en se rendant au guichet habituel pour la remise des cinquante roubles hebdomadaires au nom de son mari, elle entend la réponse fatidique : Serge Efron ne figure plus sur les listes. Affolée, elle se précipite au bureau des renseignements pénitentiaires. Là, un employé lui confirme qu'il ne peut rien lui dire d'autre ; mais, selon lui, elle ne doit pas s'inquiéter, car l'intéressé a sans doute été déplacé par décision administrative et la surveillance médicale des détenus est exemplaire. À demi rassurée, Marina regagne sa turne. Pour tuer les heures d'incertitude et d'anxiété, elle se consacre à la révision de ses poèmes d'autrefois.

Elle compte les publier en volume aux Éditions d'État et s'applique à choisir dans le fatras ceux qui, à son avis, illustreront le mieux son talent. Elle fait attention aussi à écarter de cette anthologie tous les vers qui pourraient être interprétés comme des crimes de lèse-majesté envers l'Union soviétique.

Selon la règle, le manuscrit, une fois mis au point, est confié à Kornéli Zélinski, le représentant le plus intransigeant et le plus écouté de la littérature officielle. C'est lui qui, du haut de sa compétence, décide si une œuvre est « dans la ligne » du Parti ou si elle s'en éloigne. Or, le rapport de Zélinski sur le recueil de Marina est meurtrier. Non seulement il souligne l'hostilité de l'auteur envers l'U.R.S.S., mais il juge ses vers exécrables, diamétralement opposés à l'esthétique communiste et aussi incompréhensibles que s'ils étaient « venus d'un autre monde ». Il conclut en affirmant qu'il s'agit là d'un tableau clinique de la perversion et de la décomposition de l'âme humaine et que « le pire service qu'on pourrait rendre à Tsvetaeva serait de publier son livre ».

Accablée par cette fin de non-recevoir, Marina note dans son cahier, le 6 janvier 1941 : « Quel salaud, ce Zélinski ! » Mais il y a plus grave : le 27 janvier, alors qu'elle va apporter son écot à l'intention d'Ariadna, en prison, on lui refuse l'argent parce que, comme on le lui a déjà dit pour Serge, cette personne n'est plus « sur les listes ». Où l'a-t-on emmenée ? Les réponses sont d'abord évasives. Puis, Marina apprend, avec désespoir, le nouveau lieu de détention de sa fille : elle a été déportée dans le Grand Nord, à Kniaji-Pogost, localité de la République soviétique de Komis. Aussitôt, Marina envoie à cette adresse une série de cartes postales portant des questions « non compromettantes ».

Enfin, après des mois d'attente angoissée, elle reçoit, le 12 avril 1941, une lettre d'Ariadna lui indiquant brièvement qu'elle est en vie. Que demander de plus ? Marina lui répond par retour du courrier : « Chère Alia, enfin ta première lettre du 4 mars, dans une enveloppe bleu ciel. Je l'ai contemplée sans la toucher de neuf heures du matin à trois heures de l'après-midi, heure à laquelle Mour est rentré de l'école ; elle était posée sur son assiette pour le dîner. Dès le seuil de la porte, il l'a aperçue et a poussé un ah ! de satisfaction ; puis il s'est jeté sur elle. Il ne me l'a pas laissé lire, il a lu à haute voix ce qu'il y avait dedans pour lui et pour moi. Mais, avant même d'en connaître le contenu, impatiente, je t'ai envoyé une carte. C'était hier, le 11. Le 10, j'avais apporté un colis à papa ; on l'a accepté. Alia, je me suis occupée activement de tes provisions. J'ai déjà le sucre et le cacao ; maintenant je vais me procurer du lard et du fromage. Je t'enverrai aussi un sachet de carottes séchées : je les ai séchées sur les radiateurs, en automne. Tu peux les faire tremper dans de l'eau bouillante, c'est quand même un légume. [...] Ici, le printemps est encore un peu frais, la débâcle n'a pas encore commencé. [...] La plus grande joie

313

de Mour, c'est la radio qui s'est mise, Dieu sait pourquoi, à parler vraiment de tout. Récemment, nous avons entendu d'Amérique la voix d'Ève Curie. C'est une grande ressource. [...] Tiens bon, sois forte. [...] Mour t'écrit de son côté — Maman. »

Marina se félicite que le contact, fût-il épistolaire, soit rétabli entre elle et sa fille. Quant à Serge, il doit être en vie, puisque l'administration pénitentiaire vient d'accepter un colis à son nom. Autre bonne nouvelle : elle a enfin été admise au Comité des Écrivains des Éditions littéraires d'État. Ce n'est pas son talent de poète mais son activité de traductrice qui lui vaut cet avantage. Ayant reçu sa carte d'adhérente, elle la serre précieusement dans son sac à main. Il est si important, par les temps qui courent, d'avoir par-devers soi une reconnaissance officielle ! Cela lui facilitera les démarches, au cas où il lui faudrait encore changer de logement. Elle envisage cette éventualité à cause des voisins qui la chicanent sur l'utilisation de la cuisine communautaire. Il leur arrive d'enlever du feu la bouilloire de Marina pour placer la leur. On s'affronte, la bave aux lèvres, autour du réchaud. Le sans-gêne des colocataires indigne Mour qui les traite de « porcs ». Puis la querelle s'apaise et le train-train recommence.

Au mois de juin, Marina se prépare à un événement important : Anna Akhmatova, qu'elle a tant admirée jadis, est de passage à Moscou. Leurs amis communs veulent organiser entre elles une rencontre « historique ». Dans l'intervalle, Marina a quelque peu changé d'opinion sur la grande poétesse que toute la Russie porte aux nues. Le dernier recueil d'Akhmatova l'a tellement déçue qu'elle a noté dans son Journal : « Hier, j'ai lu et relu tout le livre d'Akhmatova — c'est vieux et faible. Souvent (c'est à coup sûr un mauvais signe) les conclusions sont défaillantes, une sorte d'effacement. [...] Qu'a-t-elle fait de 1914 à 1940 ? Elle est restée à l'intérieur d'elle-même. Ce livre est précisément une page d'un blanc irréparable. »

La première entrevue entre les deux femmes a lieu le 7 juin 1941, chez les Ardov. Une conversation courtoise et conventionnelle. Elles se lisent mutuellement leurs plus récents poèmes, évoquent la difficulté d'écrire en ces temps troublés et se séparent amicalement, mais froidement. Une seconde entrevue leur est aménagée chez M. Khardjiev. Mais là aussi, l'une et l'autre demeurent sur la défensive. Relatant ce face à face crispé, Akhmatova dira de Marina Tsvetaeva : « Elle est revenue royalement dans son Moscou. Cette fois pour toujours et non comme celle à qui elle aimait se comparer : un négrillon ou un singe habillé dans une robe française, c'est-à-dire avec un grand décolleté[1] ! » Plus perspicace qu'Akhmatova, Ariadna écrira dans ses Souvenirs : « Marina Tsvetaeva était sans mesure, Anna Akhmatova était harmonieuse. D'où la différence que chacune avait

1. Cité par Claude Delay : *Marina Tsvetaeva, une ferveur tragique.*

vis-à-vis de l'autre sur le plan littéraire. La démesure de la première accepte et aime l'harmonie de la seconde, tandis que l'harmonie de la seconde l'empêche de comprendre la démesure de la première. » Au vrai, tout en rendant hommage à la sage et brillante carrière d'Akhmatova, Marina l'envie, inconsciemment, d'avoir su imposer son talent sous les différents régimes. Elle lui en veut, à part soi, de satisfaire tous les amateurs de poésie, alors qu'elle-même compte parmi ses lecteurs des gens aux goûts contradictoires : les uns l'admirent tout en lui reprochant son manque de lisibilité, tandis que d'autres la félicitent d'avoir disloqué le vocabulaire au point de faire du russe une langue strictement « tsvétaévienne ». Néanmoins, il lui semble que, même en Russie soviétique, il y a de plus en plus de partisans d'un lyrisme moderne, inventif, dérangeant. Peut-être, un jour, finira-t-on par trouver qu'elle est, à sa façon, un auteur classique ? Encore faudrait-il pour cela la complicité des événements ! Or, la vague de violence qui s'est abattue sur le monde refoule la poésie au rang de divertissement futile, voire déplacé. La Russie, isolée, pourra-t-elle rester longtemps à l'abri du cataclysme universel ?

Dès le début de juin 1941, les autorités moscovites ordonnent à la population de s'entraîner à des exercices de défense passive. Marina obéit à cette injonction avec tous ses voisins de l'immeuble. Dans la rue, les gens s'abordent avec des visages inquiets. On n'ose parler à haute voix de l'imminence d'un conflit armé avec le Reich tout-puissant. Mais chacun y pense.

Le samedi 21 juin 1941, Marina se rend chez des amis pour une réunion littéraire et y lit *L'Histoire de Sonetchka*. L'accueil chaleureux de l'assistance lui calme un peu les nerfs. Rentrée chez elle, boulevard Pokrovski, elle tente de dormir. Le lendemain, dès l'aube, elle est saisie d'un terrible pressentiment. Habillée en hâte, elle court à la réunion qui se tient, comme d'habitude le dimanche, à l'Union des Écrivains, et tombe en plein « meeting ». Il n'est question, parmi ses confrères, que de l'agression allemande de ce matin. Certes, il n'y a pas eu de déclaration de guerre du côté d'Hitler. Mais ses troupes foulent déjà le sol russe. L'honneur, l'avenir de la patrie sont en jeu. L'U.R.S.S. va-t-elle riposter ou va-t-elle se laisser envahir pour éviter une gigantesque effusion de sang ? Devant une assistance tendue, Fadéev, Ehrenbourg, d'autres encore, prononcent des discours d'une vindicte enflammée. Puis tout le monde se lève. Les regards sont déterminés. On serre les poings, on redresse les épaules, on chante en chœur : « C'est la lutte finale ! » Marina joint sa voix à celle des autres écrivains. Tout à coup, elle n'est plus une ancienne émigrée.

XVII

À QUOI BON VIVRE ?

C'est sur le boulevard Pokrovski, ce même dimanche 22 juin 1941, que Marina entend l'annonce officielle de l'« état de guerre » entre l'U.R.S.S. et l'Allemagne. Il fait très chaud. Par les fenêtres grandes ouvertes des maisons, la voix du président du Conseil des ministres, Molotov, se déverse avec des accents solennels sur la ville. Les passants médusés s'arrêtent, écoutent et ne font aucun commentaire. Après avoir regagné son appartement en toute hâte, Marina téléphone à droite, à gauche. Tous ses amis sont atterrés. Elle-même a l'impression d'avoir été transportée, en quelques minutes, sur une autre planète. Du jour au lendemain, Moscou est devenu méconnaissable. Des détachements de jeunes soldats défilent dans les rues en chantant, des bandes de papier collant garnissent les vitres des croisées, des sacs de sable s'empilent à l'entrée des édifices publics et devant les magasins. Les gens ne lisent plus de livres. La poésie est morte. On ne s'intéresse qu'aux bulletins d'information. Et ils apportent invariablement de mauvaises nouvelles. L'avance des Allemands semble irrésistible. L'une après l'autre, les villes tombent entre leurs mains. Ils se préparent, dit-on, à encercler Léningrad. Quand ils l'auront digéré, ils marcheront sur Moscou. Marina est terrorisée à l'idée que Mour risque d'être mobilisé, malgré son jeune âge. Il a seize ans. Et il témoigne d'une indigence mentale, d'une insolence et d'une hargne qui ne peuvent que le desservir auprès des étrangers. Rien ne le touche, rien ne l'attire. Conscient de sa nullité, il écrit à sa sœur pour lui apprendre quels sont ses vrais intérêts dans la vie qu'il mène à Moscou : le football, mais seulement en spectateur, une demoiselle de dix-huit ans « élégante et spirituelle », qui est ukrainienne, qui aime le jazz et les œuvres de Claude Farrère, mais qui ne comprend rien à la grande musique. Pour sa part, il a fort apprécié un livre d'Aragon : *Les Beaux Quartiers*. Mais sa mère, qui est décidément contrariante, ne supporte ni ce livre ni la demoiselle.

Plus Marina devine l'hostilité de Mour à son égard et plus elle voudrait le protéger contre ses rares relations moscovites et contre lui-même. Hélas ! du train dont vont les choses, le gouvernement en viendra vite à appeler sous les drapeaux les adolescents. En attendant, Mour a été recruté pour servir dans la Défense passive. Lui et ses congénères sont chargés de monter la garde sur les toits et de jeter bas, sur la chaussée, les bombes incendiaires ou à retardement qui tomberaient dans leur secteur. Marina juge ce travail pénible et dangereux. Elle voudrait que son fils en soit dispensé et que Pasternak les invite tous deux à se mettre à l'abri dans sa datcha des environs de la capitale. Mais sans doute Pasternak répugne-t-il à les prendre chez lui : ils sont si encombrants, si étranges ! Tout en assurant Marina de son amitié, il se dérobe sous différents prétextes.

À partir du 24 juillet, Moscou est bombardé presque chaque nuit. Les habitants vivent par saccades, entre deux hurlements de sirènes. Les descentes à la cave ou dans les bouches de métro exténuent Marina. Le manque de sommeil et la peur des explosions la conduisent au bord de la crise de nerfs. Déjà le gouvernement organise l'évacuation des civils par catégories professionnelles. Les éléments inutiles ou trop âgés de la population sont refoulés d'autorité dans le sud du pays. Après avoir longtemps hésité à suivre cet exode méthodique, Marina se résout à aller, avec son fils, vers la destination réservée aux écrivains de métier.

Leur départ a été fixé au 8 août 1941. La veille, un couple d'amis, les Gordon, leur rend visite. « Elle [Marina] était tendue comme un ressort, nerveuse, brusque, rapide, raconte Gordon. Je me souviens de l'expression de ses yeux, ce jour-là, brillants, fuyants, absents. Elle faisait semblant de nous écouter, elle nous répondait même avec justesse, mais il était clair que sa pensée était ail-

Marina Tsvetaeva

leurs [1]. » Le lendemain de cette entrevue, Pasternak, cédant à un retour d'amitié, voire de tendresse, accompagne Marina et Mour à la gare fluviale de Khimki. Ils embarquent dans les cales d'un vieux rafiot, l'*Alexandre Pirogov*, bourré de passagers ahuris et suants de peur.

Dix jours d'une lente navigation sur le canal Moskova-Volga, puis sur le fleuve Kama, jusqu'à Tchistopol. Quelques privilégiés reçoivent le droit d'élire domicile dans ce gros bourg. Les autres sont dirigés vers des localités secondaires de la région. On ne leur demande pas leurs préférences. Chacun a son numéro d'ordre, sa case, son destin assignés par l'administration. Devant Marina anéantie, Mour s'indigne et tempête. Il l'accuse d'être à l'origine de leur malheur à tous deux et n'hésite pas à l'insulter en public.

Marina et son fils sont expédiés à Elabouga, obscure localité de la République soviétique tatare. Ici, la plupart des maisons sont de vulgaires isbas. De l'herbe pousse dans les rues. Quelques poules picorent la poussière. Des chèvres, des oies circulent en liberté entre les rares passants. Le logement offert à Marina et à Mour est une de ces bicoques de paysans en rondins. À l'intérieur, une seule grande pièce, divisée en deux par une cloison qui n'atteint pas le plafond. Les nouveaux occupants sont parqués dans l'un de ces réduits, l'autre étant réservé aux propriétaires, les Brodeltchikov. Ce

---

1. Gordon : *Souvenirs.*

sont des gens simples et hospitaliers, mais bruyants. On entend tout d'un bout à l'autre de l'isba. Il n'y a pas moyen de s'isoler, de réfléchir, de rêver. Excédé par cette promiscuité envahissante, Mour insiste auprès de sa mère pour qu'elle se fasse attribuer un domicile à Tchistopol, qui est, du moins, une vraie ville, où vivent de vrais écrivains « repliés », alors qu'Elabouga est un dépotoir où on déverse le tout-venant. D'ailleurs, affirme Mour, ce n'est pas à Elabouga que Marina trouvera du travail ni lui une école convenable pour continuer ses études. Marina hésite. En débarquant dans ce coin perdu elle était si lasse, si désespérée qu'elle a dit aux Brodeltchikov : « Je resterai ici, je n'irai plus nulle part ! »

Son instinct lui dicte de ne pas attirer l'attention sur elle par des demandes officielles de changement de résidence. D'ailleurs, dès le lendemain de son arrivée à Elabouga, elle est convoquée à la section locale du N.K.V.D. De toute évidence, ces fonctionnaires provinciaux sont impatients de montrer leur savoir-faire aux collègues de Moscou en leur adressant un rapport détaillé sur la « ci-devant » qu'ils leur ont expédiée. Ce nouvel interrogatoire, bien qu'il ne soit suivi d'aucune sanction, achève de briser la résistance nerveuse de Marina. Au lieu de la secourir dans son désarroi, son fils revient à la charge en lui serinant qu'il est indispensable et urgent pour eux de se transporter à Tchistopol. Certes, là-bas aussi, il y aura des agents du N.K.V.D., de faux amis, des littérateurs jaloux, de la misère, de la tristesse, de l'humiliation, mais tout vaut mieux, dit-il, que ce cul-de-basse-fosse où ils sont condamnés à périr d'ennui et de pénurie au milieu de l'indifférence générale. Lasse de nager contre le courant, Marina pense maintenant que Mour a peut-être raison et qu'elle doit user de toutes ses relations et chercher ailleurs un cadre de vie plus conforme à ses aspirations d'« intellectuel-le ». Du reste, Mour note mystérieusement dans son Journal que la municipalité a offert à Marina un travail de traductrice d'allemand pour le compte du N.K.V.D. Serait-elle en passe d'être récupérée par le système soviétique ? N'y a-t-il pas là une lueur d'espoir pour leur « quotidien » à tous deux ?

Reprenant courage, Marina demande par lettre, pour elle et pour son fils, un droit de résidence à Tchistopol. Ce « droit de résidence » est délivré par le comité du Litfond, dûment habilité à en désigner les bénéficiaires. Parmi les écrivains qui le composent, un seul, d'après les renseignements de Marina, est hostile à son inscription sur la liste des habitants « légaux » de la ville : un certain Trenev, prix Staline, titulaire de nombreuses décorations et connu pour ses opinions strictement communistes. Selon lui, une émigrée, épouse d'un ex-garde blanc, n'a pas sa place chez des écrivains sovié-tiques conscients de leurs devoirs. En revanche, elle pourrait compter sur l'appui d'un autre homme de lettres, Nicolas Asséev, mais il n'a pas l'envergure du premier. Malgré ces échos inquiétants, Marina, éperonnée par Mour, se cramponne à son projet.

Le 24 août 1941, elle prend, seule, le bateau pour Tchistopol. Là, elle se rend au siège du Litfond où se déroulent, en grand secret, les délibérations du Conseil. Assise dans un couloir, elle attend avec anxiété la décision du présidium.

Une consœur, Lydia Tchoukovskaïa, venue elle-même pour quelque renseignement, la découvre dans son coin, humble et muette comme la dernière des quémandeuses. En apercevant Lydia, Marina s'écrie : « Ne partez pas !... Restez avec moi !... En cet instant, c'est mon sort qui se décide. Si on refuse de m'inscrire à Tchistopol, je mourrai ! Je me jetterai dans la Kama ! » Et, comme Lydia Tchoukovskaïa tente de la raisonner, elle gémit : « Ici, à Tchistopol, il y a, au moins, des gens ; là-bas il n'y a personne ; ici, dans le centre de la ville, il y a des maisons en pierre ; là-bas, toutes les maisons sont en bois... À Elabouga, j'ai peur ! » Enfin, la porte fatidique s'ouvre, livrant passage à une femme, Véra Smirnova, membre du Litfond. Sortant de la salle des séances, elle annonce à Marina que, malgré quelques réticences, la majorité du Conseil s'est prononcée en faveur de son admission dans la ville. Cette nouvelle, qui devrait réjouir Marina, la plonge dans une perplexité douloureuse. L'observant à la dérobée, Lydia Tchoukovskaïa note dans ses Souvenirs : « Je constatai avec étonnement que Marina [Tsvetaeva] ne semblait même pas heureuse du résultat favorable de ses démarches. » Devant sa compagne interloquée, Marina hoche la tête et murmure : « Est-ce que ça vaut la peine de chercher [un domicile, du travail] ? Le mieux serait, sans doute, que je renonce à tout et que je reparte pour Elabouga ! — Ah ! ça, non ! proteste Lydia Tchoukovskaïa. Il n'est pas difficile de trouver une chambre par ici ! — À quoi bon ? Même si je trouve une chambre, on ne me donnera pas de travail ! Je n'aurai donc pas de quoi vivre ! » Néanmoins Marina accepte de faire un tour en ville, pilotée par Lydia, en espérant découvrir un logement libre et pas cher. La quête s'étant révélée infructueuse, Lydia se met en tête de changer les idées de Marina en l'invitant à une soirée littéraire chez des amis, les Schneider. À cette réunion improvisée, Marina accepte de réciter certains de ses poèmes d'autrefois et notamment *Nostalgie du pays natal*. Elle est copieusement applaudie et félicitée. Ce succès, en petit comité, lui rappelle le temps où elle rêvait de subjuguer un public toujours plus vaste et plus ouvert à son inspiration. Qu'y a-t-il de commun entre la mendiante d'aujourd'hui et la conquérante d'hier ? Tatiana Schneider, qui a été témoin de cette « prestation poétique » de Marina, la décrit ainsi, dans sa misère orgueilleuse et son étrange attifement : « Elle portait un horrible béret de laine, couleur poil de chameau, une longue jupe de soie bleue, qui avait déteint avec le temps, ses pieds étaient chaussés de sandales et une courte veste de sport lui couvrait les épaules [...]. Ses yeux jaunes exprimaient la folie. Elle ne tenait pas en place, allait et venait dans la chambre, en fumant... Visiblement, elle éprouvait le besoin de se confier à quelqu'un. Tout à coup, elle s'est mise à pleurer, elle a retiré ses lunettes, elle a ôté sa petite veste et son béret. Et elle est apparue merveilleusement svelte, comme une toute jeune fille. [...] Puis elle s'est inclinée vers moi et m'a embrassée[1]. » Est-ce l'admiration que Marina devine dans les yeux de Tatiana Schneider qui la ravigote ? En quittant cet appartement douillet et cette société amicale, elle se sent prête à reprendre le combat. D'emblée, elle télégraphie à Mour pour lui annoncer qu'elle a enfin obtenu un droit de résidence pour eux à Tchistopol. Mais il lui faut aussi s'assurer d'un gagne-pain sur place.

Profitant des bonnes dispositions du Litfond, Marina refoule son orgueil et adresse à ce cénacle omnipotent une supplique afin qu'on lui confie un poste, même subalterne, au service des écrivains : « Je vous prie de m'accorder un emploi en qualité de plongeuse dans la future cantine du Litfond. » C'est signé : « M. Tsvetaeva, le 26 août 1941. » On ne va tout de même pas lui refuser la possibilité de laver, moyennant une juste rémunération, les assiettes de ses confrères !

Ayant passé la nuit du 27 au 28 août au foyer des écrivains « en transit », elle se rend à l'embarcadère pour prendre le bateau à destination d'Elabouga. Mais le quai est envahi de femmes gémissantes. Plusieurs navires, transportant des blessés du front, viennent d'accoster et on les

---

1. Cité par Anna Saakiantz : *Marina Tsvetaeva, sa vie, son œuvre.*

décharge en hâte dans le port de Tchistopol avant de les répartir entre les hôpitaux de la région. Devant cet étalage de corps estropiés et de bruyantes pleureuses, Marina se sent brusquement déplacée. Et cependant, il lui semble que son désespoir personnel est à la fois amplifié et justifié par celui de toute la nation russe. L'horreur n'est pas seulement en elle, mais dans l'univers entier. Quand et comment ce cauchemar s'arrêtera-t-il pour la Russie et pour elle-même ? En montant à bord du caboteur qui fait la navette entre Tchistopol et Elabouga, elle est convaincue de quitter non seulement la terre ferme, mais la réalité du monde. Tout ce qui suivra ne pourra être que folie !

Le lendemain de son arrivée à Elabouga, elle a une conversation sérieuse avec Mour, qui, toujours aussi entêté, l'encourage à persévérer dans ses démarches. À l'entendre, ils tiennent « le bon bout ». Dans ces conditions, il est indispensable, dit-il, qu'elle reparte dès le 30 août pour Tchistopol, où rien n'a encore été décidé au sujet de l'avenir d'une célèbre poétesse russe dans la plonge, mais où, selon toute vraisemblance, on lui accordera cette faveur. Par amour pour son fils et par lassitude aussi, Marina accepte cette dernière épreuve. Toutefois, le 30 août, contrairement à sa promesse, elle ne bouge pas encore, comme paralysée par sa résolution même.

Ce jour-là, elle reçoit la visite d'une jeune fille inconnue, Nina Brovedovskaïa, à qui des voisins trop bien informés ont dit que la maison des Brodeltchikov, où logent Marina et son fils, sera bien-tôt libérée car les locataires actuels sont sur le point de partir pour Tchistopol. Or, Nina vient juste-ment de Tchistopol et voudrait s'installer, avec sa mère, à Elabouga. Amusée par la perspective de ce chassé-croisé, Marina trouve la nouvelle venue sympathique, engage la conversation avec elle et apprend que cette charmante demoiselle est origi-naire de Pskov, qu'elle a obtenu son brevet d'infir-mière et qu'elle a l'intention de partir pour le front afin de soigner les malheureux soldats victimes de leur héroïsme. Surprise par une vocation aussi éloi-gnée de ses préoccupations personnelles, Marina tente de dissuader son interlocutrice en lui expli-quant que la place d'une femme n'est pas sur le théâtre des combats, dans la boue, la sanie et la brutale promiscuité masculine. Frappée par ce dis-cours amical, Nina s'en souviendra mot pour mot. Ayant épuisé les arguments pour la faire changer d'avis, Marina finit par invoquer l'obligation sacrée d'une fille envers sa mère, qu'on ne doit quitter sous aucun prétexte, surtout quand le pays est à feu et à sang. Puis, citant son propre cas, elle mur-mure, comme se parlant à elle-même :

« Vous avez votre mère auprès de vous, moi, j'ai un fils, lui aussi rue dans les brancards et voudrait partir. Il rêve de retourner à Moscou. C'est ma ville natale. Mais, aujourd'hui, je la hais ! Vous avez beaucoup de chance d'avoir encore votre maman. Gardez-la bien ! Moi, je suis seule !

— Comment ça ? demande Nina. Ne m'avez-vous pas dit que vous avez un fils ?

— Ce n'est pas la même chose ! soupire Marina.
L'important, c'est d'avoir à ses côtés quelqu'un de
plus âgé que vous, ou quel qu'un en compagnie de
qui vous avez grandi et avec qui vous avez beaucoup de souvenirs communs. Quand disparaît un
de ces êtres-là, il n'y a plus personne à qui on peut
dire : "Te souviens-tu ?" C'est comme si on per-
dait d'un seul coup tout son passé ! C'est plus
effrayant que la mort ! »

Nina Brovedovskaïa s'en va, songeuse. Elle n'oubliera jamais la vision de cette femme vieillissante,
aux cheveux courts et au regard perçant, qui a l'air,
dira-t-elle, d'une « institutrice », et qui, la connais-
sant à peine, lui a livré, comme à regret, le secret
de ses craintes, de sa douleur et de sa solitude.

Après la visite de Nina Brovedovskaïa, les voisins
de Marina l'entendent se disputer avec son fils.
L'altercation se déroule, comme à l'habitude, en
français. Impossible aux Brodeltchikov d'en saisir
le sens exact. Cependant, il est clair que la mère est
à bout de patience et que le garçon supporte de
plus en plus difficilement l'amour despotique dont
elle l'entoure. Comme s'il avait encore huit ans,
alors qu'il va en avoir seize ! Le soir même de ce
30 août, Mour note rageusement dans son Journal :
« Ma mère est comme une toupie. Elle tourne sur
elle-même sans savoir si elle doit rester ici ou partir
pour Tchistopol. Elle cherche à obtenir de moi une
"parole décisive", mais je refuse de prononcer cette
"parole décisive", car je ne veux pas assumer la
responsabilité des lourdes erreurs de ma mère. »

Le lendemain, 31 août 1941, la radio annonce que l'armée allemande a franchi le Dniepr. La mairie d'Elabouga appelle tous les habitants de la bourgade à préparer une piste d'atterrissage pour le futur aérodrome. Chaque travailleur recevra une miche de pain en récompense de son effort patriotique. Marina envoie Mour sur le chantier. Ça l'occupera et, une miche de pain, c'est toujours bon à prendre par ces temps de famine. Les propriétaires de l'isba s'absentent, eux aussi, pour quelques heures. Marina reste seule. Aussitôt, les images les plus noires affluent dans son cerveau. Quelques jours auparavant, lors d'une de ses nombreuses querelles avec Mour, il lui a lancé, avec la hargne d'un gamin mal élevé : « Un de nous deux ne sortira d'ici que les pieds devant ! » Son fils a raison, pense-t-elle, mais il est évident que c'est à elle de partir la première. Mour a tout son avenir devant lui, alors qu'elle ne présente plus aucune utilité ni pour ses proches, ni pour la littérature. La source pure de l'inspiration a été définitivement troublée dans sa tête par l'afflux des eaux de vaisselle. Il y a pis : exilée dans sa propre patrie, elle ne sait toujours rien ni de son mari, ni de sa fille. Sont-ils morts ? Sont-ils simplement déportés ? Et elle, Marina, doit-elle se considérer comme une créature vivante ou comme un cadavre en sursis ? Au lieu d'aider son fils, elle est pour lui un boulet. D'ailleurs, elle est un boulet pour elle-même. Elle voudrait se débarrasser de ce corps qui l'encombre et qu'elle traîne, depuis tant d'années, de défaite en défaite, de malheur en malheur. L'idée d'en finir l'éblouit, tel un ordre tombé du ciel. À moins que ce ne soit un ordre tacite de Moscou, et, plus exactement du N.K.V.D. La pieuvre étatique ne l'a pas lâchée. Elle l'enserre même de plus en plus étroitement dans ses tentacules. Ici comme à Léningrad, comme à Moscou, comme partout en U.R.S.S., la dénommée Marina Tsvetaeva n'est pas une poétesse — talentueuse ou non —, elle n'est même pas une femme, elle est un pion qu'une main invisible promène à sa guise sur l'échiquier. La politique du moment l'a réduite à zéro. Pour s'en convaincre, elle relit quelques mots qu'elle a écrits naguère dans son Journal, au retour d'une visite à la prison. Ce matin-là, elle venait d'y porter un colis à l'intention de Serge. Et le dépôt avait été accepté. Donc, il était encore en vie. Une lueur d'espoir. « Dans le tramway où j'avais pris place, écrivait-elle, je claquais, malgré moi, des dents. Ce léger entrechoquement des mandibules me fit comprendre que j'avais peur. Quand, à travers le guichet, on m'avait dit que le colis serait remis au destinataire, mes larmes avaient coulé spontanément comme si elles n'avaient attendu que ça. Si on avait refusé de le prendre, je n'aurais pas pleuré. » Plus loin, une autre inscription lui saute aux yeux : « Que me reste-t-il, hormis mes craintes au sujet de Mour, de sa santé, de son avenir à l'approche de ses seize ans, de la validité de son passeport, et de toutes ces choses dont je suis responsable ? » Ailleurs encore, une note significative : *« Ma peur de tout ! »* Les mots ont été soulignés par Marina. Elle les souligne une deuxième fois, par la pensée. Ils résument toute sa vie, depuis son retour au pays. La terreur monte en elle comme l'eau d'une marée noire. D'un instant à l'autre, elle périra, étouffée, submergée. Il faut agir avant que les « empêcheurs » n'arrivent. Personne à la maison. On pourrait croire qu'ils se sont donné le mot pour lui faciliter la tâche. Mais il faut faire vite si on veut réussir une sortie de scène honorable. Marina écrit trois lettres.

À son fils d'abord : « Mon petit Mour, pardonne-moi, mais ensuite ce serait devenu pire. Je suis gravement *malade*, je ne suis plus moi-même. Je t'aime follement. Comprends que je ne pouvais plus vivre. Transmets à papa et à Alia, si tu les vois, que je les ai aimés jusqu'au dernier moment et explique-leur que j'étais *dans une impasse*. »

Aux gens du Litfond ensuite : « Chers camarades, ne laissez pas Mour seul, je vous en supplie ! Que celui qui le pourra l'emmène à Tchistopol, chez Asséev. Les bateaux sont horribles. Je vous supplie de ne pas le faire voyager seul. Aidez-le aussi à faire ses bagages et à les emporter à Tchistopol. Je compte sur une vente de mes affaires. Je veux que Mour vive et fasse ses études. *Avec moi, il ne s'en sortirait pas.* [...] Ne m'enterrez pas vivante ! Vérifiez bien avant ! »

Enfin, à son ami de Tchistopol, Nicolas Asséev : « Je vous supplie de prendre Mour chez vous, à Tchistopol, de le considérer *simplement comme un fils*. Je ne peux plus rien pour lui et ne lui ferais que du mal. Dans mon sac à main, il y a cent cinquante roubles, et il faut essayer de vendre toutes mes affaires. Ma mallette contient quelques carnets de poèmes et des textes en prose. Je vous les confie. Prenez soin de mon Mour chéri, il est de santé très fragile. Aimez-le comme votre fils. Il le mérite. Quant à moi, pardonnez-moi. *Je n'ai pas supporté !* »

Ayant cacheté les trois lettres, elle se dirige d'un pas résolu vers l'entrée de l'isba. Un crochet au plafond la fascine. En vérité, c'est un simple clou tordu. Mais il paraît solide. Elle l'avait remarqué le jour même de son arrivée. Pour la corde, elle n'a que l'embarras du choix parmi tous les paquets ficelés avec soin qui l'ont accompagnée dans son voyage. Quand a-t-elle appris à faire un nœud coulant ? Dans son enfance peut-être, par désœuvrement, par jeu. En nouant les brins de chanvre avec dextérité, elle retrouve les gestes amusants d'autrefois. La suite ne dépend plus d'elle. Une dernière précaution cependant : pour qu'on ne voie pas ce qui se passe à l'intérieur par la petite fenêtre qui donne sur la cour, elle masque la vitre avec un lambeau d'étoffe. Tout est prêt. Courage !

Lorsque les Brodeltchikov reviennent chez eux, il est trop tard. Les voisins se pressent autour du corps pendu au crochet. Les pieds de Marina touchent presque le sol. On se récrie, on s'agite, mais personne n'ose encore toucher le cadavre : « Ça porte malheur ! » Enfin, un inconnu libère Marina de son nœud coulant. Les miliciens alertés arrivent sur les lieux. Un médecin constate le décès. Sur ces entrefaites, Mour rentre du chantier de l'aéroport. Il aperçoit un attroupement devant la maison et demande la raison de ce remue-ménage. Des gens du quartier le renseignent. Il veut franchir la porte. Mais on l'en empêche pour lui éviter la vue de sa mère au visage tuméfié par la strangulation. Alors, tête basse, il s'en va. Derrière lui, des femmes recouvrent la morte d'un drap blanc. Tandis qu'on la transporte à la morgue d'Elabouga, la police procède à une perquisition. Sur le certificat de décès, à la rubrique profession du défunt, un secrétaire de mairie indique laconiquement : « évacuée ».

Cette nuit-là, Mour reste coucher chez un ami, Dima Sikorski. Au moment de se mettre au lit, il lui dit, avec une rage douloureuse : « Maman a bien fait ! » Il est à la fois désespéré et soulagé. Marina, qu'il adorait tout en la critiquant, empoisonnait son existence par ses foucades, ses jérémiades et ses conseils hors de propos. Il se sent devenu homme avant de se découvrir orphelin. Pour remercier Dima de son hospitalité, il lui laisse en souvenir le corsage, la veste et le béret que Marina portait le jour de son suicide. Mais, arguant de sa sensibilité maladive, il renonce à assister à l'enterrement de sa mère.

Rien que des voisins et des inconnus autour de la fosse. Pas un article dans la presse, pas une oraison funèbre au-dessus du cercueil. On est en pleine guerre. Le sang coule à flots sur le sol russe. Qui se soucie du suicide, quelque part en Tartarie soviétique, d'une vieille poétesse en mal d'inspiration, alors que tant de jeunes gens meurent sur le front pour la défense de la patrie ? Faute d'argent, on ne juge même pas utile d'ériger une croix, avec l'indication du nom et de la date, pour localiser la sépulture [1].

Cet effacement posthume obéit exactement aux idées de Marina Tsvetaeva. Elle s'en va comme elle a vécu en faisant un pied de nez aux conventions sociales. Ayant tout sacrifié à la littérature, il est juste qu'aucune trace d'elle ne demeure sur cette terre, hormis les livres qu'elle a laissés. Son vœu le plus cher n'était-il pas de s'anéantir en tant que femme pour mieux s'imposer en tant que poète ? La passion de l'écriture aboutissant à l'absence de toute écriture (même pas une brève épitaphe sur une pierre tombale), il y a là un symbole aveuglant. Avec sa fierté ombrageuse, Marina n'aurait pas choisi une autre fin que cette disparition anonyme dans une trappe.

---

1. Dans l'impossibilité d'identifier la tombe de Marina Tsvetaeva, sa sœur Anastasie, s'étant rendue à Elabouga en 1960, fera planter une croix dans un coin de l'enclos, avec cette simple indication : « Marina Tsvetaeva, 26 septembre 1892-31 août 1941, est inhumée dans un coin de ce cimetière. »

XVIII

L'APRÈS-TSVETAEVA

Les proches de Marina Tsvetaeva ont tous connu un destin aussi implacable que le sien. Son mari, Serge Efron, dont elle a été si longtemps sans nouvelles, a été fusillé en secret au mois d'octobre 1941, son fils Mour, revenu à Moscou en 1944, s'est vu immédiatement mobilisé dans l'Armée rouge. Blessé grièvement en juillet de la même année sur le front de Lettonie, il est mort à l'hôpital sans qu'on sache comment. Sa fille, Ariadna, après son arrestation en 1939, a passé huit ans en déportation. Une fois libérée, elle a résidé deux ans à Riazan, ensuite elle a été de nouveau arrêtée et reléguée à perpétuité dans le Grand Nord, au village de Tourouhansk, district de Krasnoïarsk. Définitivement innocentée en 1955 et autorisée à regagner Moscou, elle s'est dévouée jusqu'au bout au souvenir et à l'œuvre de sa mère. La sœur de Marina Tsvetaeva, Anastasie, arrêtée en 1937, puis relâchée, puis derechef reléguée, ne sera totalement réhabilitée qu'en 1958 et se consacrera, elle aussi, à servir la mémoire de la disparue. C'est au lendemain de la guerre que l'intérêt pour la poésie de Marina s'est réveillé parmi les Russes résidant à l'étranger. On a publié de nombreux ouvrages sur elle et des textes inédits retrouvés par miracle. En 1957, elle a été sacrée grand poète national en U.R.S.S. par le troisième plénum de l'Union des Écrivains. Depuis, hors de Russie comme en Russie, son prestige ne cesse de grandir.

Au moment d'en finir avec le récit du torrentueux parcours de Marina Tsvetaeva, un souvenir personnel me revient en mémoire. C'était en décembre 1938. J'étais âgé de vingt-sept ans et avais déjà publié plusieurs livres, lorsque l'occasion me fut donnée de rendre visite à des écrivains russes de l'émigration peu connus du public français et de leur dire mon admiration pour leur œuvre. Tour à tour, Rémizov, Chmelev, Merejkovski et sa femme Zénaïde Hippius m'accueillirent cordialement et répondirent à mon hommage avec une modestie et une mélancolie émouvantes. Au cours de nos conversations, je les interrogeai discrètement sur les autres écrivains russes en exil. Ils me parlèrent d'un certain nombre de leurs confrères, sans jamais mentionner Marina Tsvetaeva. Moi-même, d'ailleurs, j'ignorais à peu près tout, à l'époque, de cette poétesse qu'on disait inapprochable et extravagante. Le mutisme de mes interlocuteurs me renforça dans l'idée qu'elle était une fausse gloire, et, peut-être, une fausse patriote, une Soviétique venue en France pour semer le désordre sur ses pas. Ce fut cinq mois à peine après mes rencontres avec l'élite de la littérature russe en France que j'appris incidemment le brusque départ de Marina Tsvetaeva qui fuyait « l'enfer capitaliste » pour se réfugier en Russie soviétique et y achever le cycle de ses malheurs.

Aujourd'hui encore, quand il m'arrive d'évoquer les rapports subtils entre l'art et la politique, entre la soif de vivre et celle de créer, entre la nostalgie de l'horizon natal et le goût du dépaysement, entre les charmes complémentaires de la langue russe et de la langue française, c'est à Marina Tsvetaeva que je pense. Comme si ce personnage hors du commun n'avait accumulé tant de folies et tant de chagrins que pour enseigner, par opposition, la sagesse aux autres.

BIBLIOGRAPHIE

A<small>DAMOVITCH</small> (Georges Victori), *Commentaires*, Washington, Kamkin, 1967.

B<small>AKHRAKH</small> (Alexandre Vassiliévitch), « Marina Tsvetaeva » et « Marina Tsvetaeva à Paris », *La Pensée russe*, juillet et décembre 1979.

B<small>ELKINA</small> (Maria), *Le Destin tragique de Marina Tsvetaeva*, Paris, Albin Michel, 1992.

B<small>ERBEROVA</small> (Nina), *C'est moi qui souligne*, Actes Sud, 1989 (traduction française).

B<small>EYSSAC</small> (M.), *La Vie culturelle de l'émigration russe en France*, Paris, 1971.

B<small>OUNINE</small> (Ivan Alexandrovitch), *Souvenirs*, Paris, 1950.

B<small>RODSKY</small> (Joseph), *À propos de Tsvetaeva, Dialogue avec Salomon Volkov*, Moscou, 1996 (en russe).

C<small>HENTALINSKI</small> (Vitali), *Les Surprises de la Loubianka*, Paris, Robert Laffont, 1996.

D<small>ELAY</small> (Claude), *Marina Tsvetaeva, une ferveur tragique*, Paris, Plon, 1997.

D<small>ESANTI</small> (Dominique), *Le Roman de Marina*, Paris, Belfond, 1994.

E<small>DKIND</small> (Efim), *Poésie russe*, anthologie, Paris, Maspero, 1983.

—, *Histoire de la littérature russe du XXe siècle*, Paris, Fayard, 1988, 2 volumes.

E<small>FRON</small> (Ariadna Serguéïevna), *Pages de mes Souvenirs*, Paris, Lev, 1979.

—, *À propos de Marina Tsvetaeva*, Moscou, L'Écrivain soviétique, 1989.

—, *Lettres de mon exil*, Paris, YMCA Press, 1982.

FLEJSMAN (Lazare), *Le Berlin russe*, Paris, YMCA Press, 1983.

HELLER (M.), « Premier avertissement : un coup de fouet à l'histoire de l'expulsion de personnalités culturelles hors de l'Union soviétique en 1922 », *Cahiers du monde russe et soviétique*, vol. XX, Paris, 1979.

KAGAN (I. et M.), *Ivan Vladimirovitch. Tsvetaev, sa vie, son activité, sa personnalité*, Moscou, Éd. La Science, 1987.

KARLINSKI (S.), *Marina Tsvetaeva. La femme, son univers, sa poésie*, Cambridge, University Press, 1985 (en anglais).

KEMBALL (R.), « Le dilemme séculaire du poète russe : patrie et liberté », *Études de Lettres*, n° 10, Lausanne, 1977.

KOUDROVA (Irma), *La Disparition de Marina Tsvetaeva*, Moscou, 1995 (en russe).

LOSSKY (Véronique), « Thèmes sociaux dans la poésie de Tsvetaeva », *Revue des Études slaves*, n° 55, Paris, 1983.

—, *Marina Tsvetaeva, un itinéraire poétique*, Malakoff, Éd. Solin, 1987.

—, *Marina Tsvetaeva*, Paris, Seghers, coll. « Poètes d'aujourd'hui », 1999.

—, *Chants de femmes, Anna Akhmatova, Marina Tsvetaeva*, Bruxelles, Éd. Le Cri, 1994.

PORETSKY (Élisabeth K.), *Les Nôtres*, Paris, Denoël, 1969.

RAZOUMOVSKI (Maria), *Marina Tsvetaeva, mythe et réalité*, Montricher (Suisse), Éd. Noir sur Blanc, 1988.

RILKE (Rainer Maria), PASTERNAK (Boris), TSVETAEVA (Marina), *Correspondance à trois*, Paris, Gallimard, 1983.

SAAKIANTZ (Anna), *Pages de la vie et de l'œuvre*, Moscou, Éd. L'Écrivain soviétique, 1986.

—, *Marina Tsvetaeva, sa vie, son œuvre*, Moscou, 1997.

SAINT-BRIS (Gonzagne) et FEDOROVSKI (Vladimir), *Les Égéries russes*, Paris, J.-Cl. Lattès, 1994.

SERGE (Victor), *L'Assassinat politique en U.R.S.S.*, Paris, Éd. Tisné, 1939.

STRUVE (G.P.), *La Littérature russe en exil*, New York, Édition du Nom de Tchekhov, 1956.

Marina Tsvetaeva

STRUVE (Nikita), *Soixante-dix ans d'émigration russe, 1919-1989*, Paris, Fayard, 1996.

STRUVE (G.P. et Nikita), *Marina Tsvetaeva, lettres inédites*, Paris, Y.M.C.A. Press, 1972.

TSVETAEVA (Anastasie Ivanovna), *Souvenirs*, Moscou, Éd. Isographe, 1995 (en russe).

TSVETAEVA (Marina), *Œuvres poétiques*, New York, 1980-1983, 5 volumes (en russe).

—, *Œuvres choisies*, 2 volumes : t. I, *Poésie* ; t. II, *Prose* ; Moscou, 1980 et 1984 (en russe).

—, *Œuvres en prose*, Éd. La Descendance, 1996 (en russe).

—, *Poèmes*, Paris, Éd. du Globe, 1993 (traduction française).

—, *Un chant de vie*, Colloque international de l'Université de Paris-IV, sous la direction d'Efim Edkind et de Véronique Lossky, Paris, Éd. YMCA Press, 1996.

VOLKONSKI (prince Serge), *La Vie quotidienne et la Vie de l'Esprit*, Paris, 1978.

WEIDLE (Vladimir), *Sur les poètes et la poésie*, Paris, YMCA Press, 1973.

INDEX

Ehrenbourg, Ilya : 53, 117, 119, 128, 129, 142, 149, 150, 152, 220, 317.
Elenev, Nicolas : 87.
Ellis, *voir* Kobylinski, Lev Lvovitch.
Éluard, Paul : 37 n, 220, 256.
Essenine, Serge : 92.

Fadéev, Alexandre : 317.
Falconetti, Renée : 218.
Farrère, Claude : 320.
Fedotov, Georges : 242, 243, 280.
Fedotova, E.N. : 280.
Fondaminski : 243.
Franco Bahamonde, Francisco : 285.

Gala, *voir* Diakonova, Galia.
Génia : 31.
Gide, André : 256.
Gogol, Nicolas : 15.
Goethe, Johann Wolfgang von : 36, 46, 155.
Gontcharova, Nathalie : 230.
Gordon : 321.
Gordon, Nina : 294, 321.
Gorgouloff, Paul : 236, 237.
Gorki, Maxime : 29, 172, 216, 221, 222, 251, 309.
Goul, Roman : 163.

Goumilev, Nicolas : 51, 52, 53, 68, 143, 144, 194.
Gouriévitch, Samuel (Moulia) : 287, 288, 290, 293.
Gourmont, Remy de : 242.
Gronski, Nicolas : 223-24-52-53.
Guéhenno, Jean : 256.

Halpern-Andronikova, Salomé : 211.
Heine, Henri : 155.
Herriot, Édouard : 229, 253.
Hindenburg, Paul von Beneckendorff, maréchal : 235.
Hippius, Zénaïde : 51, 194, 195, 199, 219, 338.
Hitler, Adolf : 235, 249, 250, 253, 275, 277, 280, 281, 307, 317.
Holliday, Sophie (Sonetchka) : 120, 243, 268, 317.
Hugo, Victor : 56.

Igor, prince : 182.
Ilovaïski, Alexandra : 21.
Ilovaïski, Dimitri : 7.
Ilovaïski, Nadia : 21.
Ilovaïski, Serge (Serioja) : 21.
Ilovaïski, Valérie (Liora), née Tsvetaeva : 7, 8, 15, 16, 34, 73.
Ivanov, Georges : 244.

TABLE

353

DU MÊME AUTEUR

357